Ce pays de rêve

DU MÊME AUTEUR

Saga LA FORCE DE VIVRE

Tome I, *Les rêves d'Edmond et Émilie*, roman, Montréal, Hurtubise, 2009

Tome II, *Les combats de Nicolas et Bernadette*, roman, Montréal, Hurtubise, 2010

Tome III, *Le défi de Manuel*, roman, Montréal, Hurtubise, 2010

Tome IV, *Le courage d'Élisabeth*, roman, Montréal, Hurtubise, 2011

Saga CE PAYS DE RÊVE

Tome I, *Les surprises du destin*, roman, Montréal, Hurtubise, 2011

Un p'tit gars d'autrefois – L'apprentissage, roman, Montréal, Hurtubise, 2011

Un p'tit gars d'autrefois – Le pensionnat, roman, Montréal, Hurtubise, 2012

Michel Langlois

Ce pays de rêve

tome 2

La déchirure

Roman historique

Hurtubise

Catalogage avant publication de Bibliothèque et Archives nationales du Québec et Bibliothèque et Archives Canada

Langlois, Michel, 1938-

Ce pays de rêve : roman historique

L'ouvrage complet comprendra 4 v.

Sommaire : t. 1. Les surprises du destin – t. 2. La déchirure.

ISBN 978-2-89647-519-3 (v. 1)
ISBN 978-2-89647-877-4 (v. 2)

I. Titre. II. Titre : Les surprises du destin. III. Titre : La déchirure.

PS8573.A581C4 2011 C843'.6 C2011-941256-X
PS9573.A581C4 2011

Les Éditions Hurtubise bénéficient du soutien financier des institutions suivantes pour leurs activités d'édition :

- Conseil des Arts du Canada ;
- Gouvernement du Canada par l'entremise du Fonds du livre du Canada (FLC) ;
- Société de développement des entreprises culturelles du Québec (SODEC) ;
- Gouvernement du Québec par l'entremise du programme de crédit d'impôt pour l'édition de livres.

Graphisme de la couverture : René St-Amand
Illustration de la couverture : Marc Lalumière
Maquette intérieure et mise en pages : Andréa Joseph [pagexpress@videotron.ca]

ISBN 978-2-89647-877-4 (version imprimée)
ISBN 978-2-89647-878-1 (version numérique PDF)
ISBN 978-2-89647-879-8 (version numérique ePub)

Dépôt légal : 1er trimestre 2012

Bibliothèque et Archives nationales du Québec
Bibliothèque et Archives Canada

Diffusion-distribution au Canada :
Distribution HMH
1815, avenue De Lorimier
Montréal (Québec) H2K 3W6
www.distributionhmh.com

Diffusion-distribution en Europe :
Librairie du Québec/DNM
30, rue Gay-Lussac
75005 Paris FRANCE
www.librairieduquebec.fr

Imprimé au Canada

www.editionshurtubise.com

Personnages principaux

Andrade, Maximin, dit Le Portugais : accusé de meurtre.

Aveneau, Jean : père jésuite.

Bastien : aide meunier.

Bichaume, Olivier, dit Le Matou : client de l'auberge et ami de Marcellin Perré.

Bonnard B. : notaire prédécesseur de Marcellin.

Bonneval de la Tour penchée, Robert : inspecteur du roi.

Chapeau, Pierre, dit Le Chauve : client de l'auberge et ami de Marcellin Perré.

Chauvin, Jean, dit Lafranchise : marchand ambulant.

Dalibert : simple d'esprit.

Delage, Barthélemy : ami d'Azarias Jobidon.

Després, Henri : père adoptif de Marcellin Perré.

Després, Marie-Rose : mère adoptive de Marcellin Perré.

Drieux, Denis, dit Le Passeur : passeur de la rivière Saint-Charles.

Faye, Honorine : femme du meunier Philibert Faye.

Faye, Philibert, dit Mouture : meunier, époux d'Honorine.

Francœur, Isabelle : servante à l'auberge du Passage et amie de Radegonde.

Frouin, Bonaventure (Bona), dit La Musique : ami de Marcellin Perré.

Jobidon, Azarias : habitant de Charlesbourg.

Larcher, Raymond, dit Prêt-à-Boire : cantonnier accusé de meurtre.

Laurent, Pierre, dit Ladouceur : cultivateur ami de Marcellin Perré.

Le Noir : bras droit du marchand Renaud.

Marceau, Adrien : charpentier de navire ami de Marcellin Perré.

Mongrain, Rosario : charretier des jésuites.

Perré, Françoise, dite Fanchonette : fille de Marcellin Perré et Radegonde Quemeneur.

Perré, Marcellin : fils d'Arnaud Perré et époux de Radegonde Quemeneur.

Perré, Renaud : fils de Marcellin Perré et Radegonde Quemeneur.

Quemeneur, Radegonde, dite Laflamme : femme de Marcellin Perré.

Renaud, Pacifique : marchand, négociant, prêteur d'argent.

Robleau, Jean, dit L'Aiguille : fondeur de cuillères.

Rosalie, la vieille : cuisinière de l'auberge du Passage.

Sicard : comptable du marchand Renaud.

Vincenot, Martin : meunier remplaçant de Faye.

Personnages historiques

Aubert, Charles de Lachesnaye (1632-1702): Baptisé le jeudi 12 février 1632 à l'église Saint-Michel d'Amiens (Somme), fils de Jacques Aubert, intendant des fortifications de la ville d'Amiens, et de Marie Goupy, il s'est marié trois fois. La première, en 1664, avec Gertrude-Catherine Couillard; la deuxième, en 1668, avec Marie-Louise Juchereau; la troisième, en 1680, avec Marie-Angélique Denis. De ces trois femmes il a eu dix-sept enfants. Il est reconnu comme le plus riche marchand de Nouvelle-France au XVIIe siècle.

Bécard de Grandville, Pierre (1640-1708): Il arrive à Québec le 18 août 1665 à bord du navire *L'Aigle d'or* comme enseigne de la compagnie du sieur de Grandfontaine, au régiment de Carignan-Salières, et participe à la construction des forts sur le Richelieu avant de venir séjourner à Québec où sa compagnie est cantonnée. En 1668, le jour de son contrat de mariage avec Anne Macard dont il aura quatre enfants, il achète à Louis Couillard de Lespinay et à Geneviève Després la moitié de l'Île-aux-Grues, de l'Île-aux-Oies, de la Grosse-Île et de la Petite-Île sur le Saint-Laurent, en face de

Montmagny. Il y fait établir son manoir et devient seigneur de ces lieux. Il vit à cet endroit et à Québec. Il meurt à l'Île-aux-Oies le 4 mai 1708.

Bédard, Isaac (vers 1616-1689) : Charpentier de gros œuvre, originaire de La Rochelle, il arrive au pays en 1660 en compagnie de son épouse et de leur fils Jacques. Il devient un des principaux entrepreneurs en construction de maisons de Québec et est sollicité à maintes reprises pour divers ouvrages de charpenterie. Il s'établit à Charlesbourg. Il y meurt le 14 janvier 1689.

Couture, Guillaume (1618-1701) : Personnage très en vue au début de la colonie, il naît dans la paroisse Saint-Godard de Rouen, en Normandie. Il vient au pays en 1640 comme donné des jésuites. Il devient interprète après un séjour chez les Hurons, chez les Abénaquis et les Iroquois. En 1649, après son mariage avec Anne Émard dont il a dix enfants, il s'établit à la Pointe-de-Lévis. Il fait plusieurs voyages de découverte et finit par se fixer définitivement à Lauzon. Il meurt à l'Hôtel-Dieu de Québec le 4 avril 1701.

Roussel, Timothée (vers 1639-1700) : Ce chirurgien originaire de Montpellier, au Languedoc, arrive au pays en 1665. Il épouse en premières noces Madeleine Dumontier en 1667 dont il a sept enfants, et en deuxièmes noces, en 1688, Catherine Fournier dont il a huit enfants. Il est chirurgien à l'Hôtel-Dieu de Québec. Reconnu pour son mauvais caractère et son esprit chicanier, son nom paraît plus de cent fois dans divers procès à la Prévôté de Québec. Il meurt à l'Hôtel-Dieu de Québec le 10 décembre 1700.

Sont aussi mentionnés dans ce roman :

Becquet, Romain (1640-1682) : notaire à Québec.

Boutet, Martin (vers 1616-1685) : musicien et chantre de l'église de Québec.

Cloutier, Zacharie (1590-1677) : charpentier, habitant de Beauport.

Côté, Jean (vers 1600-1661) : cultivateur, habitant de Beauport.

Déry, Maurice vers (1657-1724) : meunier du moulin du Bourg-Royal.

Giffard, Robert (vers 1589-1668) : seigneur de Beauport.

Guyon, Jean (1592-1663) : maçon, habitant de Beauport.

Langlois, Germain (vers 1642-1709) : boucher de Bourg-Royal.

Langlois, Noël (vers 1606-1684) : charpentier, habitant de Beauport.

Lemire, Jean (vers 1626-1684) : charpentier de moulin.

Parent, Pierre (1610-1698) : boucher de Beauport, père de dix-huit enfants.

Riverin, Denis (vers 1630-avant 1717) : marchand et bourgeois de Québec.

Les amitiés sont des biens
aussi fragiles que les fleurs.

Chapitre 1

La lettre du bon père Aveneau

Rien ne sert de courir,
il faut partir à point.

Si cette histoire ne m'était pas advenue, je n'aurais point pris la plume pour l'écrire, j'avais bien assez d'écriture comme ça. Mais c'est bel et bien survenu, et après ma vie n'a jamais plus été la même. Selon la si juste expression de M. de La Fontaine, me revoilà au Havre de Grâce, « Gros-Jean comme devant ». Je m'étais pourtant juré de ne jamais y remettre les pieds. Il n'a fallu que deux ans pour que je m'y retrouve et cinq ans avant que je puisse dire adieu pour de bon à ce bourg de malheur. Qu'on ne vienne pas me faire croire que notre destin n'est pas tracé d'avance, il nous colle aux fesses comme un molosse enragé dont on ne peut pas éviter les morsures.

Quand tout a commencé, j'étais loin de penser que les choses tourneraient comme elles l'ont fait, à partir de quelques mots que je n'aurais pas dû entendre. Mais n'anticipons point, nous avons un bon bout de chemin à parcourir avant d'arriver à ça, sinon nous passerions à côté de l'essentiel, qui, lui, a commencé à naître quand j'ai reçu la lettre.

Je travaillais pour lors ici, au Havre de Grâce, comme clerc chez le notaire Laterreur, mon oncle du côté de ma mère. Dieu m'en garde, je n'ai pas inventé son nom, mais est-il besoin de dire qu'il lui allait comme un œuf dans une omelette. Puisque mon oncle contrôlait tout le courrier, comment cette lettre avait-elle pu échapper à son attention et finir par aboutir dans mes mains ? Je l'ignore encore, mais peu importe, je la tenais et ce que j'y lisais me portait au comble du bonheur. Le bon père Aveneau était parvenu à me retracer. Ce qui me touchait le plus, c'est qu'après toutes ces années il s'était remémoré mon existence, et d'aussi loin que la Nouvelle-France, mon pays de rêve. Je ne le savais pas parti de France et voilà qu'il m'arrivait, avec un peu d'air de mon pays entre les lignes, et une proposition tellement inattendue que je relisais sa lettre pour la quatrième fois afin de me convaincre que je n'avais pas la berlue.

Il m'invitait à le joindre en ces lieux où il ferait de moi le notaire de la seigneurie Notre-Dame-des-Anges. Je riais tout seul, seulement à lire le mot « notaire ». Comme clerc, aux yeux de mon grognon d'oncle, je n'étais rien de moins qu'un estoquefiche* et voilà que je serais notaire comme lui. Je tentais de

* Le lecteur trouvera en fin de volume un lexique qui le renseignera sur le sens de certains mots de l'époque employés dans cet ouvrage.

me figurer quelle grimace il ferait quand il entendrait parler du notaire Marcellin Perré et qu'il se rendrait compte qu'il s'agissait bel et bien de moi. Mais ça, c'est une autre histoire que je raconterai peut-être un jour si je trouve le moyen de finir celle qui vient tout juste de commencer avec cette lettre du bon père Aveneau, cet appel, cette perche tendue comme celle lancée à quelqu'un qui se noie.

Marcellin, si ma lettre t'arrive à temps pour que tu puisses t'embarquer à La Rochelle dès cette année sur un navire en partance pour Québec, en notre chère Nouvelle-France, n'hésite pas, je ferai de toi le notaire de notre seigneurie Notre-Dame-des-Anges.

Ces mots-là dansaient leur sarabande sous mes yeux et j'avais le cœur tout chaviré d'un bonheur ignoré jusque-là. J'allais sortir de ma misère, quitter ma prison pour un endroit inconnu, mais certainement meilleur que celui où je croupissais et dépérissais depuis des années quand, devenu orphelin, à la suggestion de mes parents d'adoption qui croyaient bien faire, du jour au lendemain j'avais quitté Québec pour me retrouver prisonnier en France, plume en main, entre les quatre murs de la maison de Laterreur, notaire et tortionnaire au Havre de Grâce.

La réception de cette lettre changea d'un coup toute ma vie. Je n'avais plus qu'une idée en tête : prendre ma besace, y fourrer tout ce qui était mien avant de quitter en douce cette maison maudite dont les murs suintaient la peur. Au vrai, je ne possédais rien, sinon les hardes que je portais et, au fond d'une bourse, quelques sols épargnés de peine et de misère durant toutes ces années où mon grippe-sou d'oncle et notaire avait largement profité de mes qualités de clerc sans jamais me donner la moindre récompense et encore moins la reconnaissance due. À dix-huit ans, sept ans avant l'âge d'émancipation, j'allais enfin voler de mes propres ailes. Je n'en croyais pas ma chance. C'était le coup de pouce rêvé, celui derrière lequel se cache le destin, le coup de pied au fondement qui donne le courage de tout laisser et du même coup transforme entièrement une vie.

Je quittai le Havre de Grâce au petit matin, quand le coq de La Toupine fit lever le jour, mais non sans m'être payé pour tout le passé en prenant dans la bibliothèque de l'oncle un livre paru quelques années auparavant et intitulé : *Fables choisies mises en vers par M. de La Fontaine*. Je tenais à ce bouquin parce que M. de La Fontaine avait écrit dans la dédicace : « Je me sers d'animaux pour instruire les hommes », et Dieu sait que les hommes ont grandement besoin de leçons. J'ai toujours trouvé que les animaux savent en donner de bonnes aux pauvres idiots que nous sommes.

J'eus un coup d'œil pour la mer, tout près, décorée de goélands et de mouettes. Ce n'était qu'un au revoir, j'allais la retrouver toute pimpante à La Rochelle. Je ne jetai même pas un regard en arrière. À quoi bon nous retourner quand aucun lien ne nous retient? Je me mis en marche vers le sud, ne pouvant compter que sur mes jambes et la bonne volonté des charretiers en manque de conversation qui, contre un brin de jasette, m'accepteraient à leur côté.

C'est ce que fit l'un d'eux, dès que j'eus mis le nez hors du Havre.

— Pardiou ! Jeune homme, tu t'en vas où de même ?

— À La Rochelle !

— La Rochelle ? Tu la choisis loin, ta destination. Monte donc ! J'ai une place tout à côté de moi. Je te laisserai vers Rouen, si on peut s'endurer jusque-là.

Il dit ça en me regardant d'un petit œil malicieux qui m'assura que je ferais route avec lui jusqu'à sa destination. Tout le long du trajet, il ne cessa pas de parler, me contant des plaisanteries qu'entre eux les voyageurs comme lui se racontent. Il livrait du poisson à la ville. Forcément, il fut question de poisson pourri et de poisson à deux pattes.

— Sais-tu, dit-il, quel est le plus grand poisson du monde ?

— Je n'en ai nulle idée !

Il se mit à gabasser.

— C'est toi, parce que tu viens de te faire attraper ! Qui pourrait dire quel est le plus grand poisson du monde, sinon le plus grand poisson lui-même ?

Il continua son verbiage sur le même ton jusqu'à Rouen, ne me laissant pas le temps de placer un mot, mais heureux de m'avoir pour déverser le trop-plein de ce qui bouillait en lui.

Tant que je ne fus pas à Rouen, j'eus encore des craintes. Je savais que mon oncle mettrait tout en œuvre pour me rattraper, mais encore eût-il fallu qu'il sache quel bord j'avais pris. Le connaissant comme je le connaissais, après mon départ il avait dû se mettre à mes trousses en grand équipage en direction de Paris, alors que je courais de tout mon cœur vers La Rochelle. Je n'eus vraiment la paix que lorsqu'à partir de Rouen un autre charretier me fit faire le trajet qui mène jusqu'à Alençon. Celui-là parlait moins, mais aimait chanter.

— Tu connais, dit-il, la petite demoiselle Marie-Anne qui s'en allait au moulin ?

— Oui ! Fort bien !

Il entonna aussitôt la chanson et d'une si bonne voix de basse que la charrette en vibrait. À peine en avait-il terminé avec la Marie-Anne qu'il partit la chanson où il est question des filles de La Rochelle. La dernière note avait à peine expiré dans l'air qu'il demanda :

— *Marlbrough s'en va t'en guerre*, ça te va ?

— Ça me va !

Au lieu de dire « Marlbrough », il chantait « ma bru s'en va t'en guerre ». Il s'ingéniait comme ça à changer les mots des chansons, comme on change des sabots pour des souliers. Il riait et s'amusait tellement qu'avec lui je ne vis pas passer le temps. Nous arrivâmes à

Alençon, alors qu'il s'apprêtait à entonner *Dans les prisons de Nantes*. C'était un gai luron dont j'ai gardé bon souvenir.

Si je mis plusieurs jours à atteindre La Rochelle, le voyage se fit en bonne compagnie. J'y arrivai affamé comme un ogre, mais soulagé comme un prince. Je me précipitai chez les jésuites avec ma lettre en main. Ils me renippèrent en un rien de temps. Le navire ne faisant voile que deux semaines plus tard, ils m'hébergèrent chez eux comme si je m'apprêtais à entrer dans leur ordre. Ce sont pour la plupart des personnages fort instruits avec lesquels il est très agréable de causer. Certains d'entre eux connaissaient la Nouvelle-France et me racontèrent en long et en large les faits les plus marquants de leur séjour sur les bords du Saint-Laurent.

Je retins surtout parmi les récits de ces bons pères le suivant. Un Sauvage se leva au cours d'une nuit et se mit à hurler et à danser en se tenant l'estomac de telle sorte que tous ceux qui étaient là se précipitèrent pour lui venir en aide. Ils le priaient de leur dire ce qui le faisait tellement souffrir afin d'y apporter remède. L'autre ne répondait pas et continuait de crier comme s'il souffrait le martyre. Il finit par se jeter à l'eau comme s'il avait voulu éteindre un feu qui le dévorait. Une fois sorti de l'eau, comme il s'était quelque peu calmé, on finit par savoir ce qui le mettait tant en émoi. Il avait rêvé avoir avalé un gros poisson et ne savait pas comment s'en défaire. Les autres lui conseillèrent d'aller sous l'abri où ils avaient habitude de se faire suer et ils l'assurèrent qu'ils allaient implorer ensemble les esprits des animaux. L'un d'eux finirait bien par s'emparer du poisson et l'en débarrasserait. Ils se rassemblèrent donc tous sous l'abri et se mirent à imiter avec force les cris des divers animaux dans une cacophonie indescriptible. Au bout de quelques minutes, ils sortirent de leur abri en compagnie de celui qui avait rêvé et qui prétendait que le poisson n'était dorénavant plus en lui. Puis tous allèrent ensuite se coucher comme si rien ne s'était passé.

Ces récits firent remonter à ma mémoire certains souvenirs de mes premières années en ce pays dont je rêvais chaque jour. Je reconstituais les visages jamais oubliés de mes défunts parents et j'avais grande hâte de me retrouver en ces lieux.

Pour tuer le temps, j'allais tous les jours dans le port dont je goûtais l'animation. J'y rencontrai un nommé Lalumière qui tout comme moi s'apprêtait à gagner la Nouvelle-France. Je m'en fis un ami. Il ne parlait guère, perdu qu'il était dans ses souvenirs, pour la plupart malheureux. Il y a des gens comme ça à qui tous les malheurs arrivent.

Un jour, il me dit :

— Tu ne sais pas ce qui m'est arrivé qui me fait quitter la France ?

— Non point.

— J'ai vu le diable en personne.

— Que dis-tu ?

— Je l'ai vu.

— Vraiment ?

— J'étais à flâner près de la maison de mes parents et voilà que se présente à moi un homme qui me demande le chemin jusqu'au village voisin. Je le lui indique et discrètement je le suis. Ne se sachant épié, cet homme, arrivé près de l'église, enleva son chapeau et cracha du feu.

— Que racontes-tu là ?

— Je l'ai vu comme je te vois. Il cracha du feu et ce n'est qu'à ce moment-là que je me rendis compte qu'il portait des cornes comme en a Lucifer.

À compter de ce moment, je me tins éloigné de ce Lalumière qui voyait le diable partout et me semblait avoir l'esprit quelque peu dérangé.

Puis, après avoir ainsi flâné sur les quais et causé avec l'un et l'autre, la première chose que je sus c'est que j'étais à bord du *Sacrifice d'Abraham* et que nous voguions vers mon pays la Nouvelle-France. J'avais l'impression de flotter sur un nuage.

Chapitre 2

La traversée

La vie ne tient qu'à un fil et elle s'efforce parfois de nous le rappeler.

Ne me demandez pas dans le détail comment se fit la traversée, je n'en ai gardé qu'un mauvais souvenir et je n'aime guère me remémorer ce qui est malheureux. Toutefois, j'ai, bien gravés dans la mémoire, quelques épisodes dont je vous ferai part.

Nous avons mis deux bons mois avant de toucher Québec. Je me souviens que durant ce long voyage, nous avons essuyé plus que notre part de tempêtes. Je croyais chaque fois que nous allions aller par le fond et que tout serait fini, mais la Providence n'a pas voulu qu'il en soit ainsi.

Il faut avoir traversé la mer à la merci des tempêtes pour mesurer à quel point nous sommes peu de chose. Au début de ce voyage, mon admiration était vive quand je voyais avec quelle facilité, par des vents favorables, notre vaisseau semblait courir sur les vagues. Tout m'était nouveau : la vastitude de l'espace autour de nous; la couleur de l'eau qui passait, selon l'endroit où nous nous trouvions, du vert au gris au noir ou au bleu; puis l'écume blanche au sommet des vagues et les bancs de poissons qui surgissaient non loin de notre navire.

Un vaisseau est comme une auberge ambulante où nous trouvons à nous loger, à manger et à dormir, mais dans des conditions fort lamentables, à proximité les uns des autres dans l'entrepont, étendus dans nos hamacs sans pouvoir en bouger ou presque, pour ne point gêner nos voisins. Nous étions une vingtaine d'engagés entassés les uns sur les autres dans un espace réduit et sans air.

Durant cette traversée, nous avons subi plus d'une tempête, je l'ai dit, mais il y en eut une terrible dont je garde un souvenir effroyable. Le capitaine avait vu venir le mauvais temps. Il s'était empressé de faire étouffer les voiles en criant d'une voix forte: « Carguez! » Le vaisseau avait soudainement perdu son allure, nous mettant du même coup à la merci des vagues, si bien que ceux qui n'avaient pas le mal de mer se retrouvèrent soudainement dans la même condition que ceux qui en souffraient depuis le départ. Le pauvre Lalumière me paraissait vert tellement il était malade. Mais ce n'était là que le début de nos malheurs. Une pluie forte s'abattit sur nous en même temps que le vent soudainement s'enflait et grondait à nous rendre sourds.

Je m'empressai d'aller rejoindre le pilote, le seul homme d'équipage que je connaissais, afin de m'enquérir de ce qui se passait.

— Marcellin, me dit-il, file dans l'entrepont, saute dans ton hamac et prie.

— Nous allons subir une tempête ?

— Une vraie !

— Comment le savez-vous ?

— Le ciel me l'a dit. Va ! Ne t'attarde point.

Je fis exactement ce qu'il m'avait conseillé. Une journée et deux nuits entières, notre vaisseau fut secoué comme une bille dans un grelot. J'étais loin alors de penser que je passerais autant de temps dans mon hamac à me balancer comme un Polichinelle au bout de ses ficelles sans pouvoir quitter l'entrepont. Comme une bête blessée, le vaisseau gémissait de partout.

Au milieu de tous ces bruits, il y eut un craquement tellement grand et tellement puissant qu'il nous fit croire que le vaisseau s'était disloqué. Tout autour de moi, mes compagnons de voyage gémissaient.

— Nous coulons ! cria quelqu'un.

— Qu'en sais-tu ? répondit une voix courroucée. Il vaut mieux se taire que de parler à travers son chapeau.

Nous entendîmes nettement des cris et la voix d'un matelot disant que nous avions démâté. Le vaisseau prenait beaucoup d'eau. Nous étions éclaboussés jusque dans l'entrepont. Moi qui ne prie guère, j'implorai le ciel de nous laisser la vie, assuré que nous allions nous retrouver bientôt par le fond, mais le vaisseau qui avait beaucoup gîté se redressa et Dieu seul sait comment nous avons réussi à sortir de cet enfer et à continuer notre route sans chavirer.

Quand la mer se fut enfin calmée, je grimpai sur le pont pour me retrouver au milieu d'une grande désolation. Notre vaisseau avait perdu un mât. Le pont était encombré de débris de toutes sortes, emmêlés à des filins et des cordages. Les matelots s'affairaient à tout remettre en place. Malgré tout, le capitaine parvenait à maintenir le navire à flot pendant que ses hommes qui, de toute la tempête, n'avaient jamais cessé de s'affairer aux pompes, continuaient à le vider de son eau comme on éviscère une bête qu'on vient de tuer.

Ce n'est qu'à mon retour dans l'entrepont, après avoir profité à pleins poumons du grand air de la mer, que me sauta au nez la puanteur dans laquelle nous croupissions depuis deux jours. Tout le monde avait vomi et déféqué là où il le pouvait. Le sol de l'entrepont n'était plus qu'une souillure. Je remontai aussitôt sur le pont. Je m'emparai d'un sieau qu'à l'aide d'un cordage je descendis à l'eau. Je le remplis jusqu'au bord puis, saisissant un balai, je m'enfonçai dans ce qui était devenu un cloaque. Je criai d'une voix ferme :

— Tout le monde sur le pont !

— Pourquoi ?

— Pour me permettre de nettoyer ce trou.

Un des engagés plus malade que les autres ne voulut pas bouger. Je le menaçai si bien de mon balai qu'il finit par déguerpir. J'inondai le plancher d'eau de mer, m'affairant à repousser les immondices dans un coin afin d'en débarrasser les lieux.

Le pauvre Lalumière s'offrit au fur et à mesure à remplir mon seau d'eau de mer. Je me demande encore comment, malgré les odeurs fétides, je fis pour mener à bien ce que j'avais commencé. À tout instant, le cœur me levait et je n'avais que l'idée de vomir. À l'aide d'une pelle, par un des sabords, je jetai ces ordures à la mer. Je lavai le plancher une deuxième fois à grande eau. Puis je remontai en vitesse prendre une grande goulée d'air sur le pont que je ne quittai plus du reste de la journée. Je sais à présent que sans mon intervention, la maladie se serait emparée de nous comme elle le fit de certains membres de l'équipage qui n'avaient pas eu la même précaution, et je ne serais sans doute plus là pour en parler.

J'attendis au lendemain avant de causer de nouveau avec mon ami le pilote Dufour, comme je le faisais chaque après-midi de beau temps. C'était un petit homme, râblé, dur à l'ouvrage, vif comme un clin d'œil, mais qui drainait lentement, en mots posés, avec le souci de se bien faire comprendre. Ça lui venait sans doute de ce qu'il devait expliquer parfois longuement des choses difficiles à ses hommes d'équipage, qui ne les saisissaient pas tous avec la même célérité. Quelques jours après la tempête, je le revois encore, l'œil brillant, le sourire aux lèvres. Je savais qu'il avait quelque chose d'intéressant à m'apprendre.

— Mon Marcellin, nous approchons de la bascule.

— Qu'est-ce que la bascule ?

— Le moment où nous passons à l'autre moitié du voyage. Regarde, nous avons franchi la première tranche, il ne reste plus que la deuxième.

Ses cartes bien étalées sur la table, il m'expliquait les longitudes et les latitudes. Puis il s'arrêtait un moment. Ça lui rappelait toujours un épisode quelconque d'un de ses nombreux voyages, qu'il s'empressait alors de me raconter.

— Un jour, nous venions de basculer ainsi dans un long voyage vers les Antilles quand il se fit une fuite d'eau importante. Tu vois ça d'ici ? Il fallait se décider à continuer ou faire demi-tour. À savoir ce qui était le mieux à faire quand l'atterrage est aussi éloigné d'un côté que de l'autre.

— Si je comprends bien, dis-je, dans un cas comme celui-là, la décision est un vrai coup de dé.

— Non pas ! Il faut d'abord voir quels vents nous seront les plus favorables.

— Vous avez choisi de virer de bord ?

— Pas en tout ! Nous avons continué, les vents nous poussant vers notre destination première. Si ça nous arrivait aujourd'hui comme demain, il faudrait faire de même.

Je me signai vivement, en disant :

— Il ne faut pas que pareil malheur nous accable !

Il rit, de son bon rire d'homme heureux. Je pensai que les humains sont ainsi faits qu'il leur faut, pour leur bonheur, trouver la tâche qui sait ainsi les animer.

Son journal de bord, où il relatait les moindres faits et gestes de chaque jour, me fascinait. Il y notait notre cap, le temps qu'il faisait, les quelques autres voiles que nous croisions et les moindres incidents du bord.

Durant la traversée, je fus fort impressionné par la mort d'un marin qui, du haut d'un mât, tomba sur le pont et mourut presque sur le coup. Il ignorait sûrement qu'il ne verrait pas la fin de ce jour. Nous tenons à si peu. Tout à coup, le fil se casse, notre pèlerinage sur Terre vient de trouver sa fin.

Le soir même, enveloppé d'un linceul, le corps de ce malheureux fut balancé de notre bord dans la mer après quelques prières du capitaine. Son âme, elle, où se trouvait-elle au même moment ? Des images comme celles-là vous restent dans la tête pendant des jours, avec toutes les questions qui les accompagnent, puis d'autres plus heureuses leur succèdent, comme celle de ce matin où, du haut du grand mât, le mousse cria : « Terre à tribord ! »

En un rien de temps, tout le monde fut sur le pont et je n'ai jamais vu autant de visages heureux en même temps.

Chapitre 3

Le baptême de mer

Il faut parfois si peu de chose
pour nous faire oublier nos malheurs.

Avant d'arriver à destination, tant les hommes ont besoin de réjouissances, il y eut pour tous ceux, dont j'étais, qui, pour la première fois faisaient la traversée de l'océan en ce sens, le baptême de mer, celui de « la ligne », comme disaient les habitués. Le vaisseau jeta l'ancre aux Terres-Neuves. Mises à l'eau, deux barques gagnèrent le rivage pour nous ravitailler en nourriture et en eau fraîche. Les membres de l'équipage en profitèrent pour pêcher la morue, un poisson de bonne taille que l'on capture abondamment en ces parages. Le même soir, un peu avant le souper, il y eut sur le pont des hurlements qui nous mirent si bien en alerte qu'en moins de deux, tant la curiosité qui nous habite est puissante, nous étions tous là d'où venaient les cris sans même nous inquiéter du danger encouru. De danger, il n'y avait point. Nous assistions à une grande mascarade où, recouverts de peau et d'écailles de poissons, plusieurs membres de l'équipage nous invitaient à les suivre, ce que nous fîmes sans hésiter puisqu'il s'agissait visiblement d'une fête en devenir.

Là, au milieu du pont principal, nous vîmes un grand bac rempli d'eau de mer. Les hommes-poissons improvisèrent une danse tout autour. L'un d'eux, sans doute leur chef, nous dit :

— Tous ceux qui en sont à leur première traversée vers Québec, suivez-moi.

— Pourquoi ? questionna un des passagers, qui me semblait moins excité que les autres ou qui savait vaguement ce qui se tramait.

— Parce que c'est ainsi que ça doit se passer !

Il se fit quelque peu prier à entrer dans la file. La scène avait beau me sembler fort grotesque, j'avais, tout comme l'ensemble des passagers, le cœur en joie de me voir si près du but. À la recommandation du chef de file, je fis le tour du bac tant de fois que j'en eus le tournis. Quand, enfin, on nous permit de reprendre notre souffle, celui de ces hommes déguisés qui me semblait le meneur grimpa prestement à la hune du grand mât et nous fit de là une harangue que je n'ai peu ou prou retenue tant elle était faite d'agios et de propos sans queue ni tête. Je me souviens seulement qu'il y était principalement question d'une obole de la part des passagers aux membres de ce merveilleux équipage, qui avaient mis tant de cœur et de sueur à combattre les vents et les flots pour parvenir à nous mener sans coup férir en cette Nouvelle-France dont nous apercevions les premiers rivages.

Après ce réquisitoire, les hommes-poissons tendirent la main pour recueillir les dons. La plupart des passagers plus fortunés que moi se montrèrent généreux. Quand il fut devant moi, celui qui voulait mon aumône me dit :

— Jeune homme, vous saurez bien de votre bonté montrer le fruit.

— Ce serait mon plus profond désir, mais je n'ai pas un sol en mes goussets.

Il fit aussitôt celui qu'on vient d'insulter.

— Jarnicoton ! Quel menteur se dresse devant moi !

Son cri suffit à en rameuter deux autres à mes trousses. D'un air indigné, il poursuivit :

— Une dernière fois, humblement, la main tendue, je vous supplie de récompenser ceux qui ont sacrifié tout ce qu'il y a de meilleur de la vie pour conduire à bon port des loques de votre espèce.

Je ne savais trop que dire. Je protestai :

— Vous ne comprenez donc pas que je suis plus pauvre que vous ?

— Pas avec les hardes que vous portez.

Il avait raison, les bons pères m'avaient habillé de neuf, et tant il est vrai qu'on juge les gens sur la mine, comme l'écrit si bien ce bon M. de La Fontaine, il me jugeait à mes hardes, me croyant sans doute riche, mais très près de mes sous. J'eus beau protester de nouveau, il n'en crut pas un mot, d'autant plus que pour que la fête continuât, il avait besoin d'une première victime.

Il fit signe à ses compères qui s'emparèrent de ma personne pour, tout en riant aux éclats, me conduire en compagnie de quelques autres près du grand bac, au milieu du pont. Première victime de ce jeu maléfique, on me fit monter sur une planche posée en appui d'un côté et de l'autre du bac. On me réitéra la demande d'une simple obole pour l'équipage. Je m'écriai de nouveau :

— Je n'ai pas un sol, mon voyage et mes hardes ont été payés par les bons pères jésuites !

— Nenni ! Nenni ! s'écrièrent-ils en hochant la tête et en riant de plus belle.

Ils ne me croyaient pas ou faisaient exprès la sourde oreille, me priant de traverser le bac en équilibre sur cette planche. Je n'avais pas fait deux pas qu'ils la firent basculer de telle sorte qu'à mon grand déplaisir, mais à la plus grande joie de l'assistance, je me retrouvai dans l'auge, de l'eau de mer jusqu'au cou, plus trempé qu'une lavette. J'étais en furie. Je m'apprêtais à traiter ces feignants de tous les bas mots que je connaissais quand me vint en mémoire les sages propos de M. de La Fontaine en pareilles circonstances : « Contre mauvaise fortune, il faut prêter bon cœur. » Je choisis de rire avec tout le monde, ce qui me permit, malgré ma colère, de faire de cet incident malheureux un souvenir heureux.

Chapitre 4

Arrivée à Québec

Le bonheur loge parfois très loin,
il s'agit seulement d'être attentif
à se rendre le chercher.

Cette aventure n'est certes pas ce qui m'est resté le plus longuement en mémoire de tout ce voyage. Ce qui m'a le plus touché de ce long périple, c'est notre entrée dans le Saint-Laurent, puis notre arrivée à Québec. Je ne me souvenais pas, tant mon désarroi était grand quand j'avais quitté la Nouvelle-France, que le fleuve était si vaste : une vraie mer. Puis, il s'étrécit jusqu'à ne plus faire qu'une lieue de largeur et moins, encore qu'il demeurait très large, et petit à petit nous avons vu grossir le Cap-aux-Diamants et les maisons de Québec. Jusque-là, tout n'était que forêt. À peine avions-nous aperçu çà et là une éclaircie, comme un respir dans l'étouffement forestier, que Québec était apparu, chassant d'un seul coup toutes les peines de ce voyage sans fin.

Le vaisseau jeta l'ancre à quelques encablures du quai de débarquement. Une barque fut mise à l'eau, et y montèrent le capitaine et quelques-uns de ses subordonnés. J'étais appuyé au bastingage, curieux de tout ce qui se déroulait sous mes yeux. Le pilote vint m'y rejoindre et se mit en frais de m'indiquer les moindres points d'intérêt en me les montrant de l'index.

— Là, tu vois, c'est le magasin du roi et devant nous, à main gauche, la place du marché.

— Si je comprends bien, la ville a deux niveaux.

— Comme tu dis : en haut, l'église et les institutions, de même que le fort ; en bas, tout ce qui touche au commerce avec, tout au milieu, la place Royale.

Je n'avais pas assez de mes deux yeux pour tout voir. Les siens me faisaient découvrir nombre de choses que, sans eux, je n'aurais point remarquées. Quand la barque ramena le capitaine, ordre fut donné à l'équipage de mettre à l'eau toutes les embarcations. Je fis mes adieux au pilote et comme tout le monde je me précipitai afin d'être le premier embarqué, tant chacun avait hâte de mettre les deux pieds sur la terre ferme. Le capitaine s'interposa.

— Nous allons, hurla-t-il, procéder dans l'ordre ! D'abord ceux dont le passage est payé !

Parmi les engagés, je fus le seul à m'avancer, mais je fus précédé par quelques bourgeois qui avaient fait la traversée dans les cabines et qui n'avaient pas frayé avec nous de tout le voyage. Ils furent les premiers à avoir accès aux embarcations. J'allais les suivre quand le capitaine me retint. Je me nommai. Sa liste en main, il me dit :

— Votre passage a été défrayé ?

— Oui, par les jésuites.

— Vous pouvez embarquer.

Je ne me fis pas prier pour descendre l'échelle de cordage et, avec l'aide de deux matelots, monter dans l'embarcation qui nous attendait. J'entendis le capitaine haranguer les engagés en leur précisant qu'à leur arrivée sur le quai, ils seraient entourés par plusieurs habitants qui les appelleraient chacun par leur nom.

— J'ai remis le nom de chacun de vous à l'un ou l'autre des habitants qui a payé pour avoir un engagé. Vous devrez donc répondre à celui qui vous appellera. Vous serez à son service pour les trois prochaines années.

J'étais fort heureux de déjà savoir pour qui j'allais travailler. Je n'osais pas penser à ce qu'aurait pu être ma vie des trois prochaines années si j'étais tombé sur un maître avec lequel je ne me serais pas entendu. J'étais bien conscient que c'était pourtant ce qui guettait certains des engagés qui avaient fait la traversée en même temps que moi, et je n'enviais pas leur sort.

Notre barque mit le cap sur Québec. En quelques bons coups de rames, les matelots la dirigèrent vers le quai où il me semblait que tous les habitants de la ville s'étaient réunis pour notre atterrage. Le bon père Aveneau n'avait pas pu venir, mais, pour m'accueillir, il avait délégué le frère Rousseau, maigre et raide comme un bâton. Il ne mit guère de temps à me repérer parmi les bourgeois quand, d'un pas leste, je sautai sur le quai. Comment le père Aveneau savait-il que j'étais sur ce navire, puisque je n'avais pu lui faire assavoir mon arrivée ? J'appris plus tard qu'il envoyait quelqu'un à chaque vaisseau qui venait au cas où je serais à bord, et aussi pour rapporter les effets et les lettres destinés aux jésuites de Charlesbourg.

Je n'avais pour tout bagage que ma besace remplie de hardes. Chargé de nous mener à destination, le charretier Mongrain, un homme rond de partout, un vrai taribondin avec une pipe en plâtre éteinte entre les dents, semblait gamberger, enfoncé au plus creux de ses pensées. De tout le trajet il ne dit que « hue ! » et « dia ! » pour faire avancer ou tourner la cavale. Quant au frère Rousseau, il n'ouvrit pas une seule fois les lèvres, sinon pour dire les oraisons dans lesquelles il était perdu. J'eus tout loisir de me remplir les yeux de tout ce que me prodiguaient le fleuve, la forêt proche, les champs, les maisons accroupies au bord de l'eau et les montagnes au loin sous les nuages.

Le chemin était bien tracé tout le long de la rivière, dont il suivait docilement les méandres. De temps à autre, des arbres et des bosquets nous cachaient le cours d'eau puis il réapparaissait comme un sourire sur un visage heureusement étonné. Quand, après un long détour, nous parvînmes au Passage et que je vis d'un seul coup la rivière, le gué, le moulin à vent et l'auberge, encadrés de collines, puis les montagnes bleues qui faisaient au loin le dos rond, je me dis: «Marcellin, mon vieux, c'est ici que tu vas terminer tes jours!» Je ne remerciai pas le ciel parce que je ne m'entends pas très bien en ces choses, mais je sus que cet endroit m'attendait depuis toujours comme nous guette tous la mort au bout du chemin.

C'est à l'auberge du Passage que le bon père Aveneau avait choisi de m'attendre, parce que son idée était déjà faite sur l'endroit où j'allais loger. J'étais à peine descendu de la charrette qu'il sortit et me reçut dans ses bras comme si j'avais été son enfant, ce que j'étais tout de même un peu, après tout le bien qu'il m'avait prodigué.

— Bienvenue, Marcellin! Tu as fait bon voyage?

— Autant qu'on le peut souhaiter pour un si long! Nous avons été fortement secoués, mais l'essentiel c'est que me voilà.

— Tu n'as guère changé!

— Et vous non plus!

Je ne voulais pas l'offenser en lui disant le contraire. Avec ses cheveux poivre et sel et cette claudication qui l'obligeait à s'aider d'une canne pour marcher, je le trouvais bien vieilli. Mais à part ça, il était toujours celui que j'avais connu à douze ans quand, près de La Roche-sur-Yon, j'apprenais le métier de charpentier de moulin, avant que, deux ans plus tard, pour mon plus grand malheur, mon oncle Laterreur exigeât ma présence en sa maison.

Le bon père Aveneau avait toujours et encore la main largement ouverte, prête à donner, et dans les yeux cet éclat que je lui connaissais, comme la lumière d'une eau vive. Il me dit:

— Avant tout, tu vas t'asseoir et bien manger: on raisonne mieux le ventre plein.

— Ce n'est pas de refus, après tout le poisson, les biscuits secs et l'eau saumâtre que j'ai avalés durant la traversée.

Il y avait sur la table deux couverts et j'entendais du côté de la cuisine les bruits familiers de qui s'affaire à préparer un repas. L'auberge entière baignait dans une odeur que je ne parvenais pas à nommer, mais dont les arômes m'appétissaient. Une vieille femme courbée par les années apporta dans une marmite un civet de lièvre. Sur la table, à côté de deux coupes, brillait un pichet rempli de vin rouge. Le bon père Aveneau s'assit en face de moi. Il mangea tout autant que moi et toute l'auberge résonna de nos souvenirs. Bien que j'y fusse né, voilà comment commença vraiment ma vie en Nouvelle-France. J'étais enchanté de tout ce que je voyais, mais on ne connaît pas l'avenir et c'est sans doute mieux ainsi.

Chapitre 5

Le monde du Passage

Il faut toutes sortes de mondes
pour faire un monde.

Du jour au lendemain, je devins notaire de la seigneurie Notre-Dame-des-Anges. Après une bonne nuit de repos, le père Aveneau s'amena et me dit :

— J'avais promis de te nommer notaire de notre seigneurie en remplacement de celui qui y était, jusqu'à il y a quelques mois. Je tiens ma parole !

— Vous me nommez vraiment notaire, comme ça ?

— Tu sais bien écrire et puis tu travaillais comme clerc pour ton oncle, lui-même notaire. Ça me suffit et ça va suffire aux gens d'ici, qui pour la plupart ne savent ni lire ni écrire, mais n'en sont pas moins pour ça des gens de bien.

C'est ainsi que, sans tambour ni trompette, je plongeai tête première dans mon travail de notaire d'une des plus belles seigneuries du coin. Avant tout, il faut que je dise ce qu'était cette seigneurie. Elle appartenait aux jésuites qui avaient leur maison au trait-quarré de Charlesbourg, tout près de l'église. Cette seigneurie couvrait à elle seule plusieurs lieues de terre, étalées en ses débuts des deux bords de la rivière et vis-à-vis de l'endroit qui s'appelle le Passage, parce que c'était là que les gens traversaient le cours d'eau, grâce au canot et au bac de Denis Drieux, dit Le Passeur, dont la maison côtoyait le Passage.

Près d'une centaine de familles habitaient la seigneurie. On en trouvait une douzaine dont les terres s'étendaient à l'est de la rivière. Plus haut, des Auvergnats occupaient l'espace auquel ils avaient donné le nom de Petite-Auvergne, et enfin, plus au nord, au trait-quarré, vivaient dans le village même de Charlesbourg la majorité des habitants. Comment se faisait-il que moi, devenant le notaire de cette seigneurie, je n'habitais pas là où il y avait le plus de monde ? Je le demandai au bon père Aveneau.

— Marcellin, c'est tout simple, l'ancien notaire habitait à l'auberge.

— Ah, bon !

— Ils sont habitués à voir le notaire au Passage. Ça les arrange tous également. Autrement, ceux de l'autre côté de la rivière seraient obligés de traverser, puis de remonter jusqu'à Charlesbourg. Tandis que là, ils font la traversée et les voilà rendus. S'ils veulent continuer jusqu'à Québec, ça n'allonge pas leur chemin.

— Ceux de Charlesbourg n'aimeraient-ils pas mieux voir leur notaire pas loin de leur porte ?

— Sans doute, mais ils vont tous au moulin ou à Québec une fois par mois, quand ce n'est pas par semaine. Ils n'ont qu'à prévoir le coup quand ils veulent voir le notaire, l'auberge est près du moulin. En plus, la route qui les mène droit à Québec passe devant.

C'était la volonté du bon père Aveneau de me voir habiter là, mais, de par devers moi, je ne me contais pas d'histoire : j'avais grand plaisir de vivre en ce lieu qui me semblait le plus beau de toute la seigneurie. D'être ainsi à l'auberge du Passage me donnait l'impression de me trouver au milieu de tout ce qui se vivait là. Le Passage, c'était en quelque sorte le carrefour où se croisaient la route et la rivière. Par là déambulaient tous ceux de la seigneurie, hommes et bêtes. J'appris très vite à connaître les bêtes, un peu moins rapidement les hommes, et plus lentement encore les femmes.

Il y avait dans ces forêts, et tout près, quand elles venaient boire à la rivière, un nombre inimaginable de bêtes : ça allait du lièvre et de la belette au carcajou en passant par le castor, la mouffette et le porc-épic, sans oublier une multitude d'écureuils et aussi des renards et une espèce de raton, appelé chat sauvage, qui lavait sa nourriture avant de la manger, sans parler de l'ours ni du cerf ni de l'élan que nous voyions un peu partout, si nous savions lever le nez, de temps à autre, pour leur être attentifs.

Tout cela je ne l'appris pas du premier jour, mais me vint très vite, parce qu'en ce beau pays, il fallait apprendre sans délai, c'était une question de vie ou de mort. Nous avions toujours besoin les uns des autres. Aussi, les hommes, je les ai connus en peu de temps, d'abord parce que je n'eus pas besoin de courir après eux pour les voir, car ils venaient de temps à autre à l'auberge prendre un coup ou se rassasier, en même temps que donner et prendre des nouvelles. Aussi, parce que je demeurais à l'auberge et parce que, avec leur assentiment, le bon père Aveneau m'avait nommé tout de suite notaire de la seigneurie, les hommes venaient tout naturellement me voir et Dieu sait qu'il en passe du monde en une année, dans une étude comme la mienne.

Les femmes, ce fut une autre affaire, je sus leur nom avant que de les voir. Ce fut peu à peu que je fis leur connaissance, parfois au marché ou encore au Passage ou sur la route de Charlesbourg. Elles savaient qui j'étais avant même que je les salue.

Il faisait bon vivre à l'auberge. En plus de la cuisine où la vieille Rosalie préparait les repas, il y avait la grande salle où ils étaient servis par une petite femme pleine de vie, toujours enjouée, Isabelle Francœur, surnommée Belle, qui débagageait les tables en un tournemain. À elle seule, elle enchantait toute la place. Les hommes la taquinaient sur son rire, sa beauté et certains attributs de son corps que je passerai sous silence.

— Comment va notre petite mère aujourd'hui ? lui lançait quelqu'un.

— Aussi bien et peut-être mieux que le pépère qui me le demande ! répondait-elle sans sourciller.

— Est-ce qu'on aura droit à un baiser, si nous sommes sages ?

— Désolée ! Les baisers sont gelés jusqu'au printemps.

— Et au printemps ?

— Qui vivra verra !

— Ça veut dire que si les baisers sont gelés, le reste l'est itou ?

— Le reste ? Pensez-y même pas ! Y est déjà réservé.

— Pour qui ?

— Pour celui qui le méritera et qui est assez fin finaud pour ne pas en parler. Faites excuses, mais il n'est pas dans cette auberge !

— C'est donc que notre chien est mort.

Elle se retournait vers son interlocuteur avec le plus grand sourire et s'exclamait :

— Est-ce qu'il a déjà été vivant ?

Elle trouvait toujours de la sorte le moyen de leur répliquer avec fougue et esprit, si bien que les rires fusaient et, à cause d'elle, la bonne humeur régnait dans cette auberge comme si elle y était née.

De l'autre côté de l'âtre et lui faisant dos, une pièce à chauffe-pied servait depuis toujours d'étude au notaire. C'est là que je recevais mon monde pour les contrats de mariage, les concessions, les ventes et les achats de terre, de même que pour les marchés de toutes sortes, jusque la location de vaches, de bœufs, de cochons et de moutons. Je n'avais pas de peine à rédiger ces contrats, j'en avais tellement écrit en France pendant près de six ans et, en outre, j'avais à portée de main un exemplaire du *Livre du parfait notaire*, où se trouvent des modèles de tous les actes.

J'occupais une des quatre chambres de l'auberge, les trois autres restaient libres la plupart du temps. La vieille Rosalie avait sa place pour coucher derrière la cuisine et Belle allait passer la nuit chez les siens, sur le chemin de Charlesbourg.

Ceux que je connaissais mieux ne demeuraient pas tous autour. Pour un, Marceau, le charpentier de navire, avait son chantier de barques près de la rivière, non loin du méandre de la Canardière. C'était un méticuleux qui ne laissait rien au hasard. Il n'était pas du genre à billebauder et s'informait avant que d'agir.

Il y avait Philibert Faye dit Mouture, le meunier. Lui, je le croisais souvent autour de son moulin, à deux pas du Passage et de biais avec l'auberge. C'était un homme effacé qui ne faisait pas grand bruit, pas plus que Bastien, son frinot, qui me semblait gniagnian ou godiche.

Drieux, Le Passeur, venait à l'auberge une ou deux fois par jour quand il n'y avait pas de passagers. Il prenait son verre d'eau-de-vie, le regard toujours tourné vers le Passage, au cas où quelqu'un arriverait tant d'un côté que de l'autre de la rivière. Il était originaire d'Auvergne. C'était sans doute pour ça, et parce qu'il était toujours sur le qui-vive, qu'il parlait par à-coups, en chuintant, et de façon tranchée, comme s'il mordait chaque fois dans une noix. Les autres le faisaient exprès étriver, en disant à la blague, à tout bout de champ :

— Y a quelqu'un au Pachage !

Chaque fois, il se levait d'un bond, prêt à partir, répétant :

— Y a quelqu'un au Pachage ?

Puis, voyant qu'on badinait, il se rasseyait en maugréant.

Drieux comme Marceau n'avaient pas de femme, mais Faye, le meunier, avait la sienne, Honorine, qui ne se montrait guère à cause d'une bosse qu'elle avait au dos, à force sans doute de transporter des minots. Ils avaient une petite fille nommée Rébecca, une vraie belle enfant qui faisait cligne-musette et disait déjà « coas » quand elle entendait coasser les corneilles.

Les autres demeuraient plus loin, soit de l'autre côté de la rivière, à Notre-Dame-des-Anges, en allant vers Beauport, du même côté que nous en montant à Charlesbourg. Il y avait le père Jobidon avec sa maison drôlement faite, un peu comme son nom qui avait été : Jos Bidon. Il l'avait fait changer en Jobidon et se faisait appeler André Jobidon, mais tout le monde disait : le père Jobidon. Ses champs s'étendaient jusqu'à la rivière, de beaux champs bien ordonnés et un jardin que sa femme Gertrude entretenait soigneusement comme s'il se fût agi de l'enfant qu'ils n'avaient pas.

Plus haut, avant Charlesbourg, à main droite, se dressaient les maisons de la Petite-Auvergne. Les Auvergnats qui les habitaient ne semblaient bien qu'entre eux. De leur jardin, au bord de la route, ils nous reluquaient quand nous passions, mais causaient rarement, comme s'ils étaient pressés de nous oublier. De toute façon, nous ne montions guère là-haut, à part d'y aller pour la messe du dimanche. Ce sont plutôt eux qui descendaient vers Québec, avec parfois un arrêt à l'auberge pour un repas ou un verre.

Il est vrai que l'auberge était bien placée. Elle guettait à la fois la route et le Passage. Il n'y avait que le moulin qui lui bloquait un peu la vue vers Québec. Mais la route qui y menait faisait un long détour pour ne pas perdre de vue la rivière et, tout au loin, à hauteur des champs, le moulin du roi dressait ses ailes qui tournaient au même rythme que celui du Passage, profitant tous deux du même vent.

Chapitre 6

Une visite inattendue

La vie nous réserve parfois des surprises
dont il y a tout lieu de se réjouir.

Jugez de ma surprise et de mon bonheur quand, à peine quelques jours après mon arrivée, un midi, alors que Rosalie étendait dehors le linge qu'elle venait de laver, une charrette apparut sur la route venant de Québec. Si nous connaissions bien les équipages descendant de Charlesbourg ou y retournant, nous nous demandions chaque fois, quand en apparaissait un nouveau remontant de Québec à Charlesbourg, qui ça pouvait bien être. La voiture s'arrêta à l'auberge.

Comme me le raconta ensuite la vieille Rosalie, le conducteur de la voiture lui demanda tout bonnement :

— Est-ce bien ici qu'habite monsieur Marcellin ?

— Oui-da !

L'homme poussa un soupir.

— Ouf ! On m'a bien renseigné.

Il sauta en bas de sa voiture et mena son cheval par la bride jusqu'à la porte de l'auberge. Rosalie vint me prévenir.

— Il y a pour toi un visiteur.

Je me demandai aussitôt qui ça pouvait bien être et sortis. À première vue, je ne replaçai pas qui était cet homme qui me regardait sans mot dire. Je m'approchai.

— Est-ce Dieu possible, dit-il, je ne t'aurais jamais reconnu !

C'est sa voix qui me permit de remonter bien loin dans mes souvenirs et de reconnaître en lui nul autre qu'Henri Després, mon père adoptif chez qui j'avais vécu quelque temps après le décès de mon père. Comme il avait vieilli !

Je m'approchai. Il me tendit la main. Je lui demandai :

— Qu'est-ce qui vous amène dans mon antre ?

Il sourit et répondit :

— Ta venue m'a été signalée par le père Aveneau. Si tu savais comment Marie-Rose aurait voulu venir avec moi ! Mais la pauvre, elle n'a pas plus vingt ans que moi et elle a grand peine à marcher. Il faudra que toi tu viennes la voir. Ça lui fera tant de bien au cœur.

Dans ma tête surgit le portrait de celle qui avait un temps remplacé ma mère et, du même coup, je revis les visages de leurs enfants. Qu'étaient-ils tous devenus ?

Pour le rassurer, je promis d'aller au Cap-Rouge à la première occasion, puis je m'enquis :

— Mais qu'est-ce donc qui me vaut votre visite ?

— Ah, ça ! dit-il en se retournant vers l'arrière de sa charrette. Ce qui m'amène, c'est la promesse faite à ton père de toujours garder cette armoire pour toi, de même que son coffre. Je me demandais bien comment je pourrais te les faire tenir en France. Mais te voilà revenu. Aussi, je n'ai pas perdu de temps pour te rapporter ton bien. Comme ça, je pourrai mourir le cœur tranquille.

Sans plus, il se mit en frais de décharger la voiture. Je l'aidai à en descendre la belle armoire que mon père avait autrefois fabriquée et dont l'image que j'en avais gardée s'était soudainement reformée sous mes yeux. Je l'aidai à la poser par terre. Il voulut aussitôt que nous la rentrions. Je lui dis :

— Prenez au moins le temps de mener votre cheval à l'écurie. Vous prendrez bien deux minutes pour vous rafraîchir.

— C'est que, dit-il, j'ai encore beaucoup à faire à Québec avant de regagner Cap-Rouge.

J'insistai et, après avoir descendu le coffre de la voiture, il finit par accepter de prendre un verre en ma compagnie.

— Quand tu viendras au Cap-Rouge, tu ne t'y reconnaîtras pas.

— Tant que ça ?

— Ça fait bien dix ans, dit-il, tu n'étais qu'un enfant. Les choses ont bien changé depuis ce temps. Il y a plusieurs maisons de plus et un beau quai en bordure du fleuve. Le moulin à vent que ton père a construit du côté de la seigneurie de Maure est toujours là, mais le seigneur, lui, nous a quittés depuis quelques années.

Je le laissai me raconter un peu tout ce qui lui venait à l'idée à propos du Cap-Rouge, mais aussi de ses enfants dont j'avais gardé un vague souvenir, puisque j'avais passé si peu de temps avec eux.

Il termina sa boisson et je l'aidai à transporter l'armoire et le coffre dans mon étude. Il ne pouvait pas savoir à quel point son geste me donnait du plaisir. Retrouver ces objets fabriqués avec amour par mon père, c'était recouvrer une petite partie heureuse de mon passé. Je me rappelais encore les exclamations de ma mère quand il lui avait fait présent de l'armoire, et je la revoyais y ranger nappes, draps et fine lingerie.

Je m'en servis pour y conserver encre et papiers. Cette armoire travaillée et ornée de rosaces était, avec le coffre, les seuls souvenirs que je tenais de mon père. J'aurais aimé prolonger cette tranche du passé en dînant en compagnie de cet homme qui, un temps, avait fait partie de ma vie, mais il était pressé de partir et mes pensées l'accompagnèrent jusqu'au Cap-Rouge, dont j'avais gardé un vif souvenir. Je revoyais la rivière au bord de laquelle je m'étais si souvent amusé. Mais me revenaient aussi en mémoire les tristes images de ce jour tragique où les Iroquois s'étaient emparé de ma mère. Je me reprochais encore de n'être pas intervenu. Il est vrai que si je l'avais fait, j'aurais subi le même sort qu'elle. Les graves blessures de mon père m'en avaient empêché. Je m'étais penché sur lui, dont un de ces barbares avait commencé à lever la chevelure. Puis, des hommes étaient arrivés. L'un d'eux m'avait conduit chez la mère Després. Le destin avait voulu qu'elle et son mari deviennent mes parents d'adoption.

Chapitre 7

Radegonde

Il n'est point bon à l'homme de vivre seul.

Il n'y avait pas un mois que j'avais mis les pieds à Québec quand la nouvelle de l'arrivée d'un vaisseau de France fit le tour de la place, comme le font les fifollets l'espace d'un pet de nonne après la nuit tombée. Marceau, le charpentier de navire, qui avait une parlure pas comme les autres, m'avait dit ça dans son beau langage de Bourgogne. Le jour dit, je laissai tomber mes écritures et je courus comme les autres jusqu'au port pour assister au débarquement. C'était d'autant plus enivrant que le vaisseau, *Le Taureau*, nous gratifiait d'une cargaison de filles du roi, des orphelines de la Salpêtrière de Paris, expédiées de la sorte chaque année pour se marier en ce pays. Moi qui n'avais pas en tête de le faire, je fus pris par la même fièvre que tous les autres.

J'étais près du quai quand elles descendirent, soixante-douze qu'elles étaient, des hardelles de toutes les tailles et couleurs, des petites, des moyennes, des grandes, des noires, des blondes, des rousses, avec ou sans coiffe, souriantes pour la plupart, rougissantes toutes ou presque. Je vis une grande rougeaude, les cheveux noirs, qui me regarda en passant et je sus tout de suite que ce serait la mienne. Ne me demandez pas pourquoi. Peut-être bien parce que nos regards restèrent accrochés un instant l'un à l'autre, peut-être aussi parce que le destin était encore là, perché comme un oiseau sur mon épaule.

Nous étions bien deux cents à les reluquer. Il y en avait venus d'aussi loin que les Trois-Rivières et Montréal, mais il y avait aussi tous ceux de Québec qui ne demandaient pas mieux que de se trouver une compagne. J'appris bien vite que si l'on espérait avoir notre chance de conter fleurette, il faudrait attendre au lendemain, parce que toutes ces filles avaient filé sous bonne escorte droit à la maison de l'intendant pour être gardées jalousement toute la nuit.

Je fis, à cette occasion, la rencontre d'un homme venu des Trois-Rivières avec espoir de repartir en bonne compagnie. Il me semblait largement aimer jassetoiser et ne manqua pas de le faire. Il me dit tout de go :

— Pécaïre ! Mon bon ami, à ce que je vois, tu te cherches itou une moitié. Je me languis d'en trouver une. C'est ma deuxième fois, et toi ?

— La première.

— Ah, bieng ! Bonne chance ! Si tu parvieng à en attraper une, tu seras béni.

À son accent, je sus qu'il venait du sud de la France. J'avais eu autrefois l'occasion d'entendre quelqu'un avec cette même curieuse façon de parler, qui fait que nous devons bien tendre l'oreille, attentifs à chaque mot, pour ne point nous égarer dans la conversation. Voyant que je m'intéressais à ses propos, il se rapprocha de moi, me tendit la main, qu'il avait calleuse, sans doute à force de bûcher, et se présenta :

— Constantin Miranda, de Marseille. Et toi donc ?

— Marcellin Perré, né en ce pays, mais revenu sous peu du Havre de Grâce.

— Boudiou ! À voir tes mains, tu ne tieng pas la hache, mais bieng plutôt la plume !

— Tu as misé juste, je suis le notaire de la seigneurie Notre-Dame-des-Anges.

Il rit et bomba le torse, heureux d'avoir deviné pile, puis il ajouta :

— Hé, bé ! Il va t'en falloir une pas comme les autres, une mignonnette qui sait lire et, comment vous dites, vous autres dans la Normandie ? Une qui sait pigacer.

— Pourquoi donc ?

— Ah, bieng, pécaïre ! Pour pouvoir lire ce que tu vas écrire sur son dos et t'empêcher de lire ce qu'elle va écrire sur le tieng !

Il dit cela le plus sérieusement du monde. Mon air ahuri le fit riochiner. C'est alors que je compris qu'il s'agissait d'un pince-sans-rire qui, sans mauvaiseté, voulait se payer ma tête. Il me raconta ensuite comment, l'année précédente, il avait bien failli trouver une femme.

— C'était une rousseline avec des joues grosses comme des pommes et presque deux mentons. Tu comprends, c'est pas de faire espré de longue, mais moi je les aime bieng dondon. Je ne marierais point une chicote ou une cabestron.

— Chacun ses goûts. La mienne, je la veux grande et honnête.

— Pécaïre ! T'es pas difficile !

— Celle de l'année dernière t'aura échappé pour un autre ?

— Un gari me l'a prise comme ça, sous le nez. J'aurais dû me méfier, il la badait depuis qu'il l'avait vue.

Au même moment, il vit passer quelqu'un de ses connaissances. Il me quitta en me saluant à la façon de chez lui :

— Adessias, mon bon ami !

Ce qui veut dire, je crois, dans leur langage, au revoir sinon adieu.

Le lendemain matin, quand il nous fut permis de voir les filles de plus près pour faire notre choix, j'étais très tôt au poste, avec un seul visage en tête. Les habitués s'étaient massés près des portes et furent les premiers admis à l'intérieur. Je vis Constantin y pénétrer le troisième ou le quatrième. Il en ressortit peu de temps après, fier comme un paon, avec au bras une fille dodue qui, à tout le moins de loin, lui semblait fort appropriée tellement elle avait la même démarche que la sienne. Quand mon tour vint enfin, la plupart des filles avaient déjà trouvé un prétendant. Celle qui nageait dans ma tête depuis la veille m'apparut au bras d'un beau soupirant dont le sourire de satisfaction en disait long sur la conquête qu'il venait de faire. Quand je passai devant eux, elle leva les yeux, qu'elle avait encore plus beaux que dans mon souvenir. Elle ne baissa pas le regard, me fixa un moment et esquissa un sourire qui me laissa dans mes brodequins, perdu entre le doute et l'espoir. Je moussinais de la voir avec lui et je quittai les lieux sans même un regard pour celles qui n'avaient pas encore été choisies.

Dire que j'ai dormi cette nuit-là, ce serait mentir comme un arracheur de dents qui ose laisser croire que ça ne fera pas mal. Tôt au matin, je courus de nouveau au palais, histoire de constater quelles filles de ce lot n'avaient pas encore été choisies. C'était bien pour rien, parce qu'elles avaient été dispersées un peu partout chez les bourgeois de la ville, et celles qui avaient déjà trouvé un compagnon faisaient la queue devant la porte de l'un ou l'autre des trois notaires de Québec pour signer les contrats de mariage. Je pensai défaillir quand je vis l'homme de la veille sortir de chez le notaire Duquet au bras de celle qui occupait tout mon cœur et toutes mes pensées. Sans doute par envie ou par jalousie, je les suivis jusqu'à la demeure où la belle avait trouvé refuge. Ils causèrent un moment sur le seuil, puis le jeune homme la laissa sans plus afin de s'engouffrer à l'auberge du Chien dodu pour enfiler le verre de sa victoire. Je l'y suivis pour prendre celui de ma défaite.

L'auberge regorgeait de jeunes hommes satisfaits, le vin coulait, les coudes se levaient en même temps que les voix. Mon jeune homme avait rejoint des compagnons à qui le bon vin ne faisait pas peur. Je tendis l'oreille à leur conversation.

— Tu t'en es déniché une jolie, mon Louis.

— Jolie, mais presque sans dot.

— Est-ce à dire que dans ta tête, la dot est plus importante que la femme ?

— Certainement ! La femme, après tout, n'est là que pour faire des petits. Ses sous sont la promesse de beaux jours de bombance.

— Songerais-tu à tout boire ce qu'elle apporte ?

— C'est tout comme si c'était déjà fait. Mais je continue mon enquête. Celle-là, c'est ma garantie, mais j'ai peut-être une chance d'en trouver une autre plus fortunée.

Mine de rien, je l'observai encore un long moment occupé à dévoiler sa vraie nature. Puis il se leva d'un bond et partit d'un pas décidé en compagnie d'un de ses amis. Il me prit l'idée de les suivre. Son ami le retint un moment par la manche. Je ne parvins pas à entendre ce qu'ils disaient. Ils accélérèrent le pas et filèrent jusqu'à une maison devant laquelle son compagnon s'arrêta avant de faire retentir l'huis de quelques coups de heurtoir bien sentis. Une domestique vint ouvrir. Il lui parla un moment avant qu'elle referme doucement la porte. Mes deux gaillards attendirent patiemment jusqu'à ce que paraissent dans l'entrée les minois d'une blonde et d'une rousse qui me semblaient fort dégourdies. Mon jeune homme entreprit une longue conversation avec la rousse, pendant que l'autre volait un baiser à la blonde.

Cette scène me laissa si bien pantois que le lendemain, j'allai rôder autour de la maison où était entrée la veille celle dont je rêvais. J'en fus vite récompensé puisque mon jeune homme apparut, accompagné de son acolyte de la veille. Il fit mander sa fiancée, et là, en deux minutes, debout devant la porte, lui fit comprendre qu'une autre occupait désormais sinon son cœur, du moins sa convoitise. Je les vis partir presque aussitôt pour défaire le contrat qu'ils avaient signé le jour d'avant.

Il faut dire que la veille, à mon retour à l'auberge, j'avais eu la précaution de me renseigner. Olivier Bichaume, dit Le Matou, qui avait bien l'air d'en être un, avec sa manie de chercher toujours un oiseau à plumer, y prenait son repas en compagnie de Pierre Chapeau, dit Le Chauve, dont le couvre-chef était vissé sur la tête par pluie comme par beau temps. Ils m'expliquèrent en long et en large comment se passaient ces courses au mariage.

— Tu comprends, dit Le Matou, quand il en arrive une barge comme ça, tout le monde s'empresse, il leur en faut une à tout prix. Ils prennent la première du bord avant même de l'avoir regardée.

Le Chauve, comme à son habitude, attendait pour ajouter son mot.

— Après, seulement, ils se donnent la peine d'en savoir plus.

— Tu sais ce qu'ils veulent tous assavoir ? enchaîna Le Matou.

— Je l'ignore.

— C'est combien elles ont reçu du roi. Autrement dit, ce qu'elles ont comme dot. Si la dot est petite et la fille pas belle à leur goût, ils la laissent pour tenter leur chance avec une plus coquette et mieux dotée.

Le Chauve s'empressa de renchérir :

— Tu verras demain, il y a des contrats d'aujourd'hui qui vont se défaire… et après-demain itou.

Je savais donc qu'un contrat signé la veille pouvait mourir le lendemain pour être remplacé aussitôt par un nouveau avec une autre. C'est pourquoi je ne m'étais pas découragé.

Je me félicitais d'être revenu et j'attendis patiemment à la porte du notaire jusqu'à ce qu'en sorte celle qui venait de voir mourir si tristement ses espoirs. Je n'eus pas trop à faire le pied de grue. Elle apparut au bout d'un quart d'heure, le visage rougi par les larmes, et tristement elle se mit en frais de regagner sa pension. Je n'allais pas laisser passer pareille occasion.

Je savais que le moment ne s'y prêtait guère, mais je la suivis tout de même, le cœur en feu, et avant qu'elle n'entre là où elle allait, je l'arrêtai doucement. Mon regard plongea droit dans ses yeux. Je lui dis comme ça :

— Mademoiselle, pardonnez mon audace. Il ne faut jamais désespérer : ce que la vie ôte d'une main, elle le redonne de l'autre. Il avait pris la place que j'espérais avoir, peut-être au fond me revenait-elle. Je m'appelle Marcellin Perré, je suis le notaire de Notre-Dame-des-Anges. J'attendrai de vous un signe, si le cœur vous en dit.

Je partis sans plus et sans me retourner, conscient du fait que la pauvre avait eu assez d'émotions pour un seul jour. J'attendis qu'elle se manifeste. Elle le fit, deux jours plus tard, par un billet que me remit Mongrain, le charretier des jésuites, en passant à l'auberge. C'est ainsi qu'une semaine plus tard, deux mois seulement après mon arrivée à Québec, le bon père Aveneau bénissait mon union avec Radegonde Quemeneur dite Laflamme qui devait être, comme son surnom l'indiquait si bien, la flamme de ma vie.

Elle aménagea avec moi à l'auberge. La vieille Rosalie avait besoin d'aide, rien ne pouvait être aussi parfait. Pour la noce, je fis aux invités la libéralité de quelques flacons d'eau-de-vie. Mais le cadeau de ce jour fut l'arrivée à l'auberge du nommé La Musique, qui nous gratifia le soir même de ses plus beaux airs de violon.

Jamais dans mes souhaits les plus vifs aurais-je pu imaginer que mes noces se passeraient de si belle façon ! Toute la soirée, l'auberge bourdonna de musique. Une danse mourait à peine qu'une autre prenait vie. Il n'y avait autour de nous que des visages heureux. Ma Radegonde n'aurait pu être plus radieuse. La jeune Isabelle, l'aide de Rosalie à l'auberge, pétillait du regard. Quant à la vieille cuisinière, elle s'était surpassée avec des plats dont il me semble sentir encore les arômes et goûter les saveurs. Nos bons pères, d'habitude, ne prisent guère les noces où ils sont souvent les seuls à dénombrer toutes sortes de fautes envers le bon Dieu. Fort heureusement, le père Aveneau sut se retirer discrètement, nous laissant à nos joies qui, hélas, la vie étant si mal faite, comme tout le monde le sait, ne durent guère que le temps de les voir naître, puis meurent toujours trop vite comme une bougie que l'on souffle pour en ménager la cire.

Chapitre 8

Les secrets de Rosalie et de Belle

La vie est un perpétuel recommencement.

Maintenant que j'avais une compagne, il nous fallait nous installer dans notre nouvelle vie. Ma Radegonde était bien celle que j'avais souhaité qu'elle fût, quand je l'avais vue pour la première fois. Elle avait bon caractère et sur son visage se dessinait souvent un sourire, ce qui rend toujours plus beau tout visage, quel qu'il fût. Quand elle souriait, deux fossettes que je ne me lassais pas d'admirer se creusaient dans ses joues et lui donnaient un petit air coquin qui ne pouvait aller tout aussi bien qu'à elle seule. Je ne pouvais pas l'imaginer autrement, car, pour moi, de la voir sourire de la sorte m'assurait qu'elle était heureuse et je me serais morfondu sans fin de la savoir triste.

Tout de suite, les choses allèrent de soi entre elle, la vieille Rosalie et la jeune Isabelle. On eût dit que de tout temps ces trois femmes étaient faites l'une pour l'autre : elles se complétaient aussi bien que le font les lettres pour former les mots.

⁂

Je suis curieux de nature et, par mes écritures, je nage toujours dans les mystères de l'un ou de l'autre. Je voulus en savoir plus long sur la vieille Rosalie qui s'avérait être tout à coup la mère-grand que je n'avais pas eue, tant elle avait pour moi de petites attentions auxquelles sont habituées les mères-grand pour rendre la vie plus belle à ceux et à celles qu'elles veulent gâter. Elle était bien placée pour le faire, car dans sa cuisine, elle trouvait toujours le moyen de me cuire quelque chose à mon goût, que j'étais le seul à retrouver dans mon assiette. Elle mit peu de temps d'ailleurs à connaître mes caprices. Ma bonne Radegonde me taquinait là-dessus en me surnommant tendrement le « petit garçon à sa mère-grand ».

Rosalie n'était pas femme à parler d'elle-même. Je dus m'y prendre à maintes reprises avant d'en apprendre un peu plus sur ses antécédents.

— Belle comme vous êtes, Rosalie, vous avez bien dû avoir un tas de soupirants ?

— Allons, cher ! De me dire si beau compliment va me faire rougir, mais ne te mènera à rien. N'essaie pas de me faire parler là-dessus.

— Pourquoi donc, ça vous porte peine ?

Je la vis se retourner assez vivement, malgré son vieil âge, et ses épaules se mirent à se secouer. Je croyais qu'elle voulait cacher quelques larmes. Je m'approchai pour la consoler, mais, au contraire, à travers ses rides se dessinait un sourire comme je ne lui en avais jamais vu.

— Qu'est-ce qui vous rend de si belle humeur ?

— Ah, cher ! Je pense à mon Josaphat. S'il t'avait entendu me parler de même, il était si jaloux qu'il t'aurait mouché de belle manière.

— Tant que ça !

— Tant que ça et plus. Il ne fallait même pas qu'un homme me fasse de la façon. Ce qui m'a tiré un rire, c'est un souvenir comme ça qui m'a trotté dans la tête.

— Racontez !

— Que non, que non, parce qu'on s'attire le malheur à se réjouir de celui des autres.

— Qu'est-ce que ça dérange à présent ? Ils sont sans doute tous six pieds sous terre.

Il me fallut insister longuement pour qu'elle se décide enfin à parler.

— Tu as raison, cher, ils sont tous chez le bon Dieu, ça ne devrait pas leur faire de mal que nous causions un peu d'eux. Mon Josaphat était apothicaire. Nous avions alors comme engagé un apprenti, un jeunot assez dégourdi qui m'apportait des fleurs en cachette. Mon Josaphat le surprit, un jour, alors qu'il s'apprêtait à m'offrir un bouquet. Le jeune apprenti, il s'appelait Michaud, se tourna sans hésiter vers mon époux et lui tendit le bouquet. "Tenez, dit-il, expliquez-moi lesquelles de ces plantes ne sont pas bonnes à remèdes." Cher, tu aurais dû voir s'allonger le visage de mon Josaphat qui resta planté là, le bouquet dans les mains, et ne trouva rien de mieux à faire que de me l'offrir.

Après s'être confié de la sorte, je vis son visage se refermer soudain et cette fois des larmes lui mouiller les yeux.

— Ah, cher ! dit-elle. Quand tu seras vieux tu comprendras, il ne faut pas trop remuer le passé.

Elle regagna lentement sa cuisine, l'endroit où elle se sentait encore la plus utile. Ma Radegonde était arrivée à point dans sa vie. Toutes deux à la cuisine faisaient ensemble des merveilles.

C'est ainsi qu'à force de relancer la vieille Rosalie, je finis par apprendre un peu de sa vie passée, elle qui, pour sa plus grande peine, n'avait pas eu d'enfant. « Le bon Dieu, disait-elle, ne l'a pas voulu. » Elle répétait d'ailleurs souvent cette phrase, comme si le bon Dieu avait le temps de se mêler de tout. Mais les vieilles personnes sont ainsi faites qu'elles ramènent tout au bon Dieu, sans doute parce qu'on leur a enseigné dès leurs premiers pas de toujours faire de la sorte, et n'allez surtout pas tenter de les faire changer d'idée. Elles sont convaincues qu'il n'y a qu'elles qui ont raison et c'est probablement bien ainsi.

⁂

Je m'attachai beaucoup à la vieille Rosalie et tout autant à la jeune Isabelle. Ce n'est pas vainement qu'on la surnommait Belle, car elle l'était vraiment.

Elle était si avenante et avait si heureuse façon que tous les hommes auraient voulu qu'elle soit leur fille. C'était une enfant agréable à voir et à entendre. Elle chantonnait tout le temps, mais surtout, elle était si vive d'esprit que personne ne parvenait à la prendre en défaut. Tout le monde l'aimait et elle le leur rendait bien, par toutes sortes d'attentions. Radegonde la considérait comme la jeune sœur qu'elle n'avait pas eue. C'était plaisir de les voir donner à l'auberge l'âme qu'elle n'aurait jamais eue sans elles.

Belle était si occupée toute la journée que malgré la curiosité qui me pousse à en savoir plus sur les gens, je connaissais très peu de ce qu'était sa vie. Quand il m'arrivait d'aller la reconduire chez elle le soir, après la noirceur venue, je ne manquais pas de lui poser des questions sur sa famille, son père, sa mère, ses jeunes frères. Jamais elle ne parlait de ses parents, mais dès qu'il était question de Gérard, le plus jeune de ses frères, je voyais ses yeux briller et ses traits s'animer.

— C'est le plus bel des enfants que je connaisse, disait-elle. Si je me marie un jour, il faudra que mes enfants soient tout aussi beaux que lui.

— Qu'est-ce que tu lui trouves tant ?

— Il a des cheveux dorés et des yeux bleus comme le ciel.

— Est-ce le seul de la famille à être de même ?

— C'est le seul.

Puis elle se taisait pour ne pas en dire plus, mais je sentais bien que derrière cet enfant aux cheveux dorés se cachait sans doute le drame de cette famille. J'aurais été curieux d'en connaître le vrai père. On fait rarement des enfants aux cheveux d'or quand les nôtres sont aussi noirs que le charbon, et tant le père que la mère de Belle avaient des cheveux d'ébène.

Mais c'est de cette mystérieuse enfant si rayonnante que j'aurais aimé connaître les secrets. Je la savais née à Charlesbourg, où elle avait été baptisée. Je savais qu'elle y avait grandi sans jamais pouvoir obtenir l'instruction qu'elle aurait désirée. Ça, elle me l'avait dit un soir avec, dans les yeux, les larmes que le regret fait naître. Il me semblait qu'une si belle enfant, si vive et si enjouée ne pouvait pas être triste, mais elle avait comme chacun de nous ses peines et ses regrets, qu'elle surmontait bravement tout au long du jour par ses reparties à point, ses sourires et la vivacité de ses regards. Ça m'était plaisir de la voir arriver tous les matins à l'auberge. Il me semble qu'en sa présence, le soleil luisait davantage, le feu pétillait plus joyeusement et que d'un coup tout s'enjolivait. J'étais si heureux de la voir avec Radegonde en grandes conversations, faites d'éclats de rire, de joie de vivre et de tout ce qui fait la vie bonne.

⁂

Il faut dire que dans tout le va-et-vient de l'auberge, Radegonde et moi nous mîmes un peu de temps à nous accommoder ensemble, mais après quelques semaines, tous les morceaux étaient en place pour que notre bonheur ne cesse de durer et surtout de croître. Je nous voyais nous installer à vie dans ce coin avec un essaim d'enfants. D'en avoir beaucoup était par ailleurs notre plus vif souhait. Bien sûr, nous ne passerions pas notre vie entière dans cette auberge, nous aurions un jour notre maison pas loin du Passage. Nous regarderions grandir nos enfants dans cet heureux coin de pays où les saisons qui se succèdent ne cesseraient jamais de leur rappeler, comme elles nous le disaient continuellement, que rien n'est jamais gagné et qu'il faut toujours tout recommencer.

Chapitre 9

Les gens de l'auberge

Les amis sont hélas parfois fuyants comme l'eau.

Quand on est nouveau dans un lieu, on a beaucoup de gens à connaître. Parmi tous, on ne parvient à se faire que quelques amis. Je les regardais un par un, me demandant ce qui avait bien pu les mener jusqu'ici. C'est curieux, la vie d'un homme, tous ces méandres qui la peuplent et le font un jour quitter sa terre natale. Il y a un mystère profond derrière chaque visage. Certains restent fermés, leur vie durant, prisonniers de leurs malheurs ; d'autres parlent comme ça à l'occasion, quand ils ne supportent plus les images de leur passé, ou quand quelque chose en eux les force à parler pour ne pas empoisonner le reste de leur existence. Dans ces moments-là, bien des fois, j'en ai vu tourner autour de notre porte.

Une auberge, c'est un peu un confessionnal. Pour nombre de ces gens, c'était aussi un refuge, meilleur encore que l'église, car on pouvait y noyer sa peine. Ils ne venaient pas pour moi, ils venaient pour les sourires, pour la bonne humeur, pour l'accueil de Radegonde et de Belle, pour la chaleur d'un foyer. Ils arrivaient, le front plissé, à bout de nerfs d'avoir trop longtemps lutté afin de garder mortes en dedans d'eux-mêmes les braises d'un passé qu'ils croyaient à jamais éteintes. Ils s'assoyaient à une des tables, commandaient un verre et s'enfonçaient dans leurs jongleries. Puis, quand trop de souvenirs amers leur remontaient en tête comme des plantes grimpantes, ils ne trouvaient de repos que lorsqu'ils se mettaient à en parler longuement, par petites bribes, comme on révèle peu à peu l'emplacement d'un trésor enfoui.

— Bonjour ! Avez-vous vu le temps qu'il fait ?

Le Matou, qui avait toujours à la bouche la réplique qui fait rire, lançait :

— Même si on ne l'avait pas vu, en te regardant on le saurait.

L'auberge entière éclatait de rire. Le nouvel arrivant, s'il avait de l'esprit, relançait aussitôt :

— Tu ne sais pas ce que j'ai vu en venant ?

— Quoi donc ?

— Un matou qui te ressemble. Heureusement que je t'avais vu avant, sinon je l'aurais pris pour toé !

L'auberge riait de plus belle.

Parfois, la réplique du Matou tombait dans le vide. Tout dépendait de celui qui en était le sujet. J'en ai vu entrer en saluant du bout des lèvres.

— Quoi ? faisait Le Matou. Ai-je bien entendu ? On ne vaut même plus un salut ?

— Comme tu dis !

L'autre allait s'asseoir au milieu de ses sombres pensées et personne ne se préoccupait plus de lui.

D'autres entraient avec une nouvelle : l'arrivée d'un nouveau-né, la maladie de l'un, l'accident de l'autre, la bonne pêche d'un troisième. Les conversations repartaient de plus belle.

— Un garçon à qui ? demandait l'un.

— À Rose-Aimée, la femme à Germain, celui qui est boucher de par le Bourg-Royal.

— Ah ! Cestui-là ! Il le mérite bien, bonne mère, tant il travaille comme deux quand ce n'est pas trois.

— Il n'avait qu'à choisir meilleur associé que le feignant de Corier. Cestui-là, les seules fois qu'il lève le bras, c'est pour boire ce qui reste dans son verre.

— Encore chanceux que le Germain le garde à travailler pour lui, sinon il se retrouverait pauvre parmi les plus pauvres.

Quand la conversation prenait une telle tournure, je m'en retournais me perdre dans mes écritures. Généralement, ceux qui étaient venus pour trouver la paix et avaient eu le temps de fricoter se levaient aussi, surtout quand ils avaient vidé leur sac et repartaient avec ou sans un merci. Nous ne risquions pas de les revoir pendant des jours, sinon des semaines ou parfois même des mois, jusqu'à ce que brûlent de nouveau en eux les braises toujours vivantes de leur passé dont il leur fallait absolument se libérer pour continuer à vivre.

Parce que Radegonde et Belle étaient avenantes, parce qu'elles étaient ordonnées, parce que la nourriture de la vieille Rosalie n'avait pas son pareil, ils venaient vers elles pour mettre de l'ordre dans leur triste existence. Pourtant, elles parlaient peu, mais elles savaient les écouter sans les interrompre. En venant à l'auberge, ces hommes couraient après la paix comme d'autres courent après la guerre. Ils fuyaient leur passé malheureux qu'ils avaient pourtant pensé tenir à distance en mettant une mer entre eux et lui. Mais ce passé tenace les avait suivis dans leur tête, et quand il montrait de nouveau le bout du nez comme un envahisseur, ils venaient boire chez nous pour noyer les rires méchants de leurs souvenirs.

Ce que j'aimais de ce pays, c'est que les gens qui l'habitaient venaient tous de différentes contrées tout en parlant la même langue, ou à peu près. Chacun avait en lui le pays d'où il venait: Drieux, Le Passeur, était né en Auvergne. Il y avait quelque part dans sa voix un peu de son pays natal, avec des mots qu'il ne pouvait pas dire comme nous autres, des mots mouillés qui chuintaient doucement à la manière d'un feu qui rutile. J'aimais l'entendre dire « ioun » pour un et « dou » pour deux. Il avait aussi sa façon curieuse de parler. Je me souviens d'une fois qu'il avait échappé son tapabord, il avait dit tout bonnement: « J'ai tombé ma toque. »

Marceau, le charpentier de navire, venait de Bourgogne et parlait en douceur, d'une voix profonde, telle une eau qui coule de source. Faye, le meunier, avait ses paroles qui sortaient brusquement en rocaille de quelque part d'entre la Bretagne et le Poitou. Puis il y avait aussi Bonaventure, le nouveau venu, qui allait devenir mon meilleur ami. Il disait les mots comme s'il avait peur de les briser. À la manière de ceux qui viennent de Ré, il ne savait pas regarder autrement que très loin devant lui, comme s'il voyait toujours la mer de son enfance, même s'il l'avait quittée depuis long de temps. Enfin, il y avait de la Saintonge, Laurent dit Ladouceur, au surnom à point tant il ne parlait guère, mais riait toujours, était attentionné, avec dans le regard tout le bon qui l'habitait. Quant à moi, j'étais bien comme eux tous, de mon pays, avec les paroles de chez nous et ces mots qui disent tout en peu. Il est vrai qu'avec mon oncle Laterreur, j'avais eu tout avantage à parler court.

Un jour nous vint à l'auberge le fondeur de cuillères, Jean Robleau dit L'Aiguille. Il arriva en tirant une charrette dans laquelle il transportait tout son fourniment. Je ne sais pas duquel de nos pays de France il venait. Il avait à la fois l'accent du Midi et du Nord, et racontait comme pas un des histoires de fifollets, de loups-garous et de spectres à nous en faire dresser les cheveux sur la tête. Il ramassait toutes les cuillères cassées pour en refaire des neuves.

À califourchon sur un tabouret, chaussé de gros sabots, protégé des flammèches par un tablier de cuir, il faisait fondre sur un petit poêle les brisures de cuillères qu'il coulait dans des moules et nous en sortait des cuillères neuves. Tout le temps, il baragouinait ses histoires. Il nous apprit d'où lui venait son surnom de L'Aiguille.

— Ah ! Ah ! Ah ! Je ne vous conte pas d'histoire !

Nous savions tous qu'il était à nous en conter une, mais nous écoutions attentivement, tellement nous sommes friands de ce qui nous peut étonner.

— Quand on moule des cuillères, ce qui est plus ardu qu'on peut y croire, faut pas avoir le fondement campé sur une chaise de paille. Ah ! Que non ! Si dans la paille il y a une aiguille, la cuillère que l'on fait aura un trou dedans. Ça ne m'arrive jamais, parce que j'ai un tabouret de bois. Ah ! Ah ! Ah !

Cette histoire, il nous la servit quand il se rendit compte que la cuillère qu'il fabriquait serait manquée.

— J'ai beau avoir un tabouret de bois, s'indigna-t-il, il y avait certainement tout près de moi quelqu'un qui avait une aiguille quelque part et je saurai bien le trouver. Allons, qui est-ce ?

Pendant ce temps sa cuillère trouée avait eu le temps de se refroidir. Il la saisit et, la brandissant devant nous, s'exclama :

— Quel est le malheureux ou la malheureuse qui porte sur lui l'aiguille qui a percé cette cuillère ?

N'obtenant pas de réponse, il fit mine de nous examiner l'un après l'autre. Il était évident qu'il cachait dans sa main une aiguille dont il saurait bien se servir à la première occasion. Il prolongea son enquête pour trouver enfin la prétendue aiguille dans les cheveux de ma Radegonde. C'était bien malin de sa part, car il lui vola un baiser pour conjurer pareil mauvais sort. Si j'avais été quelque peu écherdant, j'aurais été fort marri de le voir voler ce baiser, mais je me suis dit que s'il avait choisi pour ça ma Radegonde, c'est qu'elle était la plus belle du lot et ça me rendit tout féru et le cœur tout chaud.

Tout ce beau monde jargonnait pendant de longues minutes à parler de leur pays ou du temps qu'il faisait. Je les écoutais toujours, étonné de leurs différences.

— As-tu vu la belle pêche qu'a faite le père Laîné, hier ?

— Quelle sorte de pêche ?

— De l'anguille, ben crère, mais pas de la petite, de la vraie grosse, de quoi le nourrir et toute sa maisonnée tout l'hiver.

Un autre arrivait, qui promettait du bois de chauffage à tous ceux qui voulaient bien l'écouter.

— J'en ai du vrai bon.

— Meilleur que celui de l'hiver dernier, Joseph, sinon t'es mieux de te le garder.

Les autres éclataient de rire.

— Vos risées me font rien en toute. Ça me passe sur le dos comme l'eau sur un canard. À part ça, je saurai bien placer mon bois, et le plus âne des trois ne sera pas celui que vous pensez.

« Tiens, me dis-je, celui-là a déjà entendu la fable de M. de La Fontaine *Le Meunier, son Fils et l'Âne...* »

⁂

Il en passait ainsi, du monde à l'auberge, et de toutes sortes : des gueulards qui écrasaient de leur voix tout ce qui bougeait autour ; des effacés qui se gaubergeaient dans un coin sans rien dire et sans plus en bouger ; des serviables qui étaient toujours prêts à aider, même si on ne le leur demandait pas parce qu'ils auraient été de trop ; et aussi des traîneux qui ne quittaient pas leur table tant qu'on ne les avertissait pas de déguerpir. Mais un comme Bonaventure, ça ne se présente qu'une fois dans une vie. Pourtant c'est arrivé, le jour de notre mariage à Radegonde et moi, et j'ai tout de suite su que cette rencontre n'était pas comme les autres et que nous serions amis.

Bonaventure, qu'il s'appelait. Pour tout dire, Bonaventure Frouin dit La Musique. Pour moi, ç'a été tout de suite Bona, pour les autres, La Musique. Il avait le nom qu'il lui fallait, il avait surtout quelque chose que je n'ai pas et que les autres n'ont pas non plus : un violon. Ce n'est pas tout d'en posséder un, mais encore faut-il savoir en jouer. Lui, il savait faire parler un violon comme pas un. J'ai beau chercher dans la musique un instrument qui dit mieux et plus qu'un violon, il n'y en a pas. Il pouvait le faire pleurer comme le faire rire, à grands coups de plaintes, à grands coups de vibrations comme une voix humaine en détresse ou en joie. Un homme comme lui, dans une auberge avec sa musique, c'était la vie qui naissait tous les soirs, c'était du soleil, de la pluie, des forêts, des montagnes, des rivières, des nuages, des horizons à perte de vue, avec aussi des ombres, des lumières, des serrements de cœur, de l'eau dans les yeux, de la tendresse qui fondait dans la gorge en même temps que deux mains qui se touchaient et se parlaient doucement, comme seules les mains et les yeux savent le faire en silence.

Il était arrivé de Bordeaux avec sa besace et son petit bonheur. Il n'avait pour lui que sa musique, apprise avec un oncle musicien, prestidigitateur et artiste, un genre de ménestrel comme dans les temps anciens, qui courait la France d'un village à l'autre pour faire rire ou pleurer. Aujourd'hui, sa musique ne lui apportait rien d'autre que les regards attendris des femmes et ceux, fuyants, des hommes. Quand il jouait, le temps s'arrêtait, les peines disparaissaient, les différends s'évanouissaient, les soucis s'effaçaient comme les nuages après la pluie. Il n'y avait plus dans l'auberge que le lent respir de ceux que sa musique ensorcelait.

Le plus heureux, c'est qu'il s'était installé pour plusieurs jours, des semaines peut-être, le temps de voir ce qu'il ferait, si quelqu'un allait l'embaucher pour autre chose que des arbres, du blé ou du foin à couper, ou encore du fumier à charroyer. Il me semblait qu'il n'avait pas les mains faites pour ça. C'étaient plutôt des mains de jongleur, des doigts capables de faire dire à un violon l'amour comme la haine, la peine comme la joie, la vérité comme le mensonge, le désespoir comme la belle espérance neuve par-delà la grisaille des jours d'automne ou les froids glacés des longs hivers. Des doigts comme ceux-là, il me semble qu'il fallait les protéger, les tenir loin des faux et des haches; des doigts comme ceux-là, c'était de l'or et tout le monde le savait, même qu'on l'enviait, sans le lui dire, et que chacun aurait bien voulu posséder un pareil trésor quand le jour se faisait trop lourd ou la nuit trop insistante.

Il était donc arrivé d'il y avait deux jours à peine que j'avais eu le temps de causer, de rire avec lui, d'entendre par deux fois sa musique. Il était venu me voir et avait dit:

— Marcellin, tu ne connaîtrais pas quelqu'un chez qui je pourrais travailler tout l'hiver?

— À quoi?

— À tout et n'importe quoi. Je peux faire de tout: tanner des peaux, tourner des barreaux, tendre des pièges, chasser, pêcher sous la glace, réparer un peu n`importe quoi.

— Ça, tout le monde le fait un peu.

Ma remarque ne l'offusqua pas. Il se mit à rire et à me raconter un bout de sa vie. Il parlait toujours doucement comme pour ne pas briser les mots. Ses paroles étaient des chuchotis, rarement des torrents, jamais des grondements de chute. Il fallait parfois tendre l'oreille pour les entendre, comme le murmure des ruisseaux. Il marchait un peu comme il parlait, avec les pas souples du renard et des andains démesurés, sans rien briser, sans rien casser, délicat comme une faïence. Mais il suffisait de voir ses yeux pour comprendre qu'en dedans de lui brûlait un feu vif prêt à tout dévorer. C'était un ardent, un diamant finement ciselé. Il était, sans qu'il n'y paraisse, un chêne droit et dur dans une écorce couverte de mousse.

Il resta un mois à l'auberge, puis, quand la rivière gela, il se fit embaucher, avec Le Passeur, par Toupin de la rive sud. Ils employèrent l'hiver à bûcher quelque chose comme cent cinquante cordes de bois. Jamais je n'aurais cru cet ensorceleur de violon capable d'un tel ouvrage et je me faisais du souci pour ses mains.

Chapitre 10

Marcellin et ses deux élèves

Quand la vie sourit trop,
mieux vaut se méfier.

J'étais à peine de quatre mois en ce pays que je ne reconnaissais plus rien de ma vie. Moi qui avais subi les sévices de l'oncle Laterreur et des privations durant des mois et des années, j'étais ici comblé comme un écureuil qui a ses provisions pour l'hiver. Ma Radegonde filait le parfait bonheur. Elle se plaisait en compagnie de Belle et de Rosalie. Elles formaient ensemble le plus beau tableau auquel on peut s'attendre de gens qui s'aiment et s'apprécient sans se le dire, mais en se le montrant par toutes sortes de petites attentions. Rosalie était la bonté même, Radegonde, la beauté épanouie, et Belle, la jeunesse éclatante. Les voir ensemble était une fête.

Tant que l'été fut là, les tables de l'auberge furent toujours garnies de fleurs. Nous profitions aussi largement des légumes et des herbes du jardin de Rosalie. Mais en un pays comme cestui-là, les saisons se bousculent comme nulle part ailleurs. L'automne nous arriva sans prévenir avec sa cargaison de couleurs. Les arbres souriaient dans l'or, l'ocre, le vermillon et le pourpre. Le vent s'amusait à faire luire leurs chevelures flamboyantes et la rivière les reflétait comme autant de trésors. L'eau, en miroir, multipliait les couleurs à l'infini pendant que des vols d'outardes en pointes de flèche s'avançaient, aigus, dans le ciel.

Toujours soucieux de mon sort, le bon père Aveneau vint me trouver au cours de l'automne. Il prit le temps de faire le tour de l'auberge, eut un bon mot pour Rosalie, Radegonde et Belle, puis il me prit à part.

— J'ai, dit-il, un travail fort important à te confier.

— Dites toujours, mon père, je saurai préciser si je suis en mesure de le faire.

— Ce n'est pas un travail d'une urgence capitale, mais il nous rendra fort service. Pour occuper tes mois d'hiver où les contrats se font moins nombreux, je te confie la révision de tous les documents de la seigneurie, tant les concessions que les ventes de terre, de même que les aveux et les dénombrements avec aussi tous les papiers du moulin, les marchés et les contrats des meuniers depuis les débuts de la seigneurie.

— Que dois-je réviser, en particulier, dans chacun de ces contrats ?

— Tu dois voir à ce qu'il n'y manque rien, ni la signature ou encore la marque de celui ou de ceux qui contractent, ni celle du notaire et des deux témoins.

Tous ces documents doivent être en parfait ordre quand le vérificateur viendra en faire la révision.

Je profitai largement de cet automne pour commencer ce travail, mais également pour apprendre les richesses en nourriture de ce pays. À quelques reprises, j'avais accompagné les femmes à la cueillette des petits fruits. Il y avait d'abord eu les fraises des champs, puis les framboises et ensuite les bleuets, qui ne sont pas des fleurs comme en notre pays de France, mais bien de petits fruits bleus un peu semblables aux myrtilles. Je me souviens encore de la merveilleuse senteur de ces fruits dans toute l'auberge quand la vieille Rosalie les cuisait pour en faire des confitures, qu'elle gardait jalousement dans de larges pots de grès soigneusement alignés dans sa cuisine. Quelle joie pour le palais quand, certains jours, une ou l'autre de ces gourmandises paraissait dans nos gamelles.

J'appris bien vite à apprécier le goût de la citrouille qu'on récolte à l'automne, avant les premières gelées. Ce sont les Sauvages qui ont montré aux nôtres comment apprêter, en soupe comme en compote, ce genre de potiron délicieux. Je goûtai aussi au maïs, que nous appelons ici blé d'Inde.

Ce dont je me rappelle de cet automne avec le plus de plaisir, c'est la demande que me firent ensemble Radegonde et Belle. Je les revois devant moi, toutes les deux radieuses. C'est Belle qui parla la première, usant de tout son charme.

— Monsieur Marcellin, j'ai pensé à quelque chose.

— Quoi donc, ma Belle ?

— J'ai pensé que vous pourriez nous rendre un très grand service à Radegonde et à moi.

— Vraiment ?

Radegonde reprit aussitôt.

— Ah, oui ! Marcellin, plus que tu ne penses.

— Expliquez-vous, je saurai bien vous répondre si vraiment ça m'est possible.

— Ah, si ! Ça t'est certainement possible.

Belle enchaîna.

— Nous aimerions apprendre toutes les deux à lire et à écrire.

J'hésitai avant de m'engager. Comme je le leur contai, pour moi, apprendre à lire avait constitué une triste période de ma vie.

— Comment cela ?

— C'est mon oncle qui m'a appris à lire et à écrire. Il était si soupe au lait que dès que je faisais une faute, il me châtiait sévèrement.

— Il était donc bien méchant !

— Il ne s'appelait pas Laterreur pour rien. De vous montrer à lire et à écrire me fait craindre de me vautrer dans de bien mauvais souvenirs.

Radegonde, avec tout le charme qui l'habitait, me dit :

— Marcellin, tu ne peux pas avoir tellement gardé mauvais souvenir de ce temps que tu nous prives de ce que tu sais si bien faire.

Je les fis asseoir et je leur dis :

— Écoutez bien ! Quand je fus en France et que mon oncle Laterreur vint me chercher à La Roche-sur-Yon sous le prétexte de faire de moi un commis à l'écriture, j'étais bien loin d'imaginer tout ce qui m'attendait.

— Quoi donc ?

— Ses sévices à mon endroit. Pour m'apprendre à écrire, et sous prétexte que je le faisais mal, il s'évertuait à me taper sur les doigts avec une baguette. Plus il tapait, plus j'avais mal aux doigts et plus j'écrivais mal. Pour me punir, il m'enlevait ma paillasse et je devais coucher sur les planches.

Belle s'étonna :

— Ce fut si pire que vous le dites, monsieur Marcellin ?

— Pis encore ! Dès que je sus bien écrire, il me força à le faire tout le jour et jusque tard dans la nuit, mais il était si pingre qu'il ne laissait qu'une bougie allumée pour nous deux. Je devais m'arracher les yeux pour pouvoir lire ce que j'écrivais. Plus tard, il sortit même le fouet et il s'en servit pour me forcer à me tenir éveillé tard dans la nuit.

Mais comment résister à deux si belles créatures et à leur désir d'apprendre plus ? Je ne sus rien faire d'autre que d'acquiescer à leur demande, même si je ne savais vraiment pas par où commencer. Je mesurais tout à coup la chance énorme que j'avais eue d'avoir sur ma route le père Aveneau. C'est lui qui, avant que mon oncle ne vienne me chercher, avait commencé à m'enseigner un peu la lecture. Il saurait bien me conseiller afin de satisfaire ma Radegonde qui le méritait tellement, de même que cette jeune Belle qui en avait eu l'idée la première. J'allai à Charlesbourg mander son aide au bon père.

— Tu n'as pas oublié, dit-il, ravi, ce temps où j'ai commencé à t'apprendre. Tu étais bon élève et te voilà maintenant avec mission d'apprendre à d'autres.

— Je me demande si je saurai y faire.

— Pourquoi t'en inquiètes-tu ? Tu te souviendras de notre façon première de faire.

— Oh ! C'est déjà bien loin.

— Mais tu sais lire et écrire maintenant. Quelqu'un qui le sait est capable de le montrer. Il faut tout simplement un peu de patience.

— Pour ça, j'en ai.

— De plus, je vais te prêter quelque chose qui va t'aider grandement.

Il se leva, se dirigea lentement en boitillant vers la pièce qui servait de bibliothèque aux bons pères et en revint avec un cahier.

— Tu le reconnais sans doute ? dit-il.

En voyant son titre, *La Croix-de-Dieu*, je reconnus ce livret pour enseigner à lire aux enfants dont il s'était servi pour les quelques leçons qu'il avait commencé à me donner. Du coup, je sus que j'allais satisfaire Radegonde et Belle.

⁂

Je débutai mon enseignement dès les jours suivants. Je me réjouissais d'avoir chaque jour dans mon étude mes deux élèves, pendant une heure. Je retrouvais bien sûr ma Radegonde le soir, à la fin du travail du jour, mais de la savoir près de moi au beau milieu de la journée me réchauffait le cœur. Quant à Belle, le simple fait de la voir constituait déjà un plaisir. Imaginez le bonheur que je tirais à les regarder toutes les deux, penchées sur un bout de parchemin, appliquées à en deviner le mystère.

Pour ne pas rendre trop pénible cette tâche difficile que constitue l'apprentissage de la lecture et de l'écriture, je leur enseignai d'abord comment on prépare une plume d'oie pour en faire un instrument d'écriture. Je leur montrai à la bien tenir. Tout doucement, je leur appris à former des lettres. Le premier mot qu'elles découvrirent fut leur prénom respectif. Au bout de quelques jours à peine, elles étaient en mesure de le lire en reconnaissant les lettres qui le composaient. Elles en tirèrent une si grande fierté qu'elles s'appliquèrent encore davantage à écrire une à une les lettres de l'alphabète.

Elles venaient me voir comme ça tout au long du jour, parfois en après-midi, d'autres fois le matin, et également certains soirs, selon le travail qu'elles avaient au cours de la journée. Quand la noirceur nous surprenait au beau milieu d'une leçon, je ne manquais jamais de raccompagner Belle jusque chez ses parents, sur la route de Charlesbourg. Je voulais lui éviter de la sorte d'être exposée à quelque mauvaise rencontre.

C'est curieux comme la relation entre un maître et son élève peut être différente d'une relation habituelle de tous les jours. Durant notre heure de leçon, il me semblait voir Radegonde d'un autre œil. Je percevais en elle l'orpheline qu'elle était quand, à la Salpêtrière, on la faisait travailler à toutes sortes de tâches ingrates sous le prétexte d'en faire une fille bonne à marier. Elle avait beaucoup appris, mais, pour lors, elle se reprenait afin d'ajouter à ses connaissances celles qu'elle considérait comme les plus avantageuses.

— Tu ne sais pas, Marcellin, quel plaisir ça me fait d'apprendre à lire et à écrire !

— Je le sais bien un peu, parce que j'ai appris, moi aussi. Je me souviens encore aujourd'hui de la première fois où j'ai pu lire une phrase complète, puis une page entière.

— J'ai grand hâte d'y arriver, tu sais. Quand on ne sait ni lire ni écrire, il y a toute une partie de la vie qui nous échappe.

Je ne doutais pas un seul instant que des considérations similaires poussaient Belle à étudier. Mon amour pour Radegonde ne cessait pas de croître, mon attachement pour la jeune Isabelle suivait un parcours similaire. Je remerciais le ciel de la chance qui était nôtre. Je me sentais privilégié de pouvoir apporter à ces deux êtres aimés un peu plus de bonheur chaque jour. Leur moindre réussite s'avérait une fête. Je n'oublierai jamais ce jour où toutes les deux parvinrent à écrire leur nom pour la première fois. On aurait dit que des étincelles pétillaient dans leurs yeux. Pour moi, ce souvenir est resté gravé dans ma mémoire comme l'image même de la joie. Je les revois encore toutes les deux s'appliquant, le bout de langue sorti, à écrire parfaitement leur nom. Je les taquinai :

— On n'a pas besoin de sortir la langue pour écrire !

Radegonde répliqua aussitôt :

— Mais on en a drôlement besoin pour goûter une bonne soupe. Et qui fait la soupe ici ?

— Rosalie !

— Fort bien. Et qui prépare les légumes pour la soupe ?

— Radegonde !

— C'est juste. Et qui sert la soupe ?

— Isabelle !

— Et s'il ne mangeait pas de soupe, quel gros gourmand n'aurait même pas la force de nous montrer à écrire ?

Elles répondirent en chœur à leur propre question dans un grand éclat de rire :

— Marcellin !

⁂

En cet automne, de leur montrer à lire et à écrire fut ce qui me réjouit le plus. Par contre, dans les mois de septembre et octobre, ce qui m'étonna le plus de ce pays, c'est tout ce que les gens mirent en œuvre pour se préparer à l'hiver. On ne peut pas se faire à l'idée de cette saison en ce pays tant qu'on ne l'a pas vécue dans sa peau et dans ses os.

Le premier que je vis paraître à l'auberge, tout soucieux de l'hiver à venir, fut Barnabé Lalande, un domestique des bons pères jésuites. Toujours attentif à notre bien-être, le père Aveneau nous l'envoya dès la mi-septembre pour nous préparer du bois de chauffage.

— Le père Aveneau m'envoie m'assurer que vous ne gèlerez pas cet hiver.

— Il n'est pas un peu tôt ?

— Attends, jeune homme, de voir les hivers que nous avons, tu m'en reparleras au printemps.

Un nommé Tavernier, dont la chique de pétun faisait gonfler la joue et qui, à la fin de chaque phrase, crachait comme une fontaine mal entretenue, vint décharger sur la rive de la rivière, près du Passage, quelque chose comme une trentaine de cordes de bois. Devant pareille accumulation, je dis à Barnabé :

— Pareil tas ne vous fait pas peur ?

— C'est de les bûcher qui est difficile. Les corder et les fendre est moins que rien.

— Vous devrez d'abord les transporter jusqu'ici.

— Eh quoi ? Avec un bon cheval et une charrette, c'est presque déjà fait.

En moins de deux jours, tout ce bois était cordé derrière l'auberge, dans un appentis construit à cette fin. Il mit ensuite quelques jours à fendre les plus grosses bûches à coups de hache, puis il prépara du petit bois d'allumage. Assis dans mon étude, je l'entendais ahaner à chaque coup. Maintenant que j'y songe, il me semble que bourdonnent encore à mes oreilles les sons graves sortis de sa gorge comme autant de cris pour dire à l'hiver qu'il n'aurait pas raison de nous.

Mais si l'hiver, cette année-là, ne put avoir raison de nous, avant lui l'automne nous jeta dans une peine profonde qui dura si long de temps que je ne me souviens plus si nous avons ensuite fêté la Noël. Il y a comme ça, dans nos vies, des souvenirs malheureux que nous tâchons d'effacer de notre mieux, mais qui réapparaissent en nous telle la vieille encre au dos des contrats venant brouiller l'endroit de la page.

Chapitre 11

L'épouvantable drame

La vie se permet parfois des détours inexplicables qui nous laissent l'âme en charpie et le cœur tout à l'envers.

Ce premier de mes automnes en Nouvelle-France ne se passa pas comme souhaité ni sans qu'un drame affreux ne survienne, qui nous bouleversa tous et ne nous laissa plus la paix pendant des mois. Pourtant, ce matin-là, l'automne montrait son plus beau visage. Tout ce que notre œil voyait nous mettait de la couleur jusqu'au plus creux du cœur. J'entendais la vieille Rosalie chanter un air de son coin de pays. Radegonde venait à peine de préparer les tables du déjeuner quand elle se montra inquiète de ce que Belle n'était pas encore arrivée. Au même moment, je m'en souviens très bien, les cris aigus d'une femme devant l'auberge nous firent tous nous précipiter dehors.

Arrivée par la route de Charlesbourg, la femme hurlait, pleurait, était effritée sans que nous puissions savoir ce qui l'avait mise dans un tel état. Radegonde la soutint jusqu'à l'intérieur tout en lui parlant doucement pour la calmer. Ce fut ainsi qu'entre deux sanglots elle finit par dire :

— Là-bas, près de la route.

— Quoi donc ?

— Là-bas ! Ah !

La femme s'étouffait. Nous pouvions lire l'horreur dans son regard.

— Belle ! finit-elle par dire.

À ce nom, je bondis. Je courus jusqu'à bout de souffle en remontant vers Charlesbourg. Au moment où je m'arrêtais pour reprendre haleine, je vis des traces de pas sur la route. Elles me menèrent droit au corps de la pauvre Isabelle qui gisait au bord du champ comme un grand morceau de chair sanguinolent. Je ne sais pas combien de temps je mis à me ressaisir. Je n'avais jamais vu pareille abomination.

Choqué, je revins vers l'auberge tel un somnambule, le regard rempli de cette scène horrible, puis, reprenant mes esprits, je courus jusqu'au Passage rapporter cette horreur au Passeur et lui demander de se rendre d'urgence à Québec prévenir les autorités. Il fila tout de suite vers son canot. Revenu à l'auberge, je pris une couverte que j'allai étendre sur le corps de la malheureuse. C'est là que j'attendis, le cœur chaviré, l'arrivée du Passeur qui, après plus d'une heure, se pointa en voiture en compagnie du chirurgien Roussel et d'un autre homme, le charretier, qui n'était pas de mes connaissances.

Entre-temps, tous ceux qui descendaient de Charlesbourg ou de l'Auvergne ou bien remontaient de Québec s'arrêtaient pour me demander ce qui se passait, avec l'espérance de voir ou de savoir quelque chose. Je tins mon bout. Personne ne put retirer la couverte et je ne dis pas non plus de quoi il en était. Ils devinaient bien que quelqu'un gisait là et ils ne voulaient pas poursuivre leur route. À peine arrivé, le chirurgien Roussel, qui, comme tout le monde le savait, avait un caractère exécrable, demanda entre ses dents, d'une voix courroucée :

— Qui a mis cette couverte ?

Je m'avançai.

— C'est donc vous qui avez découvert le corps ?

— Pas en premier, c'est une femme qui passait.

— Où est-elle ?

— À l'auberge.

— Fort bien ! Je lui parlerai plus tard.

Sur ce, il se tourna vers les autres et grogna :

— Allons, arca, bande d'écornifleux ! Continuez votre chemin, il n'y a rien à voir !

Comme ça ne bougeait pas assez vite à son gré, il les menaça de la canne qui ne le quittait jamais, parce qu'il souffrait d'un mal de genoux. Les badauds poursuivirent leur chemin à regret. Certains s'arrêtèrent sur la route, à courte distance, comme des mouches autour d'un morceau de viande qu'elles ne veulent pas quitter. Il se tourna vers eux et, de la main, leur fit signe de déguerpir, puis, me regardant droit dans les yeux, il commanda :

— Racontez ce que vous savez !

— Nous étions à préparer le déjeuner quand une femme en pleurs nous est arrivée, tellement bouleversée par ce qu'elle venait de voir qu'elle n'arrivait plus à parler.

Le chirurgien s'impatienta :

— Elle a fini par le faire puisque vous nous avez fait prévenir.

— Oui, dès que j'ai su, j'ai couru sur la route jusqu'à bout de souffle. Quand je me suis arrêté, pour respirer mieux, si je n'avais pas su, j'aurais passé outre. Le corps de Belle gisait-là où vous voyez. Il fallait être très attentif pour le voir de la route. M'est idée que beaucoup de monde sont passés là depuis le matin sans rien apercevoir. Dès que j'ai vu le cadavre de cette pauvre enfant, je suis retourné à l'auberge chercher une couverte que j'ai mise dessus elle.

Le reste, il le savait déjà parce que Le Passeur le lui avait raconté. Il descendit au bord de la route retirer la couverte de sur le corps ensanglanté. Dans mon énervement, je n'avais pas remarqué que la victime était nue. Du sang lui couvrait les cuisses et l'entrejambe. J'avais pensé qu'elle avait été attaquée par une bête sauvage. Je compris tout de suite que, comme le confirma le chirurgien, cette bête sauvage n'avait que deux pattes et que c'était un homme. Belle avait été lâchement attaquée, violée et égorgée au moment où elle s'amenait pour son travail, tôt le matin à l'auberge.

Son examen terminé, le chirurgien se tourna vers le charretier :

— Allons, Bastien, rendez-vous utile, enveloppez-moi le corps dans la couverte, ça lui fera un bon linceul… Quant à vous, jeune homme, nous vous dédommagerons.

Aidé du charretier, il déposa le corps de la malheureuse dans la charrette. Il passa ensuite un bon moment à examiner les environs, à la recherche de traces, malheureusement effacées depuis le matin par le passage de ceux qui étaient allés de Charlesbourg à Québec et en étaient revenus. Il s'arrêta ensuite à l'auberge, qui n'était plus que pleurs, prendre le témoignage de la malheureuse qui, la première, avait découvert la scène. Je lui fournis papier, plume d'oie et encrier afin qu'il puisse noter le tout.

Il commença son interrogatoire d'une voix neutre, celle d'un homme habitué à côtoyer la mort.

— Comment vous appelez-vous ?

À travers ses pleurs, la femme bégaya :

— Arnestine Lachapelle.

Le chirurgien, qui avait mal compris et se montrait d'une impatience à fleur de peau, reprit brusquement :

— Articulez, madame, si vous voulez que je vous entende. Quel est votre nom ?

— Arnestine Lachapelle !

— Vous voulez sans doute dire Ernestine ?

La femme acquiesça d'un léger coup de tête et se remit à pleurer. Le chirurgien s'emporta :

— Allez, ouste ! Cessez vos gémissements et répondez-moi ! Il me semble que ce que je vous demande n'a rien de bien difficile.

Comme le fait le vent après une tempête, la femme se calma d'un coup.

— Où vivez-vous ?

— À Charlesbourg.

— Que faisiez-vous de si bon matin sur la route ?

— J'allais à Québec.

— Qu'avez-vous vu d'abord ?

— Des traces de sang sur la route et puis le corps.

La pauvre ne lui apprit rien de plus que nous ne savions déjà. Le chirurgien regagna ensuite Québec avec la femme et le charretier. Je regardai un moment sauter sur la route la charrette où reposait le corps de la pauvre Belle. Je ne pouvais pas me faire à l'idée que cette enfant si vive était morte d'aussi brutale façon. C'est alors seulement que la bonde sauta et que mes larmes débordèrent comme une pluie. Rosalie et Radegonde étaient si fortement bouleversées qu'elles ne pouvaient plus bouger. Elles faisaient tellement peine à voir que je décidai de fermer l'auberge pour la journée.

Le cadran solaire ne marquait pas encore onze heures que le marchand Renaud se pointa, l'air sombre, le regard en feu.

— Qui vous a autorisé à fermer l'auberge ?

— J'ai pris cette décision parce qu'après le drame qui vient de se produire, Rosalie et Radegonde ne sont pas en état, aujourd'hui, de faire leur travail.

— Allez les chercher !

— Elles sont à se reposer et personne ne les dérangera.

Il me regarda avec des yeux tellement furieux que je pris peur. Je vis qu'il était malendurant et ne souffrait pas de répliques.

— Jarnidieu ! Personne ne viendra me dire ce qu'il convient de faire ou non dans mon auberge !

Sa remarque me laissa pantois. J'avais cru depuis le début que l'auberge était la propriété des jésuites et voilà que cet homme m'apprenait qu'elle lui appartenait.

— Faites excuses, dis-je, j'ignorais que l'auberge était vôtre.

— Apprenez, jeune homme, que vous n'y êtes que toléré.

Je m'empressai de quérir Rosalie et Radegonde. Il n'eut pour elles qu'un coup d'œil dédaigneux.

— Si vous tenez à demeurer à mon service, dit-il, vous avez intérêt à vous mettre à l'ouvrage à l'instant. Je ne tolérerai jamais qu'un client vienne se plaindre que l'auberge est fermée quand elle doit être ouverte.

Dès que j'eus une minute, je montai à Charlesbourg prendre information auprès du père Aveneau au sujet de l'auberge. Il fut atterré d'apprendre l'assassinat de la pauvre Belle et se montra fort marri d'avoir oublié de m'informer que l'auberge était la propriété du marchand Renaud.

—Je croyais t'avoir donné cette information. Dans l'énervement de notre première rencontre, j'aurai oublié de le faire. En fait, l'auberge a été nôtre par défaut. Elle appartenait d'abord à ton prédécesseur, le notaire Bonnard. Après avoir perdu beaucoup d'argent au jeu et s'être dangereusement endetté, il a été contraint d'emprunter afin de se remettre à flot, ce qu'il a fait auprès du marchand Renaud. À l'échéance de son prêt, il n'a pas été en mesure d'honorer sa parole. Le marchand a fait saisir l'auberge et l'aurait sans doute vendue aux enchères sans mon intervention. J'ai offert d'effacer la dette de Bonnard, pensant que de la sorte il serait en mesure de garder son bien et qu'avec les années il finirait par nous rembourser grâce à son travail. Le marchand Renaud ne l'entendait pas de cette oreille. Nous en sommes arrivés à un compromis. Il a gardé son droit de propriété sur l'auberge, mais a consenti, contre des frais annuels de bail, à ce que Bonnard puisse continuer à exercer son métier à l'auberge comme il l'avait toujours fait.

— Qu'est devenu ce Bonnard ?

— C'est précisément ce dont j'allais te faire part. Il semble qu'il ne soit pas parvenu à rembourser ses dettes. Le printemps dernier, il a disparu sans laisser de traces, ce qui est rare en ce pays.

— Disparu ?

— En effet, nous l'avons cherché pendant des jours. Il y a eu des battues qui n'ont donné aucun résultat. C'est alors que je t'ai écrit par le premier navire venu de France et voilà que j'ai été tout heureux de te voir arriver en fin d'été, prêt à prendre la succession. L'entente prise avec Bonnard tient toujours. Le marchand Renaud fait quérir les sommes tirées des recettes de l'auberge par un acolyte dont tu feras certainement un jour la connaissance. Ne crains rien, le marchand Renaud a consenti à ce que tu puisses t'installer à l'auberge et il est loin de se plaindre d'y voir Radegonde. La vieille Rosalie ne rajeunit pas, elle avait besoin d'aide. C'était d'ailleurs pourquoi cette pauvre Isabelle allait tous les jours lui prêter main-forte. Dans quel pays vivons-nous si une innocente enfant peut trouver la mort en se rendant paisiblement à son travail ?

La remarque du père Aveneau me fit monter les larmes aux yeux. Je mis du temps à dire :

— Ce Bonnard peut tout aussi bien revenir. Supposons qu'il soit parti à la traite des fourrures afin d'y tenter fortune et que ça lui réussisse. Il pourrait se pointer avec idée de reprendre sa place.

— Marcellin, tu n'as rien à craindre. Cet homme ne saura jamais trouver le courage de se bien comporter. À l'heure qu'il est, s'il n'est pas retourné en France ou s'il n'est pas mort quelque part dans les bois, il doit croupir au fond d'une prison. Ce n'est pas tout de savoir écrire, il faut encore avoir la volonté de le bien faire et, surtout, savoir rester sobre et ne pas s'endetter au point de ne plus rien posséder.

Chapitre 12

L'injustice des hommes

La justice des hommes a souvent
de drôles de hoquets.

L'enquête sur la mort d'Isabelle n'aboutit d'abord à rien. Comme nous vivions dans un pays peu habité, l'opinion de plusieurs était que le coupable se promenait librement parmi nous. Les soupçons se portèrent sur l'un et sur l'autre. Les joueurs de lansquenet en discutaient entre eux. Les femmes, quand elles s'arrêtaient à l'auberge en compagnie de leur mari, ne manquaient pas d'ajouter leur grain de sel à cette affaire. Personne ne savait, mais comme c'est l'habitude chez les humains depuis que le monde est monde, tous parlaient et inventaient au besoin. J'en vins à me rendre compte que certains me regardaient d'un drôle d'air ou détournaient tout simplement le regard quand ils me croisaient. C'est mon ami Bona qui me mit au parfum. Comme il n'avait pas l'habitude de faire de grands détours avant de parler il alla droit au but.

— Tu sais qu'on te soupçonne d'être l'assassin de Belle ?

Je n'en croyais pas mes oreilles.

— Quoi ?

— Tu as bien entendu, il y en a qui disent que tu es le meurtrier.

— Comment ?

— Tu connaissais Belle depuis quelque temps, tu la voyais tous les jours à l'auberge, tu la désirais sans doute, si belle et si jeune, tu allais parfois la reconduire chez elle le soir, tu savais à quel moment et par où elle arrivait tous les matins, tu serais allé l'attendre sur le bord de la route, tu aurais voulu faire avec elle ce qu'elle ne désirait pas, elle a résisté, tu t'es jeté sur elle, tu l'as violée et ensuite égorgée pour l'empêcher de parler. Voilà ce que certains racontent.

À ces paroles, je me mis à trembler sans pouvoir me contrôler. Il me fallut m'asseoir et je restai sans voix un long moment. Fallait-il être méchant et agir malement pour raconter pareilles sornettes ! Me voyant dans un tel désarroi, mon ami reprit :

— Ne sois pas étonné de cela, tout le monde cherche un coupable comme pour se disculper, tu es le dernier arrivé parmi eux, tu es encore l'étranger pour beaucoup, tu es forcément le premier soupçonné.

Je mis beaucoup de temps à me remettre de cette révélation. Heureusement, j'avais entre les mains le livre M. de La Fontaine dont je lisais et relisais les fables avec beaucoup d'intérêt. Ces soupçons ne furent pas sans me rappeler une de ces fables : *Les Animaux malades de la peste*. On cherche parmi tous les animaux celui qui serait la cause de cette maladie. Tout le monde, à commencer par le lion, s'accuse des fautes graves commises qui pourraient avoir attiré la malédiction du ciel sur eux. Tous se trouvent des excuses jusqu'au jour où l'âne s'accuse d'avoir mangé de l'herbe dans le pré du voisin. Le pauvre, le moins coupable de tous, est aussitôt condamné à mort. Je relisais la maxime de cette histoire : « Selon que vous serez puissant ou misérable, les jugements de cour vous rendront blanc ou noir. » Je n'avais qu'à transposer cette fable dans ma vie : « Selon que vous serez du pays ou étranger, les jugements de vos voisins vous rendront innocent ou coupable. »

Ni Rosalie, ni Radegonde ne parvinrent à se consoler de la disparition de Belle. Elles n'acceptèrent pas tout de suite qu'une autre aide soit embauchée à sa place.

⁂

Ce fut au cœur de toutes ces péripéties qu'un beau midi, une nouvelle inattendue, mais qui soulagea tout le monde, fit en quelques minutes le tour du Passage, du moulin et de l'auberge, pour aller aussi rapidement se répandre sur la Petite-Auvergne, Charlesbourg, le Bourg-la-Reine et le Bourg-Royal : on avait arrêté l'assassin de Belle.

Nous n'eûmes pas besoin de nous éloigner de l'auberge pour être vite mis au fait. Le Chauve nous apprit qu'un procès se tiendrait dès le lendemain et que l'accusé n'était autre que Prêt-à-Boire, le cantonnier, un habitué des auberges de Québec. Je ne manquai pas d'accourir à l'interrogatoire. C'est la femme de Gontran, de Charlesbourg, qui avait alerté le lieutenant civil sur un fait qui lui était remonté en mémoire.

Je n'étais pas familier de ces interrogatoires. J'en restai fort impressionné. La femme, une courte mais rondelette, le regard et le geste vifs, la tête haute, qui faisait sa coqcidrouille et qu'une foule ne semblait pas refroidir, témoigna avec un aplomb de soldat. Le lieutenant civil menait rondement les questions :

—Jurez d'abord, la main sur les Saintes Écritures, de dire toute la vérité et rien que la vérité. Dites : "Je le jure !"

—Je le jure !

—Comment vous nomme-t-on ?

—Mathilde Beauchemin.

—Quel est votre âge ?

—C'est obligé de le dire ?

—C'est obligé.

—Dans les environs de quarante ans.

— Êtes-vous mariée ?

— Je le suis à cestui-là que tout le monde connaît comme Gontran.

— Où habitez-vous ?

— Au trait-quarré de Charlesbourg.

— Vous êtes venue me voir hier pour assurer connaître quelque chose de plus à l'égard de la mort et assassinat d'Isabelle Francœur dite Belle, anciennement servante à l'auberge du Passage sur le chemin qui va de Québec à Charlesbourg.

— Si Votre Seigneurie veut bien l'agréer, je vas vous dire ce que je sais.

— Non seulement je l'agrée fort bien, mais je l'exige, car si nous sommes ici, c'est de votre fait. Racontez-nous ce qui vous y amène.

— Comme je l'ai dit, la journée d'hier, à Votre Seigneurie, depuis que la petite est morte, le soir, je ne hante plus ces parages, je pourrais tout aussi bien y rencontrer son fantôme qui n'a pas trouvé le repos et cherche encore son bourreau.

— Que nous importent vos créances à ce sujet, venez-en aux faits.

— J'y arrive, Votre Seigneurie. Personne a remarqué que le cantonnier Prêt-à-Boire a raccommodé la route en ce lieu, trois jours avant la tuerie…

— Quel rapport établissez-vous entre ce raccommodement et la tuerie ?

— Prêt-à-Boire est le trinqueur que vous savez.

— Tenez-vous-en aux faits, nous n'avons cure de vos opinions sur lui ou les autres.

— Prêt-à-Boire, trois jours avant, raccommodait la route quand j'y ai passé avec ma fille Madelon pour aller faire marché à Québec. Ma fille, qu'un flux de poitrine empêche d'être ici présente aujourd'hui, est belle comme un oiseau : tous ceux qui la connaissent le disent, elle pourra acertainer ce que je vous avance.

— Et qu'est-ce que vous avancez ?

— Eh ben ! Comme on arrivait dans les alentours dudit Prêt-à-Boire, c'est lui, Votre Seigneurie le sait, qui répare les routes, il était occupé, comme le dit la chanson, à casser un tas de cailloux pour mettre sous le passage des roues, juste à l'endroit où est arrivé ce que l'on sait. En nous voyant venir, il a arrêté sa casse. Il nous a regardé, ma fille surtout, pis il a dit : "Si tu étais seule, ma belle, je te trousserais les jupons." J'ai pour mon dire que c'est ce qu'il a fait trois jours plus tard à la pauvre Belle.

— Il le disait sans doute avec un grand rire, comme celui qui fait la farce ?

— Non pas, pardi ! Il était sérieux comme un pape, tellement que j'en ai eu la chair de poule et, ben crère, ça m'en prend pas mal pour me la faire venir.

— Qu'il ait dit ça à votre fille ne veut pas dire qu'il l'ait fait après !

— Peut-être bien que non, si le même matin de la mort de cette pauvre enfant, Dieu ait son âme, alors que je me rendais de nouveau au marché, je n'avais pas vu les traces de Prêt-à-Boire sur la route.

— Elles pouvaient y être de la veille puisqu'il y travaillait !

— Non pas, parce que la veille, il a mouillé tout le jour. Ses traces étaient du matin même, dans les mêmes parages, et elles allaient de çi, de là, comme celles de qui a gobeloté.

Le témoignage de cette femme qui ne manquait pas d'allure rendit songeuse toute l'assistance. Sur les alentours de midi à une heure, le nommé Prêt-à-Boire, menotté serré, fut mené devant le juge par deux gendarmes. Il jura ses grands dieux ne rien avoir à faire avec cette affaire. Ses traces étaient sur la route parce qu'elles y étaient : il y travaillait depuis des jours. Ses arguments ne convainquirent personne. Le lieutenant civil le condamna à la question ordinaire. Le bourreau le fit asseoir sur un banc de bois. Il lui mit autour des jambes des bas de parchemin humides. Il lui plaça ensuite les brodequins, qui consistent en quatre planches étroites très fortement liées autour de ses jambes, tout cela attaché ensemble par une autre corde. Le bourreau entra un premier coin entre les planches et les jambes de l'accusé et l'enfonça d'un coup sec : l'autre grimaça. Le juge demanda :

— Êtes-vous coupable ?

Prêt-à-Boire hurla de toutes ses forces :

— Vous vous trompez, je n'y suis pour rien !

Le bourreau approcha une torche allumée près des jambes. Le parchemin se rétracta sous la chaleur, arrachant un hurlement de douleur au pauvre bougre. Le bourreau procéda de la même façon avec un deuxième coin. Prêt-à-Boire résista aux deux premiers coins, puis au troisième. Le bourreau n'y allait pas de main morte : il enfonçait les coins entre les brodequins et les jambes du malheureux avec vigueur et dextérité, comme quelqu'un qui sait y faire ; et puis, sans attendre, il approchait la torche. Après le troisième coin, Prêt-à-Boire parvint à nier puis perdit sa conscience. Le bourreau le fit revenir au moyen d'un grand sieau d'eau froide. Au quatrième coin, il ne put résister à la douleur et, pour que cesse enfin ses souffrances, avoua tout et rien. En fait, il dit tout simplement : « C'est moi ! C'est moi ! », ce qui ne parvint pas à me convaincre. Malgré mon attachement pour la pauvre Belle, j'avais peine à considérer cet homme comme son assassin. Quelque chose me disait qu'il ne l'était pas.

Sans plus, le lieutenant civil prononça la sentence :

— Seule la mort, dit-il, peut réparer pareille abomination. Vous serez pendu haut et court demain, à l'heure de midi, sur la place Royale, et votre corps sera suspendu ensuite sur une potence à l'endroit de votre forfait sur la route qui va de Québec à Charlesbourg, jusqu'à ce que la nature fasse son œuvre.

De retour à l'auberge, j'appris par nos joueurs de cartes que le charpentier Bédard avait été requis pour dresser la potence.

— Crois-moi, dit Le Chauve, ça sera une belle potence.

— Il connaît son métier comme pas un, ajouta Marceau. Tu veux du travail bien fait, tu demandes Isaac.

— Y en a pas un comme lui, renchérit Le Matou.

À les entendre, me revint à l'esprit le bon mot de M. de La Fontaine : « À l'œuvre on connaît l'artisan. »

Du coup, parce qu'on avait trouvé un coupable, les regards se firent plus francs à mon endroit. Il n'en demeurait pas moins que je restais davantage sur mes gardes : j'étais toujours un peu l'étranger parmi eux.

⁂

Je n'avais jamais assisté à l'exécution d'un condamné à mort. Le jour dit, j'y fus comme tout le monde. La place grouillait de tout ce qui vivait à Québec et aux environs, plus encore que les jours de marché. Massés au milieu et le nez sous la potence, grimpés sur des charrettes ou penchés par les fenêtres, les gens s'invectivaient comme s'ils avaient été à la foire un jour de fête.

Il se fit un silence de mort quand, devant le bourreau cagoulé, les gendarmes apparurent, encadrant le prisonnier. Les badauds firent place, refermant sur eux, après leur passage, l'étau pressé de leurs corps. Un récollet accompagnait le condamné. Il le supporta jusqu'à la potence. Les cris avaient repris de plus belle, les poings se levaient, les invectives pleuvaient: «Mort à l'assassin!» «Maudite racaille, juste bon pour l'enfer!» Sur la potence, le juge exigea le silence. Le condamné avait droit de s'exprimer une dernière fois. Il ne s'en priva pas.

— Monsieur le juge, hurla-t-il, jamais plus vous ne dormirez tranquille quand l'assassin, celui qui a vraiment tué, se présentera devant vous! Je suis aussi innocent qu'un enfant naissant!

Sous le coup de l'émotion, il s'étouffa et ne sut plus que dire. Le bourreau en profita pour lui passer la corde au cou, il se fit un murmure croissant dans la foule, comme un grondement. Puis, retrouvant ses moyens, le condamné cria d'une voix tellement forte qu'elle fit courir un silence glacé sur toute l'assistance:

— Maudits soient ceux qui m'ont faussement accusé, un jour, je les ferai tomber dans la mort comme eux m'y ont jeté!

Cette menace venait tout juste de figer le ciel que la trappe s'ouvrit sous les pieds du malheureux. Il se débattit un moment avant de rendre l'âme. J'en fus bouleversé, avec dans la tête l'interrogation qui suit toujours pareille exécution: était-il le vrai coupable?

⁂

Tout cela se serait vite effacé dans l'esprit des gens et du mien, tant nous sommes friands de pareilles horreurs et tout aussi pressés de les oublier, si, quelque temps plus tard, une autre nouvelle ne nous avait pas laissés tous la bouche grande ouverte. Sous l'effet de la boisson, un Huron se vanta d'avoir lui-même égorgé Belle. Il fut emprisonné promptement.

Le lieutenant-civil le questionna, faisant traduire les propos de ce Sauvage par le truchement Guillaume Couture.

— Est-ce bien toi qui as tué Isabelle Francœur ?

L'interprète posa la question dans la langue huronne. Comme l'accusé ne répondait pas, le lieutenant civil s'impatienta :

— Si tu ne réponds pas à mes questions, nous te forcerons à le faire.

Dès que l'interprète eut traduit la question, le Sauvage se redressa et répondit d'une voix forte une phrase que l'interprète déclara être :

— J'ai tué et je recommencerai.

Devant cet aveu prononcé froidement et sans le moindre remord, le lieutenant civil blêmit. S'était-il fourvoyé au point de condamner et faire exécuter un homme qui n'était pas coupable ? Il réfléchit un long moment et demanda au truchement Couture de reposer la question au Sauvage. Il obtint la même réponse. Après avoir consulté les conseillers sur la culpabilité de cet homme, ils avérèrent qu'il était le meurtrier.

L'était-il vraiment ou agissait-il par bravade ? Le pauvre Prêt-à-Boire avait-il payé de sa vie pour rien ? Pour sauver la face et ne pas condamner à mort un deuxième coupable pour le même meurtre, le lieutenant-civil expédia le Sauvage aux galères du roi, ce qui revenait à lui infliger une mort lente mais inévitable. Il fut conduit en France par le premier navire venu.

Pendant ce temps, pour faire exemple, le squelette de Prêt-à-Boire se balançait sur la route de Québec à Charlesbourg, là où le mal avait eu lieu. Ainsi va la justice ou l'injustice des hommes !

Chapitre 13

Le marchand Renaud

La raison du plus fort n'est pas nécessairement la meilleure.

Puis l'hiver nous est tombé dessus. J'en ai fait réellement connaissance quand une première tempête de neige prit sa force au-dessus du fleuve et de la rivière. Le vent hurlait jusqu'au cœur de l'âtre. Dehors il n'y avait rien d'autre à voir qu'un grand linceul de neige, déchiré par à-coups pour laisser entrevoir le moulin et le Passage, puis refermé aussitôt tel un poing glacé.

Des jours comme cestui-là, nous étions seuls au monde, l'oreille tendue, guettant d'éventuels coups à la porte qui signaleraient l'arrivée de quelqu'un surpris par la tourmente. Il suffisait de mettre le nez dehors pour être aussitôt affribourdis, et on ne pouvait pas sortir sans être bien couvert, de crainte d'être consommé. Je bourrais l'âtre jusqu'au col. Le bon feu de bûches d'érable jetait sa chaleur et sa lumière dans toute la pièce. J'en profitais pour avancer mes travaux d'écriture, Radegonde s'asseyait près du feu pour filer ou tisser la laine, la vieille Rosalie s'affairait dans la cuisine. Nous n'entendions que les cris de la tempête et les gémissements des arbres autour.

Ça pouvait durer ainsi des heures et parfois des jours, et nous restions dégradés sans pouvoir sortir, jusqu'à ce que, enfin, la tempête s'apaise pour nous permettre de mettre le nez dehors sans y reconnaître rien de ce que nous avions vu la veille ou l'avant-vieille. Le moulin portait un chapeau démesuré, la rivière s'était transformée en un champ de neige, le chemin attendait qu'on le refasse, seules des balises nous permettaient encore d'en reconnaître le tracé. Quelques oiseaux timides venaient rôder autour de l'auberge en quête de nourriture, aucune trace dans la neige ne dessinait le passage des bêtes.

Puis la vie reprenait : quelqu'un, raquettes aux pieds, pointait le nez du côté du Passage ; un autre, pressé par une quelconque affaire urgente, descendait de Charlesbourg vers Québec ; perchée en haut d'un arbre mort, une buse surveillait dans la neige l'apparition d'un rongeur ; le vent avait terminé ses malices ; un soleil neuf riait dans un ciel plus bleu qu'à l'accoutumée ; les nuages avaient disparu au-dessus des montagnes violettes et l'air craquait sous l'effet du froid. Il fallait enfiler fourrures, moufles, carapon et mitasse, prendre la hache et casser la glace pour retrouver l'eau de la source, et ne pas oublier de rentrer le bois pour contenter la faim de l'âtre.

Ce fut dans un temps comme cestui-là que nous revint, au cours de ce premier hiver, le marchand Renaud, celui du «désert», le propriétaire de l'auberge, l'ennemi juré de Marceau, comme me l'avaient appris Ladouceur et les autres.

— Au début, me dit Ladouceur, il n'avait pas beaucoup de sous: aujourd'hui, il en prête à tout le monde et il lui en reste encore, mais ne vous avisez surtout pas d'omettre de le rembourser le jour promis.

— Il prête beaucoup, renchérit Le Matou, il ne s'est pas fait beaucoup d'amis. Il achète et vend des terres: le désert, le long de la rivière entre l'auberge et Charlesbourg, est à lui.

— Autrefois, continua Le Chauve, on l'appelait de son premier nom: Pacifique. De sa terre, on disait: "C'est le désert à Pacifique", puis peu à peu on a dit: "C'est le désert à Renaud". Aujourd'hui, on ne parle plus que du désert du bonhomme Renaud.

Marceau, le charpentier de navire, m'en assura:

— Quand, par chez nous, on aime quelqu'un, on dit par exemple le père Jobidon, ou le père Lajoie, mais quand on n'aime pas quelqu'un, on dit, comme pour lui, le bonhomme Renaud.

Ce fut ainsi qu'il arriva à l'auberge, ce jour-là où nous ne voyions ni ciel ni terre. C'était un homme rougeaud et corpulent, au regard fuyant comme un oiseau, mais sûr de lui, arrogant, méprisant et toujours de mauvais poil. Selon son habitude, il préférait faire affaire avec un notaire de Québec; le mauvais temps l'avait fait se rabattre vers moi.

À peine avait-il passé la porte qu'il dit:

— J'ai un document urgent à faire préparer.

— Il faut que ce soit pressé pour que vous veniez par un temps pareil.

— C'est mon affaire, pas la tienne, contente-toi de faire ton travail.

Il s'agissait, bien entendu, de lui écrire une sommation. À ma stupéfaction, elle était à l'encontre de Pierre Laurent dit Ladouceur, notre bon Ladouceur, qui n'aurait pas fait pas de mal à une mouche, mais qui avait eu le malheur, l'année d'avant, de lui emprunter deux cents livres, sur quoi il avait remboursé cent vingt livres. Le prêt venait à échéance le jour même avec un taux si élevé que le pauvre Ladouceur devait encore quatre-vingt-dix livres. Personne n'était en mesure de le dépatouiller. Je l'aurais bien fait, mais pas plus que les autres je n'avais l'argent nécessaire.

Si le notaire de Québec faisait des sommations sans se préoccuper, je n'avais guère le cœur à en rédiger une, surtout à l'endroit de ce pauvre Ladouceur. Mais hélas, le bonhomme Renaud, à titre de prêteur, était dans son droit de réclamer son dû et je ne pouvais rien faire, même s'il n'accordait qu'un mois pour rembourser, faute de quoi l'huissier Thiberge se présenterait chez Ladouceur, avis en main, et son habitation serait saisie pour être mise en vente à l'encan un mois plus tard, après que l'huissier eut mis des avis à cet effet aux portes des églises.

Je tâchai de venir en aide à notre ami Ladouceur en raisonnant quelque peu le bonhomme. Je lui dis :

— Monsieur Pacifique, faites honneur à votre nom, soyez pacifique, vous pourriez lui laisser un délai, ce pauvre Ladouceur risque de perdre tous ses biens pour moins de cent livres.

Il demeura de glace, insensible à mes arguments. Impassible, assis sur sa fortune, il me regarda comme si j'étais le dernier des idiots. Il ne bougea pas d'un cil et attendit que j'aie terminé la sommation, signa, tira sa bourse de son haut-de-chausse, me remit les sols dus pour mon travail, puis commença cet exécrable discours :

— La parole donnée est la parole donnée.

Il prit le temps de cracher par terre, selon un petit rituel calculé qu'on m'avait fait remarquer chez lui. Il poursuivit, le cœur sec et l'œil avide :

— Si j'en laissais un seul manquer à sa parole, tous les autres l'imiteraient, ils réclameraient tous un sursis comme un veau une tétée. Je ne suis pas leur vache à lait, j'ai besoin de tous mes sous pour en prêter à d'autres.

Il se complaisait à obliger tout le monde à son égard, pour mieux ensuite les écorcher à sa guise. Il partit ainsi dans la tempête, avec son papier en main bien enfoui dans ses moufles, inflexible, sûr de son bon droit, sans un seul remord, sans une seule velléité de changer. À peine avait-il passé le seuil que je me fis cette réflexion : cet homme n'avait réellement de pacifique que le nom.

⁂

Un mois plus tard, on procédait à la saisie de la terre, de l'habitation et de tous les biens de ce pauvre Ladouceur. Il trouva refuge avec les siens chez un ami. Puis, un mois plus tard, on procédait à la criée de tous ses biens. Je revois encore les gens réunis autour de la maison et le crieur venu de Québec, qui débitait à un train d'enfer son boniment : « Une table de cuisine en chêne, de belle ouvrage, prisée cinq livres ! Une livre ici, une livre douze sols là, deux livres, deux livres cinq sols ! Qui dit mieux ? Trois livres, voilà qui est plus raisonnable, trois livres dix sols ! Qui dit mieux ? Personne ? Trois livres dix sols une fois, trois livres dix sols deux fois ! Quatre livres ! Quatre livres une fois, quatre livres deux fois ! Qui offre plus ? Quatre livres trois fois ! Adjugé, ici, à monsieur Picard ! Quatre chaises de même chêne, à douze sols pièce ! »

Les enchères se poursuivirent longtemps de la sorte, tout y passa. J'en fus si attristé que j'allai marcher le long de la rivière pour ne plus entendre cette voix rappelant le malheur d'un homme que j'avais eu le bonheur d'apprécier. Notre Ladouceur n'était plus là pour assister au naufrage. Le lendemain de la saisie de ses biens, on l'avait trouvé pendu de débaut dans sa grange.

Comme le veulent la coutume et la justice, il y eut enquête, suivie d'un procès, et le pauvre, pour s'être détruit, fut condamné à être de nouveau pendu haut et court à une potence au carrefour du village, et son corps, suspendu là en exemple, à sécher au grand air. C'est l'exécuteur de la justice qui fut chargé de procéder. Le charpentier Bédard fabriqua la potence. Le corps y fut accroché. Le même jour, les corneilles, qui sont les oiseaux les plus intelligents de la Terre, s'y perchaient comme sur un épouvantail. J'en vis une s'emparer d'un œil de ce pauvre bougre et s'en faire un régal, pendant que deux autres se disputaient le plus tendre d'une de ses oreilles.

Indigné, Lahaie, le gendre de Laurent, descendit deux jours plus tard à Québec. Il alla droit chez l'intendant, les masses en l'air, les menaces à la bouche.

— Monsieur l'intendant, cracha-t-il, tant son indignation était grande, si je suis ici, c'est pour faire cesser incontinent une incongruité digne des peuples barbares.

Lahaie avait des connaissances, du vocabulaire et beaucoup de front pour lancer une invective comme celle-là à l'intendant. Mais il la lança comme on tire un coup de mousquet. C'est lui-même qui me l'a raconté : il faut bien que je le croie. Paraît-il que l'intendant, à qui on reprochait sans cesse de ne s'occuper que des affaires des marchands, fut tellement étonné de cette charge intempestive qu'il daigna, pour une fois, prêter une oreille attentive. Le pauvre Lahaie se vit aussitôt répondre sur un ton courtois :

— Allons donc, cher ami, quelle injustice vous fait si puissamment maugréer pour vous pousser jusqu'à nous en une si grande colère ?

Décontenancé, Lahaie hésita avant de répondre, ne trouvant rien d'autre à dire que :

— L'esquelette de mon beau-père.

L'intendant y comprenait encore moins qu'avant.

— Expliquez-vous plus clairement, que la lumière se fasse en mon esprit !

Lahaie avait perdu un peu de son assurance, mais il parvint à dire, la gorge serrée :

— Il y a déjà trois jours de trop que l'esquelette de mon beau-père est escoué par tous les vents, au carrefour de Charlesbourg.

L'intendant reprit d'un ton paternel :

— Si ce n'est que ça qui vous asticote, cher ami, je vais vous donner un mot pour le lieutenant de la justice. Le nécessaire sera fait pour décrocher le corps. Je ne suis pas de ceux qui se divertissent de pareil spectacle.

— Voilà comment il faut s'adresser à l'intendant et à ses semblables, m'expliqua ensuite Lahaie, plus fier qu'un coq. C'est la seule façon de les faire entendre.

Il avait fait tant et si bien que le lendemain, le corps fut décroché et enterré près du cimetière, hors de terre sainte. Lahaie, dont l'indignation coupait le souffle, m'arriva, l'après-midi même, avec l'idée d'une requête au bon père Aveneau, signée par tous les habitants de

Charlesbourg, à l'effet que le corps de son beau-père soit enfoui au cimetière parmi les autres bons chrétiens qui y dormaient paisiblement.

J'écrivis la requête et j'en fus le premier signataire. Ce pauvre Ladouceur ne pouvait avoir choisi de se défaire que sous l'effet de la folie. Le bon père Aveneau eut une oreille attentive. Il alla trouver le lieutenant civil et criminel pour lui faire remontrance de s'être mêlé des affaires de l'Église en exigeant que le corps se retrouve hors de terre sainte.

— Monsieur l'intendant, depuis quand la justice se mêle-t-elle des affaires de Dieu ?

— De quoi s'agit-il, mon révérend ?

— Un de mes paroissiens, Pierre Laurent dit Ladouceur, qui s'est donné la mort après avoir été malheureusement dépouillé de ses biens, a été enterré au cimetière hors de terre sainte. C'est l'indignation complète de la part de tous mes paroissiens. Cet homme était un aussi bon chrétien que vous et moi.

Le lieutenant civil et criminel prit dans son tiroir le texte de la sentence : nulle part il n'y était question de l'enterrement.

— Lisez-vous même la sentence : ce sera le fossoyeur qui aura pris sur son fait cette décision.

Deux jours plus tard, le pauvre Ladouceur dormait parmi les siens, au plus grand plaisir de ceux qui l'avaient connu et avaient tous aux lèvres que c'était un honnête homme et un bon chrétien. Le bon père Aveneau rédigea ainsi l'acte de sépulture :

Pierre Laurent, âgé d'environ 50 ans, lequel après avoir vécu en chrétien et catholique fut trouvé mort dans cette paroisse, et le Conseil Souverain de ce pays l'ayant reconnu et déclaré mort en insensé, il m'a été livré, après la sentence qui a été rendue et qu'on m'a représentée, pour l'enterrer dans le cimetière ce jourd'huy.

Pendant ce temps, le bonhomme Renaud dont, pour trop d'honneur, un désert inachevé portait le nom, refermait avidement ses grands doigts secs sur ses sous. Il se mettait encore plus à dos tous ceux à qui il avait prêté et qu'il avait privés de leurs biens. Pourtant, la nécessité dans laquelle croupissaient bon nombre d'entre eux continuait à les mener vers lui, prêteur sans cœur mais plein de reproches. Il faisait des victimes depuis des années, multipliant du même coup ses ennemis. Le bon Ladouceur était le premier de ses créanciers à s'être donné la mort. Renaud n'en continua pas moins à se dandiner, la fale haute, le nez en l'air, le regard de pierre, ignorant les crachats, les yeux haineux et les poings levés sur son passage.

Chapitre 14

Les comptes du notaire Bonnard

Il est rare que l'argent
ne sente pas mauvais.

Je coulais des jours paisibles en mon nouveau pays. Ma Radegonde me comblait de bonheur, attentive à notre bien-être comme l'est toujours une femme aimante. Elle besognait dur en compagnie de la vieille Rosalie, mais elles avaient dû se faire à l'idée d'engager une remplaçante à Belle. La jeune orpheline que nous amena le père Aveneau n'avait ni l'avenant ni l'affabilité de Belle. On ne voyait jamais un sourire sur ses lèvres, pas plus qu'il n'y a de couleur sur les champignons blancs. Mais elle débagageait bien les tables et remplissait sa tâche avec dextérité, au grand soulagement des deux autres. Je mesurais une fois de plus combien la nature humaine est diversement pourvue, ce qui en fait par ailleurs sa richesse, chacun ayant ses forces et ses faiblesses, mais se complétant les uns les autres pour le bonheur de tous comme les briques dans un mur.

En ce pays, l'hiver sévissait, beaucoup plus vif, beaucoup plus froid, beaucoup plus rude et surtout beaucoup plus long que je l'avais imaginé, nous obligeant à nous encabaner pendant des mois. Nous n'étions vraiment bien qu'autour du feu. Le bon Barnabé Lalande venait tous les matins, beau temps mauvais temps, s'occuper de chauffer l'âtre. Il le nourrissait du bois qu'il avait cordé sous l'appentis. On voyait entre les bancs de neige le chemin qu'il entretenait pour s'y rendre. Nous vivions au ralenti, emmitouflés dans nos fourrures et nos souvenirs.

Par un jour de tempête à en perdre le nord et à ne plus voir ni ciel ni terre, je fis une découverte qui me laissa pantois. Selon le bon désir du père Aveneau, je mettais ordre aux documents de la seigneurie. J'avais sous les yeux un acte rédigé par le notaire Bonnard : justement l'obligation passée par le regretté Ladouceur envers le marchand Renaud. Je la lus, avec dans l'esprit le souvenir de cet homme bon, un des premiers que j'avais connus en ce pays, un de ceux dont on dit qu'il ne ferait pas de mal à une mouche, mort du chagrin d'avoir tout perdu pour cet emprunt qu'il n'avait pu, hélas, remettre en son entier. Je revoyais le marchand Renaud, tel le fruit pourri au milieu du minot, surgir à l'auberge par cette journée de tempête semblable à celle d'aujourd'hui, exiger la sommation ou, pis, l'arrêt de mort de Ladouceur. Je m'en voulais de ne pas avoir su le convaincre de retarder l'échéance. La vie est ainsi faite que certains hommes n'ont rien d'autre à la place du cœur qu'une pierre froide, et le marchand Renaud tenait parmi nous le premier rang en cette matière.

Pendant que mon esprit voguait de la sorte vers un passé encore tout frais, mes yeux couraient sur le parchemin quand, comme si quelqu'un me tirait doucement par la manche pour me rappeler à ma lecture, je fus contraint de m'arrêter afin de revenir en arrière, histoire de mieux lire une ligne que, par distraction, je venais de sauter. Ce jour-là – maintenant que j'y songe, j'en suis persuadé –, quelqu'un veillait sur moi et lisait par-dessus mon épaule. Ne me demandez pas pourquoi, moi qui ne prise guère les chiffres, je me mis à additionner ceux qui dansaient sous mes yeux. La réponse que j'en tirai ne concordait pas avec ce que le notaire avait écrit. La différence était minime, mais favorisait tout de même le marchand. J'eus alors la curiosité de refaire les calculs de toutes les obligations signées par le notaire Bonnard. Ce que j'appréhendais me coula sous les yeux comme de l'eau de source : il trafiquait les chiffres. Chaque fois, le marchand Renaud en sortait gagnant. Ce n'était jamais des différences énormes, mais elles survenaient toujours quand celui qui contractait l'obligation ne savait ni lire ni écrire et, sans doute, ne pouvait pas compter ou le faisait très mal.

Un de nos principaux devoirs de notaire consiste à lire sans faute au contractant le contenu entier du contrat qu'il passe. J'imaginais le notaire Bonnard, devant ses clients, qui lisait sans sourciller les chiffres contrefaits ou encore donnait lecture des chiffres exacts à l'emprunteur tout en les ayant sciemment falsifiés sur le contrat. N'avait-il pas l'habitude, d'ailleurs, ce que je vérifiai plus tard, de faire signer ses actes par deux témoins toujours absents au moment de leur passation ? Puisque toutes ces malversations favorisaient Renaud, je me demandai aussitôt quel rôle le marchand jouait dans l'ombre.

Sans rien révéler encore au bon père Aveneau, je ne manquai pas de le faire parler au sujet du notaire Bonnard. Je pris prétexte de l'écriture de ce dernier pour entamer la conversation à son sujet.

— Il paraît, dis-je, que l'écriture est le reflet de l'âme de celui qui écrit…

Le père Aveneau sourcilla quelque peu avant de répondre.

— On le dit, en effet, en certains lieux. Mais qu'est-ce qui te conduit à cette réflexion ?

— Les hiéroglyphes du notaire Bonnard !

— Ah ! Vraiment ? Que leur trouves-tu de si remarquable ?

— Les mots sont menus, remplis de ratures, de reprises, de renvois. N'est-ce pas le reflet de quelqu'un qui n'avait guère d'ordre dans sa vie comme dans son travail ?

Ma remarque fit se dessiner un léger sourire sur le visage du bon père.

— Cher Marcellin, ton observation me semble juste, le notaire Bonnard n'était certes pas, comme tu le dis, l'homme le plus rangé de la terre.

— Que non ! J'ai peine parfois à lire ses griffonnages qu'on dirait être nés au lendemain de soirées trop bien arrosées.

J'avais à peine esquissé ces paroles que me revenait en tête la maxime de ce bon M. de La Fontaine : « Il ne faut pas juger les gens sur la mine. » Le père Aveneau se renfrogna quelque peu.

— Il ne faut pas sauter trop vite aux conclusions.

— Bonne-da ! N'a-t-il pas, comme vous me l'avez appris, perdu sa place en raison de ses dettes ? Était-il joueur ?

— Pas à ce que je sache.

— Alors, sans doute qu'il ne savait pas bien administrer ses biens.

— Les hommes n'ont pas tous la chance d'avoir bien appris à contrôler leurs passions.

— Comme, pour exemple, le marchand Renaud.

Je fis cette remarque tout en regardant le bon père droit dans les yeux. À ce nom, il eut un sursaut, puis telle une porte qu'on ferme, son visage se tut un moment en même temps que sa voix. Puis il changea d'un coup nos propos, comme un capitaine de navire qui donne un bon coup de barre afin d'éviter un écueil. Pour faire trébucher la conversation et attirer l'attention ailleurs, il dit :

— Comment va Radegonde ?

Tout à mon idée d'en savoir plus sur le marchand, je mis tant de temps à répondre qu'il demanda encore :

— Radegonde et Rosalie sont-elles toujours aussi affairées ?

Je compris que je n'apprendrais rien de lui à propos du marchand et je répondis :

— Elles sont comme les abeilles, elles ne cessent pas une minute, elles ont toujours quelque chose sur le feu et de l'ordre à mettre quelque part et tout ce qu'elles font me semble avoir un goût de miel. Ma bonne Radegonde court le vendredi au marché. Elle y monte avec le vieux Dubuisson de Beauport, qui ne manque jamais de venir la quérir. Elle et Mathurine, la moitié de ce dernier, s'entendent comme les doigts de la main. Elle en revient toujours heureuse d'avoir connu un quidam quelconque, d'avoir causé avec unetelle et, surtout, elle nous rapporte tout ce qu'il faut pour nous sustenter pendant des semaines. Il est vrai qu'elle doit penser pour toute l'auberge !

Je vis un sourire se dessiner sur le visage du bon père heureux de nous savoir si bien dans notre chez-nous. J'en profitai pour lui faire part des dernières nouvelles.

— Vous avez sans doute appris que nous y logeons un nouveau pensionnaire. C'est un bien curieux homme : il a le don de faire disparaître avec ses mains tout ce qu'il veut. Puis, mine de rien, il le fait réapparaître là où nous n'aurions jamais cru qu'il pouvait s'y trouver.

— C'est sans doute un escamoteur ?

— Quel curieux mot vous avez-là, mon père ! C'est bien la première fois qu'il me vient aux oreilles !

— Et si je te disais : c'est un magicien, comprendrais-tu plus facilement ?

— Ah ! Ça oui, c'est bien ce que je pensais qu'il était.

Je revins de cette visite en me disant, comme aurait dit M. de La Fontaine : « Tu es Gros-Jean comme devant » ! Je n'avais rien appris que je ne savais déjà au sujet de Bonnard et le silence éloquent du bon père Aveneau qui avait, à la manière de notre nouveau pensionnaire, escamoté ma question au sujet du marchand Renaud, me signifiait qu'il fallait se tenir loin de cet homme. Il y en a, comme ça, dont il faut se méfier comme des pestiférés.

Chapitre 15

Le Chauve et Le Matou

Pourquoi la vérité ne se
livre-t-elle qu'à regret?

Ce premier hiver, je ne le vis guère, occupé que j'étais à mes écritures et tout dévoué à faire la lumière sur les agissements de Bonnard et du marchand Renaud. Si j'avais de bonnes preuves de malversation, je ne parvenais pas à découvrir si elles étaient le fait seul de Bonnard ou si l'impétueux marchand le faisait chanter en raison de ses dettes et s'en servait pour nourrir son avarice.

Les malversations de Bonnard me restèrent de travers dans la gorge à la manière d'une arête qui n'en veut plus décoller. Lourd de ce fardeau, je ne vivais plus. Je n'osais pas non plus en alerter les autorités. Je me disais que mon intervention pourrait n'être qu'un simple coup d'épée dans l'eau. Il me fallait être vraiment assuré avant d'accuser. Je n'oubliais pas les leçons de ce bon M. de La Fontaine, à savoir qu'«en toute chose, il faut considérer la fin».

Les jours filaient comme ils savent si bien le faire, sans insister, mais en nous grugeant la vie comme un chien son os. Pour me défaire de toutes ces pensées sinistres, je frayais davantage avec les gens de l'auberge. Mine de rien, je tentais d'apprendre d'eux ce que je n'avais pu tirer du père Aveneau, c'est-à-dire ce qu'ils pouvaient penser de ce Bonnard, mon prédécesseur. Dès que je prononçais ce nom, les visages se fermaient d'un coup sec et l'air se remplissait de grands trous de silence. Même les joueurs de lansquenet baissaient la voix et les regards se croisaient sans plus s'accrocher. Ça durait parfois un bon moment, puis quelqu'un lançait un mot pour rire. Chacun se l'accaparait comme une main tendue. Les conversations repartaient de plus belle, débordantes de beau et de mauvais temps. À tout coup, mon intervention mourait telle une pierre qui frappe l'eau. Je demeurais chaque fois estomaqué, le cœur plein de doutes sur la droiture humaine. Ces silences cachaient une vérité sue par chacun mais dissimulée par tous. Je n'avais pas plus de succès quand je tentais de faire parler au sujet du marchand Renaud.

Un jour, toutefois, je surpris entre Le Matou et Le Chauve une conversation qui en disait long sur ce qu'ils pensaient de ce marchand et prêteur qu'ils abominaient. À ma souvenance, c'est Le Matou qui parla le premier.

— Le bonhomme Renaud, c'est la peste noire à lui tout seul. Toujours à chercher la bonne affaire et dire, malgré tout, qu'il réussit encore à ramiauler les nouveaux venus en quête d'un prêteur.

— Si on ne l'avait pas, reprit Le Chauve, il faudrait ben pareil emprunter de quelqu'un d'autre. Tu en connais beaucoup, toi, des prêteurs qui ne sont pas aussi des tortionnaires ? Il n'y a pas une minute que ton prêt est échu que tu les as sur le dos comme la teigne.

— Pour ça, oui ! Mais sur mon âme et conscience, j'en connais un qui a les doigts moins longs et le cœur moins noir.

— Dis-moi tout de suite son nom que je coure à sa fortune.

— Le sieur de Lachenaye.

— Cestui-là est aussi proche de ses sous que les autres.

Le Chauve eut le geste brusque de celui qu'on contrarie. Il se leva, prit une grande lampée d'air avant de se rasseoir.

— Pas à ma connaissance, dit-il doucement. J'en connais ben gros qui lui doivent des sous depuis plusieurs années. Il n'est pas du genre à houspiller.

— Vraiment ?

— Puisque je te le dis.

— Prêterait-il pour dépatouiller quelqu'un qui ne peut rembourser Renaud ?

— Ça, je ne le sais.

— Il aurait fallu savoir pour Ladouceur. Si ce monsieur Lachenaye a si bonne âme, peut-être aurait-il sauvé notre ami.

— Peut-être bien, qui sait?

Les deux hommes se turent un moment. Le Matou en profita pour allumer sa pipe avant de reprendre de plus belle:

— Un comme Renaud ne devrait pas marcher paisiblement dans nos sentes.

— N'empêche qu'il a bien droit de le faire et ne s'en prive pas!

— Mais pas la tête haute, après ce qu'il a fait à Ladouceur. Crétac! Je l'étranglerais de mes mains que ça ne me fatiguerait pas l'inquiétude une seconde! J'oublierais aussi vite ce que j'aurais fait: un panlaire comme lui ne mérite pas de respirer l'air du bon Dieu. Il ne sait pas dire plus hu que huio, tout ce qui brille et tinte en tombant l'attire autant que les fleurs les abeilles. Il ne saurait pas retarder ou lever un prêt pour la terre entière.

— Ben crère que de cri, il ne sait reconnaître que ieu ou tiot.

— Ieu ou tiot?

— Ah, que donc! Dans mon pays, c'est de même qu'on crie quand on appelle les cochons.

Je les revois tous les deux gabasser de bon cœur après la remarque du Chauve.

— N'empêche que c'est un bourgaut aux doigts croches. Regarde-lui l'air quand il surgit, rongé par le mal qui le forge.

Me voyant approcher de leur table, les deux compères changèrent brusquement de conversation. Je ne voulais pas me les mettre à dos et n'osai pas les questionner au sujet de ce qui me trottait le plus en tête : la disparition de Bonnard. Je risquai tout de même :

— Vous qui êtes depuis long de temps en ce pays, dites-moi, est-il facile d'en partir sans l'autorisation du gouverneur ou de l'intendant ?

Ma question les troubla quelque peu et, à sa manière accoutumée, Le Chauve reprit tout de suite.

— Crétac ! Serais-tu donc si fatigué de nous que tu veuilles nous quitter comme ça, pas vu, pas pris, pas coupable ?

Son compère se mit à rire avec idée de tourner le tout à son tour à la farce, mais ils savaient déjà tous les deux que j'attendais réponse à ma question.

— Il y en a qui l'ont fait, reprit Le Matou. Mal leur en prit. Tu te souviens, dit-il à son compagnon, des domestiques des Trois-Rivières ?

— Qui les aurait oubliés ?

— Ils ont fui en barque le service de leurs maîtres. Ils sont passés devant Québec à la faveur de la nuit pour descendre le fleuve jusque du côté de Gaspé. Là, ils se sont tapis dans les bois en attente d'un navire qui n'est jamais venu. Au printemps, on a découvert leurs corps ou ce qui en restait. D'aucuns disent qu'ils sont morts de faim et que les derniers survivants ont dévoré les chairs de ceux qui les avaient précédés dans la mort.

— Ça, c'est une histoire bien triste, fit remarquer Le Chauve, mais il y en a eu d'autres fort différentes, à tout le moins quant à la fin… Comme celle de la Gervaise, la femme du Limousin.

— Il paraîtrait qu'il la battait, mais allez y voir, remarqua Le Matou. Est-il seulement capable de battre un œuf? Il peine à mettre sa perruque et sue rien qu'à regarder une pelle.

Le Chauve poursuivit:

— Toujours est-il qu'une belle journée de septembre, v'là la belle intrigante, de connivence avec deux domestiques, dans une barque en route vers l'Île-aux-Coudres où, paraît-il, un capitaine de navire l'attendait pour la faire passer en France.

— Bout de chandelle! C'est ce qu'elle a raconté à son procès. Croyez-moi, je ne m'appelle pas Le Matou si le moindre début du commencement de cela est véridique.

Sans se laisser décontenancer par l'intervention intempestive de son compère, Le Chauve poursuivit:

— La pauvre avait la langue qui lui démangeait, elle n'avait pas été capable de s'interdire d'en parler à sa servante qui, à son tour, en a averti le mari, lequel a imploré les autorités d'agir et voilà qu'un canot parti de Québec a filé droit à l'Île-aux-Coudres. La belle et ses complices ont été arrêtés et ramenés incontinent à Québec.

— Tu crois bien, enchaîna Le Matou, que le procès commença le jour même. Le Limousin était pesant dans tous les sens du mot. Ah! Cré donc! Ses amis de la justice se sont surpassés.

— De quelle manière ? demandai-je.

— Le juge a condamné ses complices à cent livres d'amende, de quoi les occuper pendant près de deux années et leur faire oublier l'idée d'aider quelqu'un d'autre à regagner la France en douce.

— Et la femme, elle, de quelle sentence a-t-elle été affligée ?

— La Gervaise a été condamnée à ne point quitter sa maison sans l'autorisation de son mari pendant deux années et sans, non plus, y recevoir qui que ce soit sans l'assentiment de son beau Limousin.

— Si tu connaissais le Limousin, tu saurais, ajouta Le Chauve, qu'une pareille sentence avait de quoi faire dépérir même la plus sainte des saintes du bon Dieu. Mais faut croire que la Gervaise avait la couenne dure, car au bout de deux années, elle sortit de sa maison toute pimpante et elle avait trouvé le moyen de faire pas un, mais deux enfants à son Limousin.

— Faut croire, conclut Le Matou, que d'être de la sorte embarrée lui avait enfin donné des idées.

Tout cela ne m'en apprenait pas plus sur la disparition de Bonnard. Toutefois, ce que Le Chauve et Le Matou venaient de me raconter démontrait, à l'évidence, qu'il n'était point facile de s'évanouir en ce pays, aussi vaste qu'il fût, quand on avait pour toute route que des rivières et un grand fleuve. Je me demandais donc toujours où Bonnard pouvait bien être passé…

Chapitre 16

Un personnage inquiétant

Il y a des êtres qui font fuir
aussi bien et aussi vite que la peste.

Par ses tours, l'escamoteur ne manquait pas de fortement nous divertir. Il avait des mimiques qui nous tiraient constamment des rires, mais je crois bien qu'en lui c'était rarement la fête tant ses yeux reflétaient la tristesse. Plusieurs soirs d'affilée, il nous fit nous exclamer en « ah ! » et en « oh ! ». Il faisait apparaître et disparaître un sol marqué que l'on retrouvait dans la perruque de l'un ou de l'autre. Mais ce qu'il réussissait le mieux, c'était de faire plier des cuillères rien qu'à les regarder.

— Prends cette cuillère, disait-il au Matou. Tiens-là en équilibre entre tes mains de la sorte : la pointe dans une paume, le bout du manche dans l'autre.

Le Matou s'exécutait. Tout le monde se taisait. L'escamoteur fixait intensément la cuillère qui, petit à petit, se pliait dans les mains du Matou. L'escamoteur reprenait la cuillère et recommençait avec une autre, qu'on mettait entre les mains d'une femme.

— Dans les mains d'un homme ou d'une femme, les cuillères se plient à ma volonté.

— Est-ce que ça chauffe ? s'informaient les assistants auprès du Matou ou de la femme.

— Pas en toute !

— Pantoute vraiment pantoute ?

— Puisque je vous le dis.

— Je sais, dit Le Chauve, pourquoi il a appris à faire plier des cuillères.

— Pourquoi donc ?

— Parce qu'il est ami avec Robleau L'Aiguille, notre fondeur de cuillères. Vous allez le voir arriver dès que l'autre sera parti. Il aura des cuillères à redresser.

L'escamoteur nous quitta comme il était venu, sur la pointe des pieds, sans faire de bruit, comme pour se faire oublier. Il avait tout à fait raison d'agir de la sorte, puisque après son départ, nous nous rendîmes compte qu'un nombre considérable de petits objets – des cuillères d'argent, des aiguilles, du fil, des boutons, du savon – avaient disparu comme par enchantement.

⁂

Cet homme, dont malheureusement je ne me souviens pas du nom, parce que nous l'appelions tout simplement l'escamoteur, venait à peine de se faire oublier que, le même jour, nous en arriva un autre, puissamment bâti, au regard de feu, un vrai pan de mur dont la présence allait marquer profondément nos vies. Il ne parlait guère, riait tout seul, comme inspiré par le mal qui l'habitait. C'était un violent devant qui tout le monde s'esquivait. À peine passait-il la porte que l'auberge se vidait d'un coup comme une passoire ou, mieux, un vase qui déverse son trop-plein. Je me demandais chaque fois pourquoi tous le fuyaient de la sorte. J'avais beau les questionner à ce sujet, leurs visages se fermaient : personne ne voulait parler. Ce mystère m'intriguait. Qui était cet homme ? Que faisait-il de ses journées ?

Il quittait invariablement l'auberge après déjeuner pour n'y revenir que pour le souper. Il s'assoyait toujours à la même table, attendait que Radegonde le serve, s'impatientant pour tout et pour rien. Cet homme sombre, habité de tant de violence, faisait peur à voir. Je me demandais quelle force maléfique se cachait derrière ses yeux enflammés ou se déployait à travers ses poings de fer quand, contrarié, il se mettait à marteler les tables de l'auberge. L'auberge se vidait et il restait seul à mijoter dans ses pensées noires. Je n'osais pas intervenir de peur d'attiser davantage ses rancœurs.

Quand elle lui porta pour la première fois son souper, Radegonde lui demanda :

—Je serais heureuse de connaître votre nom.

—J'en ai pas. Appelle-moi comme tu voudras, ma belle, si ça te chante. Et si ça te chante pas, appelle-moi pas. En attendant, sacre-moi patience.

De ce jour, Radegonde se mit à le craindre comme tout le monde. Cet homme faisait peur, qu'il parle ou se taise. Il y a comme ça des individus qui chassent d'eux tous ceux qui les entourent.

Tout le temps que j'ai été dans ce pays, je remarquais la justesse des surnoms qu'un bon nombre portait. Il y avait eu, bien sûr, Ladouceur et Prêt-à-Boire, mais il y avait aussi Le Matou, Le Chauve, Danse à l'Ombre, Vin d'Espagne, Point du Jour, Tintamarre et celui qui me touchait le plus, La Musique, celui de mon ami Bona. C'est Le Matou qui m'apprit indirectement le nom ou le surnom de ce nouveau pensionnaire.

— Tu n'as donc pas remarqué qu'il est noir de partout, corps et âme ? Le démon de l'enfer doit être un de ses meilleurs amis.

— Si je me fie à tes paroles, cet homme s'appellerait donc Le Noir ?

— Chut ! fit-il, il ne faut jamais prononcer ce nom !

Pour le faire parler davantage, je le provoquai en disant :

— Qu'est-ce qui te fait dire pareille sottise ?

D'un coup, son visage se tendit.

— Pareille sottise ? C'est bien parce que tu ignores qui est cet homme que tu te permets toi-même de bêtiser.

— Qui est-il, alors ?

— Tu sauras bien l'apprendre assez vite !

Sans plus, contrairement à ses habitudes, Le Matou se leva et vida la place sans saluer.

J'ai maintes fois remarqué qu'il en va chez les hommes comme chez les animaux: si, tout à coup, tous les oiseaux cessent de chanter, malgré que le ciel soit de son plus beau bleu, il y a dans l'air un danger qui apparaît soudain sous la forme d'un oiseau de proie. Il en va de même dans le poulailler: si les poules cessent de caqueter, vous savez qu'un renard n'est pas loin; et c'est pareil chez les moutons quand rôde le loup. C'est l'effet que produisait la seule présence de cet homme: il faisait se vider d'un coup l'auberge entière. Je me disais: « Il est à sa façon un prédateur. » L'auberge vide, forcément les affaires allaient moins bien. J'appréhendais de voir le marchand Renaud se pointer, le reproche aux lèvres, mais il ne venait tout simplement plus.

De voir l'auberge si déserte inquiétait Rosalie et Radegonde. Elles ne prisaient guère de ne devoir servir que ce seul homme qu'elles aussi craignaient. Radegonde me dit un jour:

— Par chance que tu es là, Marcellin, parce que je ne resterais pas ici un jour de plus quand cet homme y est.

— Il ne s'éternisera sans doute pas. Il doit avoir un travail qui le tient ici pour un temps. Il partira sans doute bientôt, un peu comme il est venu.

— Peut-être bien, mais que fait-il au juste?

— Je vais m'en informer, de ci de là, je finirai bien par savoir.

Quand, le lendemain, Mongrain, le charretier des pères, s'arrêta à l'auberge, même s'il était peu bavard, je lui posai la question.

— Saurais-tu qui est ce Le Noir et qu'est-ce qu'il fait dans nos parages ?

Le charretier leva la tête. Je vis ses yeux me fixer derrière le paravent de son chapeau de paille.

— Hé, bé ! C'est pas Mongrain, ma foi du bon Dieu, qui va te l'apprendre. Mongrain, il fait ce qu'il a à faire et ne se mêle pas de ce qui le regarde pas.

Je n'étais pas plus avancé. Je crus mieux réussir en me rendant au moulin en toucher deux mots au meunier. Le moulin, ce jour-là, c'était plaisir à voir, animait de ses grandes ailes tout le ciel alentour. J'y entrai, précisément comme on entre dans un moulin. En raison du bruit qui s'y fait, la porte en reste toujours grande ouverte. Je ne vis rien d'abord, tant la lumière se fait avare en pareil lieu. N'apercevant personne, je montai aussitôt à l'étage. Faye y était et s'affairait à remplir de grain la trémie. En me voyant, il sourit et, d'un signe de tête, me fit comprendre qu'il serait bientôt à moi. Il vint me trouver deux minutes plus tard, heureux de ma visite, ce qui me fit hésiter à lui poser la question qui me brûlait tant les lèvres. Je pris un détour.

— À ce que je vois, les affaires vont bien ?

— On ne peut guère mieux. J'ai des moutures pour un bon mois.

— Ça va passablement mieux ici qu'à l'auberge…

— Y a quoi de si mauvais ?

— Depuis qu'un nommé Le Noir y loge, la place s'est vidée.

Je vis le visage du meunier se refermer instantanément, comme si ce nom était une clef qui sert à clore toutes les portes. Il reprit aussitôt.

— Toutes mes excuses, j'ai du travail qui m'attend. De quoi c'est qui t'amenait, déjà ?

Ne sachant trop quoi répondre, je demandai :

— Honorine est-elle là ?

— Pour sûr qu'elle y est !

— J'ai pour elle une invitation de la part de Rosalie et de Radegonde.

Faye sourit et, au-dessus du bruit, alors qu'il me tournait déjà le dos, lança :

— Tu vas la trouver en bas, du côté du jardin.

Honorine n'était pas loin, occupée à nourrir ses poules. En m'apercevant, elle vint au-devant de moi avec un visage à la fois inquiet et interrogateur. Je me rendais si peu souvent au moulin, elle pouvait bien se demander ce qui m'y amenait : une bonne ou une mauvaise nouvelle. Je lui donnai l'accolade et les trois baisers d'usage. Je dis tout de go :

— Il y a si peu à faire à l'auberge depuis l'arrivée du nouveau pensionnaire que Rosalie et Radegonde ne demanderaient pas mieux que de t'y voir pour un bon dîner.

Je vis s'allumer une flamme dans ses yeux fatigués.

— Ça sera plaisir pour moi que d'y aller, mais quand ce sera ?

— Radegonde va passer te voir, elle saura bien te le dire.

Je venais de faire une heureuse, mais encore fallait-il que j'en prévienne Radegonde. Je comptais sur elle et sur ce dîner pour qu'elle parvienne à faire parler ou Rosalie ou Honorine au sujet de Le Noir. Le mystère qui entourait cet homme commençait à me chicoter plutôt plus que moins.

Radegonde n'eut pas à trop questionner, car le matin même où elle recevait Honorine, Le Noir partit comme il était venu. Dès le lendemain l'auberge se remit à respirer comme auparavant, se remplissant de ses habitués et de toute la chaleur qu'ils y apportaient.

Chapitre 17

Sur le fleuve avec Marceau

Dieu est-il réellement celui que l'on pense ?

L'hiver se montrait si rude en ce pays que dès les premiers rayons plus chauds du soleil de mars, la vie devenait plus douce, à l'image de ce que nos bons pères nous disaient du paradis. De la sorte, le printemps nous arriva comme le plus beau des sourires. Il mit du temps à s'installer, tel celui qui joue au mystère avant de faire plaisir. Je surveillais tous les jours son bon vouloir : il y eut d'abord un soleil tout chaud qui fit fondre les bonnets de neige des toits puis, peu à peu, comme sorties de terre, les clôtures réapparurent, les champs se couvrirent de nouveau des herbes mortes de l'automne, il se fit partout des flaques d'eau sur la route qui devint impraticable. Plus personne ne se risqua sur la glace du Passage, pas plus que sur le chemin de Québec. Le Passeur se mit en frais de rapetasser son embarcation. Le soleil finit par avaler ce qui restait d'eau dans les prés. Le chemin de Québec reprit son nom ; le Passage ne se fit plus qu'en canot et en bac.

C'est alors que j'eus l'occasion de faire plus ample connaissance avec le pays qui nous entourait. Jusque-là, je n'avais guère été plus loin que Québec et Charlesbourg. Un beau jour, je m'en souviens très bien, le charpentier de navire Marceau arriva à l'auberge à sa manière, sans faire grand bruit. Il venait parfois jouer quelques parties de lansquenet en compagnie des deux Pierre, Chapeau dit Le Chauve et Laurent dit Ladouceur, celui qui venait de se donner la mort, de même que Richaume Le Matou. Nous les entendions rire, discuter et parfois monter le ton. Ce jour-là, il demanda si quelqu'un voulait l'accompagner le lendemain. Il devait livrer à l'île d'Orléans une embarcation qu'il venait de terminer pour le sieur Riverin. Comme personne ne semblait avoir le temps, je lui dis:

—Je suis ton homme, si tu le veux!

Il leva la tête de dessus le jeu, me regarda avec un léger sourire et dit:

—Me faire accompagner par un notaire sera tout un honneur!

J'entendis les autres se moquer doucement.

—Tu ne crains pas que ta barque soit trop chargée d'écritures? railla Le Matou. Remplie de même, c'est le naufrage assuré.

—Avec un notaire, renchérit Le Chauve, le danger est toujours grand de chavirer.

Ils parlaient avec des rires dans leur barbe, ce qui me faisait chaud au cœur, parce que je sentais qu'ils m'acceptaient. Pendant ce temps, Marceau me regardait de ses yeux remplis de malice.

— À défaut d'un capitaine, dit-il, je me contenterai d'un moussaillon.

Ils éclatèrent alors d'un bon rire et en profitèrent pour lever leur verre à la santé de Marceau, du sieur Riverin et de l'auberge entière.

⁂

Quand j'ai promis quelque chose, je tiens parole. Je ne suis pas celui qui se décommande. Je n'attends pas, je ne remets pas, je fonce tout de suite. C'est ce qu'il faut faire, sinon il se met entre toi et ta promesse toutes sortes d'excuses, et la première chose que tu sais, c'est que ta promesse vieillit et meurt parce que tu l'as oubliée au fond du placard de ta mémoire comme on oublie un vieux bout de pain laissé aux oiseaux.

J'avais promis à Marceau de l'aider à livrer sa barque. Quand il me vit arriver le lendemain, il était à appointer un pieu. Il se mit à sourire du sourire de celui qui sait qu'il a un ami sur qui il peut compter.

— Te voilà, dit-il. Donne-moi encore deux minutes, le temps de finir mon ouvrage.

— Il n'y a pas de presse.

Il finit d'appointer son pieu en quelques coups de hache. Il était habile de ses mains comme pas un aux alentours. Des barques, il en fabriquait deux ou trois par année et des belles, si longues et si larges qu'il voulait, pas des petites, mais des grandes avec une cabine assez vaste pour y loger deux hommes ou encore un homme, sa femme et deux enfants. Celle-là, c'était la deuxième sortie de ses mains pour le sieur Riverin de l'île d'Orléans.

Ça me permit de voir le fleuve du côté opposé à celui où nous étions passés en arrivant avec *Le Sacrifice d'Abraham*. Surtout, je pus admirer les défrichements de la côte de Beauport et la seigneurie du seigneur Giffard. Les terres s'étalaient déjà largement jusqu'aux battures du fleuve, en particulier celles de Zacharie Cloutier, de Jean Guyon, de Noël Langlois et de Jean Côté, tous venus de Normandie ou du Perche, des hommes de métier habiles à construire, à défricher, à faire valoir la terre. Le manoir du seigneur avait belle allure, non loin de la rivière auprès de laquelle s'élevaient un moulin à vent et un autre à eau, pour la farine et pour le bois. Plus loin, j'admirai l'impressionnant sault de la rivière Montmorency et les défrichements de l'île d'Orléans, du côté de Saint-Pierre et Sainte-Famille. Mais ce qui laissa sur moi l'empreinte la plus profonde, c'est Marceau lui-même.

Chaque homme porte en lui son mystère et quand il est en confiance, il a goût d'en parler. Il faut croire que je mets en confiance parce que Marceau, ce jour-là, me parla de lui sans que je ne demande rien. Quand tu le regardes, tu vois tout de suite, d'après ses mains, que c'est un ouvrier du bois et d'après ses épaules, qu'il est fort comme un bœuf. Mais ce que j'observe toujours en premier chez les autres, les hommes comme les femmes, ce sont les yeux. Marceau avait des yeux qui se taisaient, des yeux qui font le tour des choses sans parler et sans rien laisser voir. Je ne pouvais pas saisir dedans ce qu'il pensait vraiment, même s'il jonglait beaucoup. Pourtant, il était comme tout le monde, il avait ses idées, même s'il n'en parlait guère. Mais le jour de la barque, sans doute parce que c'était un jour menaçant avec des nuages gris comme des mains posées sur les Laurentides et un vent un peu vif venu de vers le nord avec ses sifflements accordés à tout ce qui bougeait en lui, il me parla de lui comme il ne le faisait sans doute pas souvent. Il en parut soulagé.

— Tu n'as pas peur de l'orage ?

— Non ! répondit Marceau sans lever les yeux. Ça va passer avant même que nous ayons mis la barque à l'eau.

Il connaissait le temps, Marceau, je le savais, parce que tous les jours il passait au moulin le demander au meunier. Ou bien Faye lui disait : « Tu peux y aller » ou bien il lui disait : « Ne bouge pas ! » Marceau n'en demandait pas plus. Pour ce qui est du temps, il obéissait à Faye comme un enfant parce que le meunier connaissait le temps qu'il allait faire, rien qu'à regarder le ciel et à mesurer le vent. Dieu sait que pour faire tourner son moulin, c'était utile. Ce jour-là, Faye lui avait certainement dit : « Tu peux y aller ! » Voilà pourquoi nous y allions.

Marceau ne dit d'abord rien. La barque nouvelle roula sur les billots avant d'entrer à l'eau doucement, comme une reine. Marceau la hâla jusqu'au bord et attacha à l'arrière la chaloupe avec laquelle nous allions revenir. Nous partîmes comme ça, à la voile, vers l'île. Dès que nous prîmes le fleuve, en longeant la rive le long de la Canardière, il y eut tout plein d'oiseaux, des canards par centaines entre les roseaux, le ciel était redevenu tout bleu et au loin, sur la berge, on apercevait les premiers blés dorés des terres de Beauport.

Après un moment, Marceau se racla la gorge. Je sus qu'il allait parler, mais ça ne vint pas tout de suite, il laissa filer encore un peu de temps. On entendait les chuchotements de l'eau sur l'étrave, il tenait solidement le gouvernail. De temps à autre la voile claquait au vent, se repliait un peu sur elle-même comme lorsqu'on la cargue, puis se gonflait de nouveau tel un grand rire et nous filions à bonne allure avec un vent arrière. C'est alors qu'il se mit à parler :

— Sais-tu à quoi je pense ?

— Pour le savoir, il faudrait que je sois dans ta tête !

Ma réponse le fit sourire un peu. C'était bon signe. Il continua :

— De toute façon, peu me chaut ! Tu pourrais jamais le deviner.

Je ne dis rien pour lui donner le temps d'échafauder ses mots. Il se tut un long moment, puis il dit comme ça, tout sec :

— Dieu n'existe pas !

Venant de lui, ça m'arriva comme un coup de poing dans l'épigastre. Je fis voir de rien. Il attendait que je dise quelque chose. Je risquai :

— Qu'est-ce qui te le fait croire ?

C'est curieux de demander à quelqu'un qui ne croit pas ce qui lui fait croire à son incroyance. Il mit du temps puis il enchaîna :

— S'il existait, il ne nous laisserait pas nager dans la misère comme il le fait. Après tout, nous sommes supposés être ses créatures. En plus, il ne permettrait pas qu'existent des êtres aussi immondes que le bonhomme Renaud. Lui, un jour, il le payera. Oui ! Je le dis : Dieu n'existe pas, parce que ses créatures sont trop méchantes.

Il faut dire que sa réflexion m'en boucha un coin bien net. Il n'avait pas tout à fait tort et quand vous vous faites dire des choses de même, à froid, sans préparation, vous ne savez vraiment pas quoi répondre.

Quand il vit que je ne parlais pas, il sortit sa blague à tabac et sa pipe, qu'il se mit en frais de bourrer tout en tenant le gouvernail appuyé sur sa cuisse. Il alluma sa pipe et commença à fumer tranquillement sans plus rien dire, comme si tout avait été dit, me laissant mijoter dans le jus de mes pensées qui bouillonnaient à grand feu sans que je trouve quoi que ce soit à redire. « Dieu n'existe pas ! » Sa phrase me trottait dans la tête et tout ce qui me remuait les idées, c'était cette question : « Et s'il avait raison ? »

Il ne parla plus quelques minutes encore, puis il reprit d'une voix courroucée :

— J'en connais trois qui sont bannis de nos terres comme des pas bons, parce qu'ils ne croient pas comme nous. Ici, on ne tolère pas ceux qui ne marchent pas dans le même sillon que tous les autres, celui de l'Église de Rome. J'étais là quand ils ont été forcés de laisser leur maison et de partir, l'homme, la femme et leur fille. C'est quelqu'un qui les a dénoncés, c'est certain, parce qu'ils venaient à la messe comme tout le monde, les dimanches et les fêtes. C'est vrai que c'était pour sauver la face, mais qu'importe ! Ils ne faisaient tort à personne. C'est par pure méchanceté que de bons catholiques, sans doute pour pratiquer la charité envers leur prochain, les ont dénoncés.

Pendant que Marceau parlait ainsi, je songeais de nouveau à la phrase de M. de La Fontaine, qui dit quelque part : « Garde-toi, tant que tu vivras, de juger les gens sur la mine. »

Marceau, qui n'avait pas terminé ses confidences, me regardait comme s'il avait voulu me jauger. Il continua :

— Quand ils sont partis pour Québec, ils ont traversé nos terres et personne ne leur a fait d'adieux. Les portes et les volets sont restés clos, mais derrière les volets, tu peux en être certain, il y avait partout des yeux pour les suivre sans regret. Les hommes sont comme ça. On dirait qu'ils sont heureux quand les autres sont pris la main dans le sac et qu'on leur fait payer chèrement leur forfait. Pourquoi serions-nous obligés de croire tous de la même façon ?

J'étais bien forcé d'approuver ses dires parce que je pensais de la même manière, au sujet des croyances. Marceau parla de nouveau avec l'air de celui qui se demande s'il doit pousser plus avant. Il esquissa un petit sourire et prévint :

— Ça doit rester entre nous. Un notaire, ça sait garder des secrets.

— Tu n'as pas à t'inquiéter, les secrets, ça me connaît !

Ce fut là, pour une rare fois, qu'il me regarda droit dans les yeux, de ses yeux verts où brûlaient des braises ardentes qui me laissèrent plein de questions sur ce dont cet homme puissant était capable. Je ne baissai pas le regard. Il en conclut qu'il pouvait me faire confiance et ajouta aussitôt :

— Ce que je sais, que les autres ne savent pas, et ça me console, c'est que ces gens ne sont pas retournés dans les vieux pays. Ils ont décidé d'aller vivre sur une île au milieu du fleuve, l'Île-aux-Grues, où personne ou presque ne va. C'est lui, le Provençal, qui me l'a dit en secret, parce que je savais depuis longtemps ses croyances différentes des nôtres et je ne l'avais pas dénoncé.

Perdu dans ses pensées, Marceau se tut un long moment. Il ajouta ensuite :

— Un jour, si je dois livrer une barque par là, je te ferai signe. J'aimerais bien te faire connaître le

Provençal. Ce n'est peut-être pas la même sorte de chrétien que nous, mais moi je pense qu'il est meilleur que nous tous.

—Je t'accompagnerai avec plaisir et tu es bien bon de me l'offrir.

Voilà ce que j'ai surtout retenu de ce voyage avec Marceau du côté de l'île d'Orléans et du côté du ciel, là où, selon les curés, le bon Dieu nous surveille tout en nous laissant faire les pires bêtises sans nous en empêcher, parce que Lui, qui a tout, ne paraît pas avoir les bras assez longs pour nous arrêter de bêtiser.

Chapitre 18

Deux coqs dans la même basse-cour

La jalousie se révèle être
la pire des calamités.

Puis nous est arrivé à l'auberge, avec le début du printemps, les routes étant encore à peine praticables, un marchand ambulant du nom de Jean Chauvin dit Lafranchise. Il n'a pas tardé à devenir l'ami du Matou et du Chauve. Dès qu'il paraissait, ils l'invitaient à leur table et leurs conversations étaient constamment ponctuées d'éclats de rire. C'était un plaisir que de les voir ensemble. Je me souviens entre autres d'une fois où Le Matou lui demanda :

— Qu'as-tu vendu aujourd'hui ? Ton âme ?

L'autre se mit à rire. Le Chauve en profita pour dire :

— Encore faudrait-il qu'il en ait une.

— Toi, dit Lafranchise, si tu ne veux pas perdre ton chapeau, tu fais mieux de te taire. Ce que j'ai vendu, vous ne le croirez pas.

— Quoi donc ?

— Un pot de chambre et ça a suffi à faire ma journée. Mais pas un pot de chambre ordinaire : celui de notre évêque en personne.

— Allons donc !

— Oui, que je vous dis, celle qui l'a acheté à gros prix est convaincue que le pot de chambre est béni, vu qu'il a reçu au fil des ans les surplus de notre évêque. Si vous aviez vu le sourire de celle qui possède désormais ce trésor !

— Toi, dit Le Matou, tu vendrais bien de la boucane aux Sauvages.

— Tiens donc, j'ai jamais essayé, mais à bien y penser, en leur faisant croire qu'il y a un esprit dedans…

Leurs propos se poursuivirent sur ce ton. Peu de temps après, j'eus l'occasion de jaser avec cet homme mince et vif qui avait trouvé, pour gagner sa vie, une formule originale. Il parcourait les villages de maison en maison, s'informant auprès des gens de marchandises rares qu'ils désireraient obtenir, les assurant qu'il les leur apporterait avant la fin de l'été. Présent ensuite à l'arrivée de chaque navire, il cherchait parmi tout ce qui arrivait de France les objets et les marchandises convoités par ses clients. Il les dénichait avec une efficacité remarquable. Il se promenait comme ça avec sa liste, toujours de bonne humeur à bagouler sans pareil, aimé de tous pour son entrain et sa bonne humeur. Je crois bien que si nous le lui avions demandé, il aurait pu nous réciter, les yeux fermés, tout ce qui pouvait sortir du ventre d'un navire. Il avait d'ailleurs une mémoire étonnante, se rappelant sans consulter ses listes un peu tout ce qu'un chacun désirait obtenir. Je m'en fis vite un ami.

Il y avait deux semaines qu'il habitait en toute quiétude à l'auberge quand un soir, à la brunante, apparut nul autre que le marchand Renaud. Il entra comme il le faisait toujours, le verbe haut, prêt à mordre, un peu comme un chien enragé. Sa présence, comme celle de Le Noir, avait le don de faire déguerpir précipitamment tous les clients. L'auberge se vida en douce, et seuls Le Matou et Le Chauve restèrent en compagnie dudit Lafranchise.

Nous avions appris depuis belle lurette que lorsque le marchand Renaud venait à l'auberge, c'était parce que quelque chose, selon lui, n'y tournait point rond. Sa venue, ce soir-là, ne fit pas exception. Il ne mit pas de gants blancs pour s'en prendre à notre marchand ambulant.

— Que faites-vous dans mon auberge ?

— Ce que j'y fais ? Pardi ! Ce qu'y font tous ceux qui fréquentent une auberge ! J'y mange, j'y bois et j'y dors !

— Sortez ! Ouste ! Dehors !

Notre Chauvin, qui n'avait pas froid aux yeux, ne se laissa pas impressionner par l'air rébarbatif et le ton hargneux du marchand Renaud.

— J'ai payé pour être ici. Je n'y cause point de trouble. Pourquoi en partirais-je ?

— Parce que vous nuisez à mon commerce.

Chauvin, qui ne connaissait pas le marchand Renaud et ignorait qu'il pratiquait le même métier, demanda tout bonnement :

— Vous êtes marchand comme moi ? Alors quoi ! Entre marchands, on ne se fait pas la guerre.

Renaud, qui visiblement ne l'entendait pas ainsi, lui répéta de déguerpir.

Chauvin lui dit calmement :

— J'ai payé ma pension de la semaine. Je partirai dimanche.

— J'ai dit : tout de suite ! ragea Renaud.

— Ce n'est point ainsi que les choses vont se passer. Je suis patient, mais jusqu'à une certaine limite, et apprenez, monsieur, qu'il ne faut pas me pousser à bout.

Le marchand Renaud voulut le frapper. Mal lui en prit, car en moins de deux, Chauvin l'attrapa par le cou, lui fit plier les genoux et il se retrouva par terre, étouffé dans ses injures. Il partit, furieux, n'ayant rien obtenu sauf de perdre la face. Je ne manquai pas de prévenir Chauvin qu'il n'était pas au bout de ses peines et qu'il reverrait bien vite son ennemi.

— Ça ne m'empêchera point de dormir, répondit-il en riant.

Le lendemain, le marchand Renaud revint, armé. Une fois de plus, l'auberge se vida. Seuls les deux compères, Le Matou et Le Chauve, n'en bougèrent point. Le marchand en fut pour sa peine, ce qui le rendit encore plus furibond. Il attendit à la porte en grognant l'arrivée de Chauvin, qui survint un peu avant le souper. Quand le marchand Renaud lui pointa le fusil sous le nez, il eut une étonnante réaction. Il se mit à rire de si bon cœur que le marchand en resta interdit. Ce fut suffisant pour que d'un coup de pied, il lui fasse sauter l'arme des mains. Mais ce qui suivit fut plus étonnant encore. Il secoua si bien le marchand qu'il l'aurait fait passer de vie à trépas sans l'intervention du Chauve et du Matou qui l'apaisèrent.

Aux deux compères qui lui faisaient remarquer qu'il n'y était pas allé de main morte, il expliqua :

—J'ai horreur des fusils. Si jamais je recroise cet individu sur ma route et qu'il ose me menacer, il n'est pas mieux que mort. L'auberge lui appartient peut-être et il ne veut pas m'y voir, mais il m'y reverra. On ne me dicte pas à la pointe du fusil ce que je dois faire.

Il demeura à l'auberge jusqu'à la fin de la semaine, puis il partit comme il était venu, en fredonnant un air de France. L'été tirait à sa fin lorsqu'il nous revint avec une charrette pleine des marchandises qui lui avaient été demandées. Il en fit la distribution et logea tout bonnement à l'auberge sans se soucier des humeurs du marchand Renaud, qui ne manqua point de venir tenter encore de l'en déloger. Mais, une fois de plus, Chauvin ne se laissa pas intimider. Ils en vinrent aux injures et aux coups et, de nouveau, Le Matou et Le Chauve durent intervenir. Décidément, il n'était pas bon d'avoir deux coqs dans le même poulailler. Tout se termina par des menaces.

Le marchand Renaud jura :

— Si jamais, pardiou ! je te revois à l'auberge ou sur mes terres, tu n'auras même pas le temps de te moucher que tu seras passé de vie à trépas.

— Eh bien ! Moi, je te ferai taire pour de bon avant même que tu tentes d'ouvrir la bouche.

Tout cela n'augurait rien de bon, car tous deux étaient entêtés et sûrs de leur fait.

Chapitre 19

Veillée funèbre et histoire de moulin

La vie et la mort sont des amies
qui ne s'aiment guère,
sinon pour se passer la main.

Il n'y a rien comme la solitude pour donner envie de parler. Quand il était seul, Le Passeur, selon son habitude, avait le goût de causer. Ça se voyait sans même regarder : il nous arrivait à toute heure avec sa bonne figure de nouveau-né, s'assoyait sans cérémonie, commandait un verre et avant même que Radegonde le serve, il commençait ses alléluias ou ses *dies irae*, selon le cas. Il en disait long en peu. C'était par lui et Honorine que nous avions les nouvelles de tout un chacun, mais ça venait difficilement entre ses dents, comme si les mots hésitaient à sortir.

Ce jour-là, cependant, quand je le vis venir, les traits tirés comme qui vient de voir la mort en face, je sus tout de suite que quelque chose de bien triste venait de se passer. Il ne tarda pas à nous le faire assavoir, comme celui qui est pressé de décharger son fardeau.

— Che fiens de trafercher le chirurchien Rouchel. Il ch'en retournait à Québec afec chon prochès-ferbal.

Il fit une pause, remonta la main sur ses yeux comme pour en chasser les dernières images.

Radegonde demanda aussitôt :

— Quel procès-verbal ?

— Chelui chur le corps de Chustine et Marchelline.

Je questionnai :

— Justine et Marcelline ?

— La fille et la bru de Chacquette Legault, la feufe Robidou.

— Elles sont mortes ?

— Noyées toutes les deux dans la rifière, che matin. Par chance, le garchon Mauriche a pu ch'en réchapper.

Il poussa un long soupir, pendant qu'à cette mauvaise nouvelle, mon cœur faisait deux tours. Je ne les connaissais que pour les avoir vues une fois au Passage, il y avait un mois. Elles étaient comme les deux doigts de la main et n'entreprenaient rien s'en s'accomicher. Ça, je le sus, parce que Le Passeur l'a dit ensuite, avec beaucoup de tremblements dans la voix. Nous n'avons plus parlé une minute ou deux. Le Passeur était ordinairement un homme de peu de paroles, mais là, il en avait long à dire. Puis, parce qu'il avait besoin de raconter, il continua :

— Elles étaient avec Mauriche, fenues faire moudre leurs grains au moulin du Pachache. Elles tentent, à bout de bras, de hicher un minot chur le quai, à marée bache : elles l'échappent. Çha leur fait perdre leur balan, comme çha, d'un coup. La barque chafire, le courant les emporte. Mauriche réuchit à s'accrocher à la barque, il nache jusqu'à la rive et fient nous préfenir, le meunier et moi. Che cours quérir le chirurchien Rouchel à l'hôpital. Il monte dans mon canot. Ch'ai l'habitude ! La rifière, che la connais comme le fond de ma conchienche. Che laisse filer le canot à marée baichante vers le fleufe. Arrifés au détour de la Canardière, on les foit toutes les deux, leurs hardes accrochées aux baches branches des chaules. On a ramené leurs dépouilles. Déchà sur l'autre rife, la feufe Robidou attendait avec chinq ou chix autres que ch'aille les chercher. La mort, Marchellin, che te le dis, ch'est la pire noufelle à annoncher, et encore pire quand ch'est une double mort et bien plus une triple, parche que Marchelline attendait un enfant.

Là-dessus, il enfila son verre d'un coup et le posa sur la table pour que Radegonde le remplisse. Il fit de nouveau cul sec et partit la tête basse, les épaules rentrées comme un bœuf qui a charroyé toute la journée.

C'était pourtant une belle journée comme seul le ciel de là-bas sait en faire, avec dans l'air des parfums sucrés, une de ces journées qui vous donnent l'envie de vous coucher au soleil et de ne plus bouger, à écouter les oiseaux, à deviner les nuages sans penser à rien d'autre qu'à être bien. Mais voilà que cette journée de miel était devenue un tombeau, le soleil, un linceul et les chants d'oiseaux, des pleurs. C'est ça, la vie ! Elle agit sans penser et le pire, c'est qu'elle n'a jamais de regrets.

⁂

Le même soir, nous avons veillé au corps dans la grande pièce de la maison des Robidou. Toutes les chaises étaient occupées, les bancs aussi. Deux chandelles brûlaient près des corps étendus sur la table, entre les quatre brigandines de leur cercueil. Ce qui comptait, ce n'était pas vraiment les mortes, mais les souvenirs qu'on en gardait. La veuve Robidou, qui avait perdu sa fille et sa bru, ressemblait à un oiseau noir dont on aurait coupé les ailes. Les deux veufs disparaissaient dans l'ombre du mur. On attendait le bon père Aveneau pour les prières d'usage.

C'est curieux, quand les gens veillent les morts, ils ne veulent pas rester seuls avec leurs pensées. Voilà pourquoi ils chuchotent entre eux, pour remplir les temps morts, où justement, c'est raison de le dire, ils auraient à penser à la mort ou, mieux, à leur propre mort. Moi qui n'avais personne à qui parler, je n'eus qu'à prêter l'oreille pour entendre. Il y avait tout près de moi deux femmes, une vieille au nez pointu et un menton long qui lui donnait un air de sorcière, et l'autre, toute menue comme un fétu de paille, qui ne cessait de larmoyer.

La vieille lui disait :

— Allons ! Rose-Alma, de pleurer ne les ressuscitera point !

— C'est plus puissant que moi. Ça me vient du plus creux, comme le bouchon d'une bonde qui saute.

— Je te comprends, ma pitchounette, c'est plus de peine qu'il n'en faut d'un coup. Où il était, le bon Dieu ? Il devrait pas permettre des choses de même.

Avant de continuer, la jeune femme poussa un long soupir.

— Ah ! Mamie ! Je souhaiterais être à leur place.

— Qu'est-ce qu'il faut pas entendre ! Perds-tu la tête ? À ton âge, il faut pas bêtiser comme tu le fais.

— J'ai trop de peine !

— Écoute bien ce que te dit ta mère-grand. Ça va te passer avec le temps, tu verras. Les peines, c'est comme les débâcles, ça dure le temps que ça dure, et puis, ça reste au fond de nous jusqu'à la prochaine.

Elles se turent un moment. La jeune allait parler quand sa mamie la fit taire :

— Chut ! Le curé arrive.

De son pas tranquille, le père Aveneau se présenta, dit les mots qu'il faut dire aux endeuillés. Il fit quelques oraisons depuis longtemps perdues au bord de ma mémoire. Après, la place se vida doucement comme une source qui s'assèche. Je partis avec dans la tête le petit bout de souvenir que j'avais des défuntes. Chacun, comme moi, apportait le sien. Tous ces bouts mis ensemble formaient la courtepointe de vie de ces deux jeunes femmes mortes avant leur temps.

Le lendemain, les deux trous se remplirent de ces jeunes corps. J'étais là, avec les autres, pour laisser tomber sur elles la terre qui met fin à la vie comme elle la donne aussi par des milliers de fruits. Il y avait, ce jour-là, dans le ciel, deux nuages gris qui ne se décidaient pas à partir. Alors que je les regardais, Dalibert, le simple d'esprit, passa avec sa marotte à la main. Il regarda dans la même direction que moi. Je l'entendis nettement dire : « Fini les deux. » Il rit de son rire simplet. Un coup de vent mit en branle les nuages qui voguèrent vers l'horizon comme deux vaisseaux amiraux du roi.

⁂

Mais l'affaire n'en resta pas là. Tous ceux des habitants de la seigneurie qui vivaient du côté de la rivière au soleil levant refusèrent de faire moudre leur grain au moulin banal de la seigneurie. C'est la veuve Robidou qui mena le bal. Mais la loi étant ce qu'elle est, Faye, le meunier, eut recours à la justice. Le pauvre, ça ne lui plaisait guère d'agir de la sorte contre des gens qu'il connaissait et appréciait. Il s'adressa au juge de la prévôté. Il se savait dans son bon droit : nul ne peut, quand le moulin de sa seigneurie est en état de tourner, faire moudre son grain ailleurs qu'à ce moulin.

Le matin de l'audience, j'étais là. Tous ceux de la seigneurie dont les terres s'étendaient par-delà la rivière s'y trouvaient. C'est la veuve Robidou qui parla pour eux :

— Ne le prenez pas à mal, monsieur le juge, mais après ce qui vient d'advenir nous n'entendons plus venir faire moudre au moulin de la seigneurie.

— C'est justement parce que c'est le moulin de la seigneurie où vous demeurez que vous devez y venir.

— Il n'y a rien qui dit qu'on doit risquer la mort pour notre farine. J'ai perdu pour ça ma fille et ma bru, c'est ben suffisant.

— Tout cela est bien triste, madame, mais il y a une loi, celle du ban, qui oblige tout censitaire à faire moudre son grain au moulin de sa seigneurie tant que ce moulin peut le faire.

— La loi du ban, la loi du ban... Je m'en moque !

Le juge, le représentant de la loi, ne sourcilla pas. Il dit seulement, d'une voix plus forte :

— Il ne faut jamais se moquer de la loi. Pour votre terre, vous payez chaque année des cens et rentes aux seigneurs de Notre-Dame-des-Anges, vous êtes donc une de leurs censitaires.

— Ah ! Pour ça oui ! Nous payons chaque année.

— Ce n'est rien d'excessif, pour une terre qui vous a été donnée.

— C'est bien suffisant !

— Pourquoi le seigneur est-il obligé par la loi de construire un moulin dans sa seigneurie, sinon pour vous rendre service comme à tous ses censitaires ? S'il n'en tenait qu'aux seigneurs, il n'y aurait pas de moulin nulle part. Ils coûtent trop cher pour ce qu'ils valent. Si vous êtes tenus d'y faire moudre votre grain, c'est parce que les moulins sont là pour vous.

— Même au risque de notre vie ?

— Ainsi va la loi, et la loi c'est la loi ! Je n'y peux rien.

En voyant la tournure de la rencontre, les assistants sentaient fort bien qu'ils n'auraient pas gain de cause. Ils se levèrent en bloc et disparurent en grognant. En moins de deux, il ne restait plus que moi, la veuve Robidou et le juge.

L'affaire ne traîna pas plus longtemps. Le juge décréta que tous les habitants de la seigneurie devaient y faire moudre leurs grains, sauf de sanctions fort sévères s'ils s'y soustrayaient. Il obligea cependant les seigneurs à faire dresser sur le quai, près du moulin, une potence permanente avec son câble, sa poulie et son esse de fer, pour pouvoir y hisser le blé avec plus de facilité. Ce fut ainsi qu'à reculons revinrent au moulin des gens sans sourire et sans parole. Mais le cœur, quand il est bon, finit toujours par reprendre le dessus, puisque, aux dires mêmes du meunier, au bout de quelques mois, le temps ayant joué son rôle, les gens étaient revenus à de meilleurs sentiments.

La mémoire de ces deux jeunes femmes avalées par la rivière ne fut pas perdue. Deux croix dressées sur la rive, là où elles avaient si tristement disparu, les rappelaient à notre souvenir. Chaque fois que des gens passaient devant, ils se signaient en souvenir des défuntes, mais aussi sans doute pour conjurer le mauvais sort.

Chapitre 20

La mésaventure du père Jobidon

Un océan n'efface pas le passé,
pas plus que la peur ne quitte l'esprit craintif.

L'été venait tout juste de s'installer, les arbres, tout comme les champs, nous faisaient cadeau de leurs plus beaux verts, la rivière ronronnait entre chaque marée. Le Passeur n'avait guère de répit tant l'été faisait apparaître de monde au Passage. Il y avait un va-et-vient continu entre Beauport et Québec. Nous vivions dans un grand pays peu peuplé, mais il s'y passait continuellement des choses étonnantes. Comme la plupart des habitants de Québec et des environs, je ne manquais jamais l'arrivée d'un navire. Il en vint plusieurs cet été-là. Je profitais des voyages du charretier Mongrain pour me rendre à Québec et en revenir.

Il ne causait pas plus qu'avant, mais il faisait bien son travail, pipe au bec, fouet à la main. À l'arrivée de chaque navire, il allait quérir les denrées, les lettres et les objets destinés aux bons pères. De temps à autre, il ramenait un passager qui allait chez un parent à

Charlesbourg ou avait l'intention de s'y établir. Un jour, un nommé Delage fut du voyage de retour et s'arrêta coucher à l'auberge. Ça ne faisait pas deux jours qu'il était arrivé quand il nous étonna tous en apercevant le père Jobidon venu prendre un coup, comme ça lui arrivait à l'occasion.

Après s'être tranquillement approché de sa table, il dit soudainement:

— Est-ce que j'ai la berlue ou si je suis bien en présence d'Azarias Jobidon, natif tout comme moi de Chartres?

L'autre le regarda avec l'air et l'étonnement du voleur qui se fait prendre la main dans le sac. Il ne pouvait pas nier devant tout le monde être celui qu'il était. Pour se donner contenance, il dit:

— Je cherche qui tu es…

— Tu ne me reconnais pas, dit l'autre, pourtant, nous avons fait ensemble plusieurs fois l'école buissonnière: souviens-toi des pigeons et de la fois de Jacquette, la rousse, toute nue dans la rivière, qu'on s'était régalé les yeux comme pas deux l'ont fait autant que nous de leur vie.

Le bonhomme n'avait plus d'excuses, il fit celui qui se souvient d'un seul coup:

— Barthélemy, dit-il, Barthélemy Delage.

— Je t'ai reconnu à ta voix, poursuivit l'autre. C'est curieux, je ne l'avais pas oubliée après toutes ces années.

— Maintenant que tu me parles, je reconnais aussi la tienne.

Ils bagoulèrent ainsi pendant plus d'une heure. Je les voyais en pleine conversation, mais je me rendais compte que le père Jobidon ne semblait pas enchanté de cette rencontre. L'autre insistait pour aller chez lui, mais il trouvait toutes sortes d'excuses pour ne pas l'inviter. Il écourta même sa visite à l'auberge, qu'il quitta contre son habitude assez précipitamment.

Je compris son empressement à déguerpir quand, après son départ, le nouvel arrivant nous informa, le plus simplement du monde, que le père Jobidon était marié en France.

— Pardi ! s'écrièrent nos joueurs de lansquenet. Ça va faire du beau : il est aussi marié ici !

Sur ce, ils s'esclaffèrent comme un peu nous tous à l'idée de ce qui allait se passer quand nos bons pères apprendraient la chose. Si nous avions su tout ce que ça allait entraîner, peut-être aurions-nous retenu quelque peu nos rires.

Le Matou en profita pour raconter une histoire semblable dont il avait été le témoin.

— Du temps où je vivais à Auxerre, j'ai connu un homme, Fabien Bonnival qu'il s'appelait. Quand il ne parcourait pas le pays pour son ouvrage, il travaillait de nuit et dormait de jour, c'est du moins ce que sa moitié légitime et tout le monde pensaient. En fait, il allait vivre pendant des semaines chez sa deuxième épouse, qu'il quittait pendant un mois ou deux pour satisfaire sa légitime.

— À quoi s'adonnait-il ? demandai-je.

— Il était marchand chapelier.

— Et alors ? Comment pouvait-il jouer comme ça sur deux clavecins ?

— Pour une, il était parti pendant un mois ou deux. Pendant ce temps, il satisfaisait l'autre et vice-versa.

Je voyais tout le tour de moi des visages sceptiques. Marceau posa la question qui trottait dans la tête de chacun :

— A-t-il pu jouer ce petit jeu longtemps ?

— Plus de deux ans.

— Deux ans ?

— Il a été trahi par un ami qui connaissait sa légitime et qui, par hasard, alors qu'il se trouvait à Rouen, l'a vu dans une auberge en train de fricasser avec sa deuxième.

— Qu'est-il advenu ?

— Il s'en est retourné pour de bon avec sa première, qui n'a plus voulu rien savoir de lui. Quant à la deuxième, elle l'aurait tué si jamais elle l'avait revu…

Je pensai aussitôt à la leçon de M. de La Fontaine : « Il ne faut pas courir deux lièvres à la fois. »

Comme toujours, quand quelqu'un se trouve dans le pétrin, son histoire fait rapidement le tour de tous les foyers. J'aurais parié que dès le lendemain, tout Charlesbourg, Québec, l'île d'Orléans et la Côte-de-Beaupré seraient informés de la chose. La nouvelle devait avoir gagné également la Pointe-de-Lauzon et courait sans doute vers la Côte-du-Sud et dans l'autre direction, vers Lotbinière, en passant par Saint-Nicolas.

Quoi qu'il en soit, les autorités religieuses ne mirent pas de temps à réagir : l'enquête fut bâclée en moins d'une semaine. Prévenu de la chose, l'évêque fit annuler le mariage célébré ici cinq ans auparavant. Plusieurs femmes prétendirent que si le père Jobidon n'avait pas d'enfant, c'est que Dieu lui-même l'avait puni pour ce honteux forfait. La pauvre Gertrude, sa femme, retrouvait sa liberté sans l'avoir recherchée et le bonhomme n'eut plus d'autre choix que de gagner la France pour aller y quérir sa légitime, par le même navire qui avait amené son ami Delage.

Entre-temps, il ne fallait pas perdre les récoltes du père Jobidon. Les bons pères, seigneurs des lieux, à qui la terre, la maison et les dépendances revenaient, louèrent le tout à nul autre qu'au nouveau venu. Quand il se vit sur une aussi bonne terre, Delage se mit dans la tête d'en devenir le propriétaire. Il fit des démarches auprès des pères pour l'acheter. Ces derniers s'y refusèrent, voulant donner une chance au père Jobidon de revenir avec sa légitime afin de reprendre son bien.

Delage, qui avait loué la terre, ne valait pas un sol comme laboureur. Les jésuites attendirent jusqu'en septembre le retour de Jobidon, qui ne donna aucun signe de sa venue éminente. Las d'attendre en vain, ils vendirent l'habitation aux enchères. Aux trois criées, le dernier et plus haut enchérisseur fut un dénommé

Lafortune, marchand de la place Royale. La terre lui fut adjugée. Ce fut alors que se manifesta le marchand Renaud. Fin renard, il s'était servi de Lafortune comme prête-nom, et désormais cette terre et ses dépendances étaient siennes. Il n'y avait pas deux semaines que l'habitation avait été vendue de la sorte quand, d'un dernier navire venu de France qu'on n'attendait plus, descendit seul le père Jobidon. Son épouse qu'il ramenait avec lui en Nouvelle-France lui avait joué le tour de mourir durant la traversée.

Quand le père Jobidon se présenta devant les jésuites pour reprendre possession de ses biens, il ragea d'entendre dire qu'ils avaient été vendus.

— Tu ne revenais pas ! se défendit le père Aveneau. Savions-nous seulement si tu allais rappliquer un jour ? Nous ne pouvions pas laisser dépérir tes biens.

— Il n'était point pressé de les vendre.

— Fort bien, mais personne ne les voulait louer, sinon ce Delage qui les aurait ruinés en moins de deux. Voilà pourquoi nous les avons vendus, une fois la récolte faite. Qui nous eût dit que derrière le dénommé Lafortune se cachait le marchand Renaud ?

De cette histoire, je retins encore la si bonne leçon de M. de La Fontaine : « Qui va à la chasse perd sa place. »

Les bons pères remirent à Jobidon l'argent de la vente. Il alla trouver le bonhomme Renaud pour racheter le tout. L'autre bassicota et voulut l'écorcher en lui en exigeant le double. J'ai rarement vu un homme aussi furieux que le père Jobidon venu noyer sa peine à l'auberge. Tout ce qu'il savait dire, c'était: «J'en connais un qui ne perd rien pour attendre.»

Le père Jobidon put tout de même se consoler de deux choses: il récupéra sa Gertrude qui s'était retirée chez les sœurs, mais qui n'en était pas encore devenue une. Le mariage fut raccommodé par l'évêque, et les bons pères lui concédèrent une nouvelle terre du côté du Bourg-Royal. Mais le pauvre dut tout recommencer de zéro.

C'est ainsi que la vie nous joue des tours, quand certains individus, comme le bonhomme Renaud, n'entendent pas à parler sinon en écus sonnants.

⁂

Ce fut en ce même temps de l'été qu'un soir, entre chien et loup, nous arriva une femme, dans un état de frayeur extrême. Elle mit long de temps à reprendre ses esprits avant de pouvoir s'expliquer.

—J'ai vu sur la route le spectre de Belle, finit-elle par dire.

—Le spectre de Belle? Allons donc!

—Oui, que je vous dis! Je m'en retournais chez moi quand j'ai été surprise par la brunante là où pendent encore sur sa potence les restes de l'esquelette de Prêt-à-Boire.

—Et alors?

— C'est derrière l'esquelette que j'ai vu le fantôme se déplacer.

Elle en avait eu si peur qu'elle en tremblait encore seulement à en parler, comme quelqu'un qui grésit. Radegonde, qui sait toujours trouver les mots justes pour rassurer, lui dit :

— Même si c'était bien le fantôme de Belle, il ne ferait de mal à personne, parce que Belle était trop bonne pour devenir méchante à travers son spectre. D'ailleurs, il n'a jamais été dit que des farfadets, des gobelins ou des fantômes ont blessé ou tué quelqu'un. Ils sont bien plus dans la tête des gens qu'ailleurs. Sortez-vous-le de la tête, il n'y sera pas plus que sur la route.

Les bonnes paroles de Radegonde ne semblaient pas trop la convaincre.

— C'est plus facile à dire qu'à faire, répétait-elle, se tenant la tête entre les mains.

Puis, se reprenant, elle dit :

— Je me tourmente pour mon mari et mes enfants. Que vont-ils penser de ne point me voir arriver ?

Je dus me résoudre à la reconduire chez elle. Pour lui donner confiance, je portai avec moi un fusil que je savais aussi inutile qu'un sabre ou une épée. On ne pourfend pas ce qui n'existe pas.

La nuit avait versé son encre dans les derniers plis du jour, la pleine lune prodiguait sa lumière sur la rivière comme sur un champ en labour, l'eau bougeait de mille feux doux, on entendait, sur la route, le grand respir de la forêt proche, l'air était plein de toutes ses senteurs, l'ombre des arbres s'allongeait au loin au milieu du chemin comme des mains qui se touchent, la brise les animait tout doucement de la même manière qu'elle couchait les herbes en bordure. Tout semblait grouiller de vie. Dérangé par notre passage, un rat musqué traversa vivement la route à nos pieds. Prise d'une souleur, la femme se blottit contre moi, je la sentais tendue comme un arc. Elle s'agrippait à moi. Je m'arrêtai pour la raisonner un peu. Si elle avait peur du passage d'un rat, elle avait aussi peur de son ombre.

— Ce n'était là qu'un rat!

— Je suis certaine que non!

— Qu'avez-vous vu?

— Pour courir si vite, c'était sûrement un fifollet.

— En avez-vous déjà vu auparavant?

— Non pas! Mais plusieurs qui en ont vu m'ont dit à quoi ils ressemblaient.

— S'ils existent vraiment, ils ne sont pas méchants.

Elle tremblait de tous ses membres et demanda:

— Avez-vous une aiguille?

— Pourquoi donc?

— S'il revient vers nous, je la planterai de telle sorte qu'il soit obligé de passer par le chas pour nous rejoindre.

Voyant qu'elle avait une imagination trop débordante, je fis avancer le cheval. Elle ne retrouva sa tranquillité qu'une fois passé l'endroit où se balançaient encore les restes de Prêt-à-Boire.

❖

Le lendemain, j'allai trouver le père Aveneau et je lui racontai l'aventure de la veille. Je lui dis :

— J'aurais une faveur à vous demander.

— Demandez et vous recevrez, dit-il en citant les paroles de l'Évangile.

— Accepteriez-vous, la prochaine fois que vous irez à Québec, de vous rendre aviser les autorités qu'il serait grand temps de faire disparaître le peu qui reste de ce pauvre Prêt-à-Boire, qui se balance encore sur la potence comme un perlicoquet, ce qu'il n'était pas du tout ?

— Ça sera fait, promit-il.

Je poussai un soupir de soulagement pour tous ceux et toutes celles dont un esquelette dérange l'esprit.

Chapitre 21

Dans les bois avec Bona

La nature est une amie dont
on apprend chaque jour.
Les hommes auraient avantage
à y puiser la sagesse.

L'été ramena aussi de son lointain voyage mon ami Bona et sa musique. Comme il l'avait fait l'automne précédent, il s'installa à l'auberge. Il n'avait rien perdu de ses paroles, comme de l'eau de source et de sa musique, comme le vent avec ses parfums de terres lointaines, de forêts et de rivières. Ce fut réellement au cours de cet été-là que je partageai le plus avec lui. Il avait idée de ne repartir qu'à la fin du mois d'août pour ensuite passer l'automne et l'hiver à la traite, du côté de Michillimakinac, et ne revenir qu'au printemps.

En sa compagnie, je parcourus beaucoup de pays. Nous faisions nos pérégrinations, partie sur la rivière en canot sur plusieurs lieues, partie à pied dans la forêt. Nous faisions sourdre lièvres et perdrix. Il m'apprenait la forêt, ses fruits et ses animaux. Il me fit connaître la Saint-Charles, que les Sauvages appellent Kabir Kouba, qui veut dire « rivière aux mille détours ». Nous en remontâmes très loin le cours vers sa source, à travers la forêt. Bona savait souvent comment accourcir nos trajets. Il savait tout faire en forêt, de la hutte jusqu'au canot. Il m'apprit à pêcher la truite à la ligne avec des hains auxquels on attache des morceaux de ver de terre. Il me dit :

— Saurais-tu attraper des loutres pour leur fourrure ?

— Non point. Encore faudrait-il d'abord que je sache ce qu'est une loutre pour pouvoir en trouver.

Il se moqua de moi en disant :

— Si je te laissais seul dans ces bois, tu n'en sortirais certainement pas vivant.

C'est alors que je me rendis compte à quel point il était important qu'il ne lui arrive pas malheur, car sa mauvaise fortune deviendrait bien vite la mienne. Il me dit alors :

— La seule façon que tu aurais de t'en tirer, si je n'étais pas là, serait de trouver des Sauvages qui te montreraient, comme ils l'ont fait pour moi, comment survivre dans les bois. Ce sont eux qui m'ont enseigné comment attraper les loutres dont les peaux se vendent à fort prix en France. Tu veux que je te le montre ?

— Bien volontiers !

Il m'indiqua où ces animaux aiment se tenir auprès de l'eau, là où ils trouvent leur nourriture. À l'aide de pieux enfoncés dans la terre, il construisit un genre de boîte et il y déposa un couvercle très lourd appuyé sur un bâton où était assujettie une corde. Puis il me dit :

— Il ne reste plus qu'à les attirer avec un appât.

— Que mangent-elles ?

— Du poisson.

Il y en avait en abondance dans la rivière et ce fut un jeu d'enfant que d'en attraper. À l'intérieur de la trappe ainsi tendue, il suspendit une truite. Une loutre s'amena incontinent, attirée par la senteur. Une fois qu'elle fut entrée dans la trappe, il tira d'un coup sec sur la corde. Le couvercle tomba sur l'animal qu'il écrasa. Il prit de la sorte une dizaine de loutres qu'il dépeça derechef pour en faire sécher les peaux tendues sur des cadres faits d'éclisses.

Nous avons passé ainsi plusieurs nuits dans les bois, à la belle étoile, abrités seulement par quelques branches de sapin. Bona était très fier du beau sac à feu, fait d'une peau de rat musqué ornée de rasades, qu'il portait toujours au côté. Il le passait dans sa ceinture, près de son couteau à gaine. Il y rangeait son batte-feu, la pierre à fusil et l'amadou dont il se servait pour faire le feu. Quand je le vis, la première fois, réussir à allumer l'amadou en quelques coups de batte-feu sur le silex, je lui demandai :

— Où te procures-tu de l'amadou ? Vient-il de France ?

Il me regarda avec des yeux étonnés et se mit à rire.

— S'il fallait, dit-il, que je fasse venir de France tout l'amadou dont j'ai besoin pour mes feux, j'en manquerais tout le temps. J'ai vite appris que les champignons d'ici donnent d'aussi bon amadou que ceux de France. Celui que je préfère, je le trouve près de l'érable à sucre, mais il y a aussi l'agaric de l'érable rouge et celui du merisier. Tu sais, ajouta-t-il, en ce pays nous trouvons tout aussi bien ce que nous connaissons en France. Il s'agit tout simplement d'ouvrir les yeux pour le découvrir. Parlant de feu, j'ai connu un voyageur qui avait sa manière toute particulière pour faire du feu.

— Comment s'y prenait-il ?

— Il faut dire d'abord qu'il ne pouvait le faire que de jour, et uniquement les jours de soleil.

— Pourquoi donc ?

— Parce que l'instrument dont il se servait n'était autre qu'un miroir ardent.

— Qu'est-ce donc ?

— Un verre bombé qui capte les rayons du soleil et les concentre en un rayon qui fait s'enflammer les mousses sèches. Il allumait ainsi nos feux de midi et chacun pouvait pétuner à sa guise avant de continuer sa route.

J'apprenais avec lui mille choses qu'il m'aurait fallu sinon des années à connaître. Il se trouvait en forêt aussi bien qu'un poisson dans l'eau. À ses côtés, malgré tous les pièges et les dangers que recèlent les bois, je me sentais en sûreté. Ainsi, nous gardions à dessein le feu allumé toute la nuit pour dormir à l'abri des bêtes qu'il éloigne et aussi des maringouins que la fumée incommode. En ces temps-là, sa musique n'était que pour moi et les animaux des bois, qui devaient s'en faire des plaisirs ou des frayeurs.

⁂

Ce fut par un de ces soirs-là qu'il me conta comment, enfant, avant même que son oncle le prenne sous son aile, il fut l'être le plus misérable de la terre avec un père rustre et une mère malade.

— Il ne se passait pas un jour que je ne reçoive de mon père une correction, des fois avec un fouet, d'autres avec du feu.

— Avec du feu ?

— Il faisait chauffer à blanc une tige de fer. Pour nulle raison, il m'en donnait des coups. Mes bras en sont encore marqués.

Il me montra partout sur ses bras les traces des brûlures anciennes.

— Comment as-tu pu éviter pareilles tortures ?

— Je me suis enfui de chez moi et je me suis réfugié chez mon oncle.

— Tu as vécu le contraire de moi. Mon père était doux comme le bon pain du bon Dieu et ma mère, une sainte. Le ciel est venu les chercher trop tôt. Ils sont morts tous les deux, ma mère, prisonnière des Iroquois et mon père, noyé, alors qu'il tentait de savoir ce qu'elle était advenue. J'étais orphelin à douze ans, sans autre parent que deux oncles qui ne se souciaient pas de moi. J'ai été pris en charge par le bon père Aveneau, qui m'a mené en France pour que j'y apprenne le métier pratiqué par mon père, celui de charpentier de moulin. Puis, sans crier gare, est arrivé l'oncle Laterreur du Havre de Grâce. Il m'a pris en charge, m'a mené à son étude de notaire et a entrepris de faire de moi son esclave. C'est prisonnier de sa maison que j'ai appris à écrire des actes de notaire à coups de baguette sur les jointures, puis à coups de verges et de fouet quand, terrorisé par ses esprits mauvais, l'oncle cherchait quelqu'un pour passer ses colères. C'est tout ce que j'appris de bon de lui.

— Tu vois comme la vie est faite, fit remarquer Bona. Toi, c'est par ton oncle que tu as été maltraité, moi, c'est par les miens. D'une manière ou d'une autre, nous n'échappons pas à la malveillance des gens.

Ce fut ainsi que se passa ce séjour, à nous raconter les déboires et les joies de nos vies, sous les arbres géants de Nouvelle-France, en canot sur les rivières, au bord du fleuve le soir sous les étoiles, quand l'été gaspille sa chaleur, que cuit sur le feu le meilleur poisson du monde assaisonné d'herbes et, surtout, des bonnes paroles d'un ami.

⁂

Au retour d'une de ces expéditions, ma radieuse Radegonde m'annonça la plus belle nouvelle du monde, la vie venue de moi qu'elle portait en elle. Ce furent là des jours prodigues de bonheur. Le travail me ramena sur terre. Bona partit à la traite, je retrouvai l'ordinaire.

Nous nous installons comme ça dans la vie, puis, veut veut pas, l'ordinaire s'y met sans prévenir. Nous faisons toujours les mêmes gestes, à peu près aux mêmes moments du jour et du soir. Nous avons chacun nos accoutumances. C'est notre manière d'apprivoiser la vie, en plaçant les mêmes choses à la même place comme si de les mettre ailleurs pouvait y changer quelque chose. Ça nous rassure à propos de ce que nous sommes, aussi sur la santé qui nous fait. J'avais mis ainsi tout en place et en ordre, comme quelqu'un qui corde bien son bois sans y laisser de trous. J'étais heureux de faire ma vie près du Passage, ma chère Radegonde chantait tout le temps, nous allions tranquillement nous asseoir sur le seuil avant la brunante. Il fallait voir les reflets du soleil sur la rivière et cette quiétude du soir sous les étoiles. À peine entendions-nous au loin les cris de quelques bêtes attardées. La rivière ronronnait comme un chat, les ombres bougeaient à peine et, là-haut, les étoiles pétillaient fidèlement, comme pour dire que tout allait comme ça doit aller. Nous restions là, Radegonde et moi, la main dans la main, heureux, à attendre la nouvelle vie qui continuait de pousser en elle. Tout baignait dans le plus bel ordre des choses.

Chapitre 22

Le peu pacifique Renaud

L'argent ne fait pas foi de tout.

Je travaillais fort à mes écritures, et de plus en plus de mes connaissances faisaient appel à mes services. Ainsi, le meunier Faye me fit mander un soir de passer chez lui le lendemain. Même si nous oublions beaucoup de ce qui survient, je me souviens fort bien de ce jour-là, parce que ce n'en fut pas un comme les autres.

Je marchais, ce matin-là, dans une brume épaisse crachée par la rivière. Je n'aperçus le moulin du Passage que lorsque j'eus le nez dessus. Pourtant, il n'était pas plus loin de l'auberge qu'à deux portées de mousquet. Faye m'avait prié de passer, d'abord parce qu'il ne pouvait pas quitter son moulin, et ensuite parce qu'il avait quelque chose à me demander dont il ne pouvait parler autrement qu'entre quatre yeux. Je n'avais pas mis les pieds souvent au moulin et encore, tout juste pour un bonjour en passant. C'est Radegonde qui y allait pour le blé et la farine : elle en profitait pour causer avec Honorine, qui était peu balèque.

Pourtant, cette fois-là, le meunier me fit faire le tour de son moulin.

Comme j'y arrivais, le marchand Renaud en sortait. À son habitude, il ne me salua pas. Il ne saluait d'ailleurs personne parce qu'il n'était pas très communicatif non plus qu'aimable, ne sachant qu'agonir les autres d'insultes. À son air, je conclus qu'il n'avait pas obtenu ce qu'il désirait du meunier. J'étais à peine entré que ce dernier m'instruisit de ce qui venait de se passer.

— Le bonhomme Renaud sort d'ici incontinent.

— Je l'ai en effet croisé.

— C'est le plus mécréant homme que la terre ait porté. Il venait m'acheter, mais je ne mange pas de ce pain-là.

Le meunier n'était certes pas le premier que ce marchand tisonnait. Il y avait bien eu à ma connaissance Ladouceur, puis Marceau et le père Jobidon, sans compter le marchand Lafranchise. Et voilà que maintenant Faye était monté contre lui. Je lui demandai :

— Comment le bonhomme Renaud voulait-il te corrompre ?

Plutôt que de répondre à ma question, le meunier me dit :

— Viens, je vas te montrer !

Il m'entraîna dans le moulin jusque devant une poutre où était suspendu un parchemin.

— Je sais guère écrire, commença-t-il, mais je sais compter et dessiner.

J'examinai le parchemin en question. Sur une colonne, à gauche, étaient alignés des chiffres de un à vingt-cinq. Près de chaque chiffre il y avait un dessin. Je n'y comprenais rien. Il m'expliqua.

— C'est la liste de mes clients, dans l'ordre où ils viennent.

— Si je comprends bien, pour garder l'ordre de leur venue, tu as pour chacun un signe.

— C'est ça. Ils apportent leur grain chacun à la suite de l'autre. Je les inscris dans l'ordre qu'ils viennent, c'est la loi.

Il s'était inventé une façon ingénieuse de se souvenir de chacun d'eux par un dessin représentatif; je reconnus immédiatement celui qui me concernait.

— La plume d'oie, c'est pour moi ?

— Tout juste !

— Le chapeau, pour Le Chauve, le chat pour Le Matou et ainsi de suite ?

— C'est ça !

J'indiquai sur la liste une pile de pièces de monnaie.

— Renaud ? dis-je.

Il acquiesça. À la suite des dessins était aussi inscrit le nombre de minots de blé apportés par chacun.

— Il voulait, reprit Faye en parlant du bonhomme Renaud, que je change pour lui l'ordre des moutures. "Tu fais une autre liste, disait-il, tu me mets en premier, je te donne cinq livres pour ton trouble." C'est un méchant homme. Il sait en masse que si je change l'ordre des moutures, je le fais sous peine de la vie :

s'il me dénonce, je ne suis plus mûr qu'à être pendu à une des ailes de mon moulin.

À la manière de qui hésite à ouvrir une porte sur la lumière à cause de la trop grande clarté, il tourna ensuite longtemps autour du pot, avant d'entrer dans le vif du sujet pour lequel il m'avait mandé de venir.

— J'ai, dit-il, une chose d'importance à te demander.

— Si c'est dans mes capacités, je le ferai volontiers et avec plaisir.

— Pourrais-tu écrire une missive à mes vieux en France ?

— Certainement, à condition que tu me dises ce que tu veux que je leur fasse assavoir.

Il songeait visiblement à l'héritage, mais ne le laissait pas paraître.

— Ça fait au moins six ans que je n'ai pas eu de nouvelles d'eux autres.

— Tes parents sont toujours vivants ?

— Peut-être bien que oui, peut-être bien que non.

— As-tu des frères et des sœurs ?

— Oui, deux frères et deux sœurs.

— Personne ne t'a écrit de tout ce temps ?

— Personne.

— C'est bien raisonnable que tu leur écrives pour avoir de leurs nouvelles.

— Tout juste ! Je l'aurais fait bien avant si je savais tenir la plume.

Je le vis tout à coup songeur, sans doute à la pensée de ceux-là qu'il avait laissés là-bas.

— Tu ne feras pas de grands mots, pas de longues phrases, pas de grandes explications. Ne laisse cependant pas de leur dire pour ma femme Honorine et pour notre fille Rébecca, pour qu'ils sachent qu'ils sont, une fois de plus, pépère et mémère, mais cette fois de mon ressort.

Au fond, tout ce qu'il désirait que je fasse, c'était de trouver les mots qui lui permettraient de savoir si ses vieux respiraient encore comme nous l'air des vivants.

❖

Au sortir du moulin, la brume levait un peu. Le soleil clignait de temps en temps de l'œil à travers cette couverture. On apercevait par des trous le vert des champs. C'est alors que j'entendis du côté du Passage des voix qui prenaient de la force au fur et à mesure que je m'approchais d'elles. Elles étaient remplies de menaces qui grondaient tels les débordements d'une rivière. À travers la brume je m'approchai pour finir par voir Le Passeur en pleine prise de bec avec le bonhomme Renaud.

— Ça fait un quart d'heure au moins que j'attends, hurlait le marchand. Je t'ai offert cinq livres de plus que le prix de la traversée.

— Bien, il faut attendre encore. Y a trop de brume, je ne me richque pas de l'autre côté par temps pareil.

— Tu sais à qui tu parles ? Tu vas y aller, je suis pressé.

— Quand cha me confiendra.

— Espèce de tête de mule, va-t'y falloir que je t'assomme pour que tu comprennes ?

— Je ne trafercherai pas !

— Je porterai plainte !

— À fotre guise ! Approchez-fous seulement de la barque ! Ce que fous allez foir, ch'est l'eau de la rifière.

Je n'osais pas m'entremettre encore, j'attendais pour voir et je vis. Le marchand sortit de sa manche un long couteau. Il en menaça Le Passeur. Quand je vis qu'il était impossible de les raisonner et qu'ils allaient avoir ensemble plus qu'une simple batterie, je m'approchai en vitesse, cherchant le meilleur expédient pour venir en aide au Passeur. Au moment où le marchand se précipitait sur lui, j'allongeai la jambe. Ma jambette le fit planter le nez dans la terre, il en laissa choir son couteau, Le Passeur y mit aussitôt le pied, le ramassa, puis, d'un geste large, l'expédia dans la rivière. Il se saisit ensuite du marchand qu'il releva par le justaucorps. En moins de deux, il le ramena sur la route. Sans mon intervention, il lui aurait donné une volée. D'une poussée pour l'expédier en enfer, il l'envoya bouler en direction de Charlesbourg avec ces mots :

— Ne fous avichez chamais plus de fouloir traferchez tant que che cherai le pacheur ! La prochaine fois, che fous étriperai avec fotre couteau !

Chapitre 23

Flore et faune du Nouveau Monde

Tout est dans l'amour que l'on y met.

Depuis que j'étais en ce pays, j'apprenais chaque jour, tantôt le nom d'une fleur, tantôt celui d'un arbre et même parfois celui d'un oiseau. La Rosalie connaissait tous les noms, ceux des plantes surtout. Avant qu'il meure, son mari, apothicaire, faisait ses remèdes des plantes des champs et des bois. Sa Rosalie avait appris de lui celles qu'il faut contre tous les maux. Elle disait :

— Tu sais, cher, ce qui est meilleur contre le rhume ?

Je n'y connaissais rien. Je répondais invariablement :

— Je l'ignore, mais vous allez me l'apprendre.

Elle souriait puis me faisait reproche.

— Ça fait cent fois que je te le dis. Contre le rhume : l'angélique ; contre le cœur qui lève : le gingembre ; contre les enflures : la griffe du diable ; contre les vers : la gentiane ; et tant pour un meilleur flux urinaire que pour purifier les sangs : la bardane.

— Encore faudrait-il que je sache les reconnaître.

Elle riait et me disait :

— Je te les montrerai encore.

Elle connaissait les moindres pouvoirs des plantes et savait même dégacer le mal de dent. J'avais tout écrit sur du beau papier parcheminé resté à l'auberge quand je l'ai quittée en vitesse sans pouvoir y retourner. J'ai oublié depuis ce que pouvaient faire l'herbe de Saint-Jean, le tabac de Saint-Pierre et celui du diable, le bouleau, les atocas, le genévrier, la luzerne et même cette petite fleur jaune guérisseuse d'à peu près tous les maux. Je me souviens seulement que le tilleul appelait le sommeil quand il se refusait à venir.

Quand il allait à Québec, une fois la semaine, Mongrain, le charretier des pères jésuites, rapportait à Rosalie tout ce dont elle avait besoin pour son marché. Ce furent les seules occasions où je l'entendis parler un peu. Il n'avait guère le choix, il ne savait pas lire. Rosalie lui donnait sa liste, qu'elle me demandait de dresser par écrit en bonnes lettres bien formées. Elle lui disait immanquablement :

— Tiens, Rosario, tu sauras bien me rapporter tout ce qu'il y a là.

— Comment je le saurais ?

— Tu demanderas à quelqu'un qui sait lire.

Il opinait d'un coup de tête.

— Je demanderai.

Invariablement, il revenait sans avoir rien oublié. Il est vrai qu'il refaisait à peu près les mêmes demandes chaque semaine. Pour la viande, il passait à la Basse-

Ville, à l'étal du boucher Parent, à qui il achetait des atignoles qu'elle aimait beaucoup. Pour le vin, il s'arrêtait chez le marchand Maranda, près du palais. Le sel, nous n'en manquions jamais ou presque. Quant aux épices, l'épicier Goulet en avait toujours, de la cannelle jusqu'au poivre en passant par la muscade.

Les herbes aromates, la vieille Rosalie les faisait pousser dans son jardin, derrière l'auberge, là où le soleil du jour s'attardait comme un ami qui ne veut pas partir. De la sorte, je connaissais aussi les plantes et les légumes du jardin de Rosalie. Elle y faisait pousser la luzerne, l'ail, l'oignon, la carotte, le « cocombre », comme elle disait, le panais, le chou, la cive, les cardes de toutes façons, le persil et la laitue. Elle avait essayé la pimprenelle, l'hysope, la bourroche et la buglose, qui ne prenaient pas. Elle avait aussi quelques apiés d'où elle tirait son miel, et un poulailler pour ses œufs, avec plusieurs poules, un coq, un berlicoquet et quelques coqs d'Inde.

Quand elle voulait des herbes pour ses remèdes et des aromates qui poussent naturellement, elle m'envoyait les cueillir pour elle, ses vieilles jambes ne lui permettant plus de courir très loin.

— Tu es jeune, Marcellin, disait-elle, vas-y, je vas te dire où et comment trouver l'oseille, la chicorée, l'achillée mille-feuilles, le thé des bois.

— Le thé des bois, passe encore, je sais ce que c'est… Mais les autres, comment je vais faire ?

Quand je m'entendais répondre de la sorte, je me faisais l'effet d'être le charretier Mongrain qui ne savait pas lire. Je n'étais guère mieux que lui.

— Allons, cher, ce n'est pas compliqué, je vas te dire comment elles sont faites.

— Il faudra bien, sinon je ne saurai rapporter que du chiendent ou du bourrier.

— Tiens, cher! Tu vois, celles-là, le chiendent et le bourrier, tu sais les reconnaître. Tu feras la même chose pour les autres.

Elle s'appliquait alors à me décrire en long et en large de quoi chaque plante avait l'air. Je l'écrivais sur un morceau de papier de l'ancien notaire, du vieux papier venu de son pays d'Auvergne, reconnaissable au filigrane que j'apercevais à contrejour. Je m'en allais ensuite dans les champs ou en bordure de la forêt, et je rapportais des pleines brassées de plantes qui ressemblaient à celle que Rosalie m'avait dites. Elle faisait le tri, puis me regardait dans les yeux en secouant la tête.

— Pauvre Marcellin, tu ne sauras donc jamais.

Patiemment, elle reprenait les plantes que j'avais apportées en trop et qui n'étaient pas les bonnes. En s'aidant de leurs feuilles, elle me décrivait celles qu'elle voulait.

— Va donc, disait-elle sans s'impatienter, cette fois tu sauras bien trouver.

Pour lui faire plaisir, je repartais aussitôt, juste pour voir. Je n'étais vraiment pas doué pour la cueillette des plantes.

Puis, pour la Noël, le père Aveneau me donna un livre ancien où étaient dessinées les plantes et les herbes pour les remèdes. Parfois, pas très souvent, j'y trouvais celles de la vieille Rosalie, mais la plupart du temps, elles n'y étaient pas plus qu'un singe dans Paris. Quand elle en avait le temps, ce n'était guère souvent, Radegonde m'accompagnait et c'était ensemble que nous allions cueillir les plantes à remèdes de Rosalie. Je ne sais pas pourquoi, mais Radegonde les trouvait bien plus facilement que moi. Sans doute que les femmes sont plus douées que les hommes en ces sujets, à moins d'être un apothicaire comme le Josaphat de Rosalie.

Nous allions aussi faire provision de champignons. C'était à cette cueillette et celle des petits fruits que j'aimais le plus aller, parce que je n'avais pas à me casser la tête pour les découvrir. Je les ramassais tous et il y en avait pour les fins et les fous. Les champignons, j'en rapportais des pannetées dans deux ou trois cabas. La vieille Rosalie les triait aussitôt. Elle me traitait gentiment de grand nigaud, en souriant entre les quelques dents qu'elle avait encore.

— Pourquoi tu les apportes tous, grand nigaud ?

— Parce que je crains d'en oublier des meilleurs.

— Tu n'apprendras donc jamais ? Il faut ramasser que les bons : les oreilles du chêne, les girolles, les coulemelles, les morilles et les bolets.

Elle riait de son bon rire, et quand elle avait terminé le tri des champignons, le plus souvent, il ne restait plus sur la table qu'un petit tas, qu'elle se mettait aussitôt en frais de faire sécher, suspendu en bottes près de l'âtre. Elle en conservait toujours pour la soupe ou le mets principal.

⁂

Ainsi, en ce premier été après mon arrivée, celui avant que je parte, je commençai à connaître mieux les herbes et les arbres. Le hêtre, mon arbre préféré, je le reconnaissais tout de suite à son écorce grise et lisse comme une joue. Les érables, les bouleaux, les grands ormes ne me cachaient plus leur nom, pas plus que les peupliers aux feuilles tremblantes, les sapins aux aiguilles plates et les saules, qui trempaient leurs feuilles dans l'eau de la rivière.

Les animaux, moi, l'homme de ville, je commençais à les deviner à leurs traces dans les bois. Je savais nommer la belette, le vison, la loutre, la mouffette, le raton, le rat musqué, le porc-épic et la marmotte, qu'on appelait siffleux parce qu'elle prévenait ainsi du danger. Des écureuils, je connaissais le roux et le gris, tout comme le plus petit, sans la queue en panache comme les autres, avec le dos rayé, qu'on appelait le rat d'Amérique ou bien le suisse, à cause des barres sur le dos comme les suisses du pape.

J'avais un peu crainte des ours, des lynx et des carcajous. Il y avait toujours un trappeur ou un coureur des bois qui nous arrivait avec son histoire d'ours à nous faire dresser les cheveux sur la tête. Il est vrai que ces bêtes pouvaient être dangereuses, surtout au printemps, quand elles ont leurs petits. À ma souvenance, c'est Le Matou qui me raconta, à sa manière accoutumée, qu'un nommé Beaurivage, dont la maison était entre Beauport et Charlesbourg, avait été attaqué par un ours noir en venant vers le Passage.

— Ces bêtes sont puissantes, mon Marcellin, tu ne peux pas savoir comment.

— À la grosseur qu'ils ont, ce n'est guère surprenant. Un homme ne peut certes point tenir tête à un ours enragé.

— Comme tu le dis, batêche! Ce sont des bêtes dangereuses et rien ne sert de courir, ça va plus vite qu'un homme. Rien ne sert non plus de grimper dans un arbre, ça y grimpe tout aussi bien et même mieux que nous.

— Il n'y a rien à faire, alors. Un homme surpris par un ours n'a plus qu'à réciter son acte de contrition.

— Si tu veux, mais il paraît que tu peux les étonner en te jetant à terre sans plus bouger. Il faut faire le mort. Souvent, ça les décourage. Toujours que le nommé Beaurivage n'a certainement pas fait le mort avant de mourir pour de bon. L'ours lui a pratiquement arraché la tête. Il a traîné son cadavre sur plusieurs arpents, puis il l'a laissé là dans son sang. Ceux qui l'ont vu ont dit qu'il ne leur était jamais rien apparu de pire.

Les ours et les bêtes dangereuses ne m'attiraient guère, mais les oiseaux, qui, pour la plupart, n'ont pas de malice, m'enchantaient par leur chant et leur plumage coloré. Il y avait une espèce de geai qui ne se gênait pas pour venir se sustenter jusque dans nos mains. Il nous volait des morceaux de pain. Il y avait aussi un petit oiseau, que d'aucuns appelaient une mésange, qui n'était pas du tout gêné par notre présence. On ne voyait pas cependant de moineaux comme nous avons en France, il n'y en avait pas en ce pays.

Ce fut aussi cet automne-là que je fus témoin du plus curieux phénomène de la nature qui se puisse imaginer : la venue des tourterelles. Elles obscurcirent le ciel pendant des minutes sinon des heures, nous privant de la vue du soleil. Elles furent si nombreuses et causèrent de si grands dégâts aux récoltes que les habitants mandèrent monseigneur l'évêque de les excommunier. Il s'y mit sérieusement, rituel en main, disant à haute voix : « Pour tous vos maléfices, vous êtes à jamais exclues de notre vue. »

Il sortit le goupillon et distribua généreusement l'eau bénite au ciel dans leur direction. Elles n'en continuèrent pas moins de passer par milliers sans diminuer en nombre et en durée.

L'évêque les excommunia de la sorte à plusieurs reprises. J'assistai un jour au procès qu'on leur fit subir. Un procureur les représentait. Il défendit leurs droits en ces termes :

— Ces oiseaux sont des êtres créés par Dieu lui-même. Aussi ont-ils le droit de manger.

— Mais, intervint l'évêque, ils doivent respecter les récoltes et ne se poser que dans les champs en friche.

— Il ne faut guère, au nombre qu'elles sont, attendre de ces tourterelles qu'elles évitent les champs cultivés puisque c'est précisément là qu'elles trouvent leur pitance.

— Si demain nous les y surprenons, elles seront excommuniées.

— Je suis leur représentant et défenseur. Je demande donc grâce pour elles et je ferai mon possible, Votre Éminence, afin qu'elles obtempèrent à votre demande.

Comme nous pouvions nous y attendre, les tourterelles demeurèrent sourdes aux souhaits des habitants et de l'évêque. Excommuniées à maintes reprises, elles s'abattirent néanmoins par milliers dans les champs en culture, détruisant les récoltes. Les habitants en tuèrent par centaines. Notre bonne Rosalie nous en faisait des pâtés qui n'ont pas leur équivalent de par le monde que je connais.

J'aimais également observer un grand oiseau rapace qui, comme le martin-pêcheur, n'avait pas son pareil pour attraper des poissons. Il tournoyait longuement au-dessus de la rivière et parfois s'arrêtait se poser sur les arbres en bordure, mais la plupart du temps, il se laissait choir jusque dans l'eau dont il ressortait en tenant dans ses serres un poisson dont il se faisait un régal.

De ce pays, à part les amis que je m'y suis fait, c'est des animaux et des oiseaux dont je m'ennuie le plus. Ils avaient tellement à m'apprendre.

Chapitre 24

L'affaire du Passage

Le bonheur des uns fait souvent
l'envie des autres.

Le Passeur était un homme de peu de mots. Il se faisait discret et paraissait homme à ne pas faire de mal à une mouche. Mais quand quelque chose ou plus souvent quand quelqu'un le contrariait, il s'amenait pour en causer afin de ne pas garder en lui ce qui l'accablait et pouvait le bouleverser au point de lui faire perdre le contrôle. Au fond de cet homme dormait un volcan.

Quand il m'arriva ce jour-là, je vis tout de suite qu'il n'avait pas sa bonne humeur habituelle. Soucieux et visiblement troublé, il était accablé par quelque chose. J'attendis qu'il parle le premier, au moment où il serait mûr pour le faire. Il prit le temps de s'attabler et de siroter son vin sans paraître trop se soucier de voir arriver quelqu'un à la traverse. Après plus d'une heure, il commença à parler. De sa première phrase je me souviens fort bien, car je fus l'homme le plus étonné de l'entendre de sa bouche.

— Che fais le tuer !

Je mis du temps avant de lui demander.

— Qui donc ?

— Le bonhomme Renaud.

Il y avait tellement de haine dans ses yeux que je ne reconnaissais plus ce cher Drieux, pourtant d'ordinaire un homme posé qui ne se laissait impressionner ni par le mauvais temps ni par les humeurs plus ou moins maussades de ses passagers.

J'hésitai avant de lui demander :

— Que se passe-t-il ?

— Il se pache que plus personne fient au Pachage.

— Comment cela ?

— Le bonhomme Renaud.

— Qu'a-t-il fait ?

Il me regarda un moment en hésitant, puis il me dit :

— Fiens !

Je le suivis. Il m'entraîna à pied le long de la rivière, en direction de Québec. Arrivé à quelques pieds d'un méandre formé par la rivière, il me fit signe d'attendre. Il s'assit sur un rocher en bordure du cours d'eau et me pria d'en faire autant. Il resta là sans broncher, me faisant signe de la main qu'il fallait attendre et patienter. Puis au bout d'une bonne trentaine minutes, il m'indiqua vivement de l'index un canot qui venait de s'engager sur la rivière. Il y avait quatre personnes à bord. Je ne pouvais pas me faire une idée de celui qui était l'avironneur, car je ne le connaissais pas.

Le canot traversa la rivière et en revint avec à son bord deux autres passagers. Je ne mis guère de temps à comprendre ce que voulait me signifier Le Passeur. Quelqu'un faisait traverser les gens en aval du Passage, et sans doute à meilleur prix, puisque les gens s'adressaient désormais à lui plutôt qu'à Drieux. Désireux d'en savoir plus à ce sujet, je demandai à Drieux :

— Qui est-ce ?

— Lui ? Un Saufache.

— Un Sauvage ?

— Payé par le bonhomme Renaud.

Voilà comment cet homme méprisable se vengeait d'avoir été repoussé par Le Passeur. Il avait engagé un Sauvage pour faire traverser les gens et enlever de la sorte les clients du Passeur. Il n'ignorait certes pas que seuls les jésuites avaient le droit d'engager un passeur. Eux seuls possédaient le droit d'établir un passage sur la rivière Saint-Charles. Drieux en tenait le bail des jésuites et devait en rembourser les frais annuels. Avec le climat rigoureux en ce pays, le Passage n'était guère possible que pour une durée de six mois, après quoi il fallait attendre que la rivière gèle pour la traverser sur la glace.

Devant cette injustice flagrante et le désarroi du pauvre Passeur, je dis :

— Nous allons régler son cas tout de suite.

Je vis un sourire naître sur les lèvres du Passeur. Je retournai en sa compagnie jusqu'à l'auberge. Je m'y arrêtai pour prévenir Radegonde que je me rendais à Charlesbourg, chez le père Aveneau. Le Passeur m'y accompagna. Quand il apprit la chose, le bon père rassura aussitôt notre bon Drieux.

— Depuis combien de temps les gens ne traversent plus au Passage ?

— Quatre chours.

— Quatre jours en comptant aujourd'hui ?

— Oui ! Chinq demain.

Nous étions un samedi. Ce jour-là, plusieurs habitants devaient se rendre à Québec. N'en voyant pas un seul s'amener, Le Passeur comprit que quelque chose d'anormal se passait et qu'il n'avait pas la berlue. Dès après la messe du dimanche, le père Aveneau se rendit chez l'intendant, à qui il fit part de l'injustice commise par le marchand Renaud à l'endroit du Passeur.

— Vous savez que nous possédons l'exclusivité du bail en ce qui concerne le droit de passage de la rivière Saint-Charles entre Beauport, Charlesbourg et Québec.

— Ça va de soi.

— Comment un individu peut-il s'arroger le droit de passage ?

— Nous allons voir à mettre de l'ordre dans cette affaire.

L'intendant fit venir deux gendarmes et leur donna l'ordre de lui amener le marchand Renaud. Quand les gendarmes se présentèrent à la maison du marchand, à la Basse-Ville de Québec, ce fut pour se faire dire qu'il était à Montréal. Prévenu de cette absence, l'intendant expédia les gendarmes à la rivière afin de mettre sous verrou, jusqu'au retour du marchand Renaud, le Sauvage qui agissait comme passeur.

— De la sorte, dit-il, les gens qui voudront traverser la rivière devront le faire au passage autorisé. De plus, ajouta-t-il, je vais émettre une ordonnance afin que personne ne puisse prétexter l'ignorer.

Il fit venir sur-le-champ un huissier avec ordre d'afficher aux portes des églises avoisinantes, de même qu'au Passage et au moulin du Passage, l'ordonnance suivante :

Il est ordonné à toute personne désireuse de traverser la rivière sur les terres de la seigneurie de Notre-Dame-des-Anges de le faire uniquement et exclusivement au lieu connu du Passage, sous peine de vingt livres d'amende, dont dix au Passeur et dix aux pauvres de l'Hôtel-Dieu de Québec.

Non content d'avoir émis cette ordonnance, il fit mander Le Passeur et voulut savoir quelles personnes, selon lui, avaient utilisé le passage mis en place par le marchand Renaud. Le Passeur refusa de lui donner des noms, mais il déclara qu'à sa connaissance, en se fiant aux semaines précédentes, au moins une cinquantaine de personnes avaient utilisé l'autre passage.

⁂

Une dizaine de jours plus tard, quand le marchand Renaud descendit à Québec d'une barque en provenance de Montréal, il fut arrêté et conduit au palais, où l'intendant ne manqua pas de l'interroger.

— Pourquoi avez-vous engagé un Sauvage pour passer les habitants de Beauport à Québec ?

— Parce que Le Passeur ne voulait pas me faire traverser au Passage.

— Il y a une raison à cela ?

— Vous n'avez qu'à lui demander.

Interrogé à ce sujet, Le Passeur expliqua les circonstances dans lesquelles le marchand Renaud avait voulu le contraindre de le faire traverser. L'intendant condamna le marchand Renaud à cinquante livres d'amende et autant pour dédommager Le Passeur.

Chapitre 25

Visite à l'Île-aux-Grues

Si beau soit le pays, ce sont ceux qui
l'habitent qui nous le font aimer.

Grâce à Marceau, le charpentier de navire, j'eus aussi, cet automne-là, le plaisir de voir comment on s'y prenait pour la pêche à l'anguille et surtout comment vivaient ses amis de l'Île-aux-Grues. Marceau m'y mena dans une barque qu'il allait livrer là-bas au seigneur du lieu. Nous quittâmes Québec en longeant la rive nord. Tout au long des côtes de Beauport, chaque habitant possédait ses pêches à anguille. Ce poisson a la curieuse habitude, à marée haute, de remonter vers la rive du fleuve et de s'y tenir avant que de s'en retourner avec le jusant.

Les habitants ont vite compris comment il leur serait facile de les prendre. Ils dressent sur le front de leur terre, à chaque extrémité, des claies de fascines qui obstruent le passage. Les anguilles suivent le rivage, se buttent à ces claies, tentent de les contourner vers le large, mais au bout, ces claies posées en rond les forcent à revenir vers la berge. Elles demeurent de la sorte prisonnières et tournent en rond jusqu'à ce que l'eau se retire, à la faveur de la marée basse. Il ne reste plus alors qu'à les ramasser à l'aide de bouteux et d'en remplir les charrettes à ridelles. C'est une vraie manne pour tous les habitants. Une fois salées et mises en barils, elles sont la nourriture quotidienne tout au long de l'hiver.

— Sais-tu, me dit Marceau, que l'anguille est la nourriture la plus abondante que nous ayons ici ?

— Tu me l'apprends !

— C'est une vraie monnaie d'échange : un baril d'anguilles contre quelques aulnes de tissu ; quelques fûts d'anguilles contre un cent de blé ; deux cents anguilles salées contre du bois de chauffage. Sans anguille, il y en a qui ne passeraient pas l'hiver. Avec ça que c'est un poisson délicieux.

— Qui ne vaut certes pas le saumon. Tu sais comme moi la façon que notre bonne Rosalie le prépare.

— Là, mon brave, tu compares du sucre avec du verjus. Ce n'est pas pareil.

— S'il y avait autant de saumons que d'anguilles !

— Nous serions bien sûr au septième ciel ! N'empêche qu'il y en a passablement devant Québec. Les Sauvages sont habiles à les attraper avec une espèce de harpon de leur fabrication qu'ils appellent un *nigog*. Ils en rapportent souvent des douzaines. Ils les pêchent surtout le soir, en les attirant par la lueur d'un feu bitumineux qu'ils entretiennent sur la pointe de leurs canots.

Des propos comme ceux-là me faisaient admirer encore davantage l'habileté de ceux qui nous ont précédés à trouver en tout la manière de faire qui permet d'apporter dans la vie, les mets, les hardes, les outils et tout ce qui facilite le bien vivre. Ainsi, cette barque, avec son unique voile qui nous mena ce jour-là en cette île, signifiait pour Marceau l'amitié. Moi qui ne connaissais rien à la construction des navires, je tentais de m'expliquer comment il s'y prenait pour, à partir de rien, réaliser pareille embarcation. Ce qui m'étonnait encore plus, c'était de voir avec quelle facilité il manœuvrait la barque si bien que le vent, qu'il soit de face, d'arrière ou de biais, nous menait allègrement vers notre destination. C'était pour moi un mystère qu'une embarcation puisse voguer même par vent contraire. Marceau souriait de me voir à la fois si craintif et si admiratif.

— Chacun son métier ! disait-il. Un charpentier de navire, à mon avis, doit savoir aussi bien les construire que les mener. Qui irait porter mes barques si je ne le faisais pas moi-même ?

— Le sieur Bécard sera heureux de recevoir celle-là.

— D'autant plus qu'il l'espère depuis près d'un an. Je ne peux guère en fabriquer plus de trois par année.

— Tu dois avoir des demandes pour des années à venir ?

— J'en ai bien manque ! Chacun doit attendre son tour. Il faut que je te raconte la dernière du bonhomme Renaud.

— Cestui-là, ma foi, est partout et…

Une bourrasque fit pencher l'embarcation, mon cœur battit la chamade. D'une main solide sur le gouvernail, Marceau la redressa et se mit à rire de mon désarroi.

— Ne crains rien, ça en prendrait pas mal plus pour nous mettre en péril. Que disions-nous donc ? Ah, oui ! Le bonhomme Renaud. J'allais te dire qu'il est venu me voir.

— À quel sujet ?

— Il voulait que je lui construise une embarcation. J'en avais déjà une en chantier et deux en promesse. Je lui ai dit : "Si vous avez la patience d'attendre un an." "Apprenez, jeune homme, que je n'attends pas, il me la faut dans trois mois." "Dans ce cas, allez voir quelqu'un d'autre." Il voulut aussi connaître les noms de ceux qui m'avaient demandé une barque. Je lui dis sans hésiter que ça ne le regardait pas. Tu aurais dû le voir monter sur ses grands chevaux : "Je le saurai bien ! Je le saurai bien ! Ce jour-là, tu regretteras de ne pas accepter ce que je t'offre pour m'accommoder tout de suite." Il brandit sous mes yeux quelques pièces d'or, qu'il remit aussitôt dans ses goussets. Avare comme il l'est, je savais bien que ce n'était là qu'un simulacre de sa part. Fort heureusement, il ne pouvait pas me faire chanter, parce que je n'étais pas de ceux qui lui devaient de l'argent.

Marceau se tut un moment. Il me montra au loin des défrichements sur l'île d'Orléans, dont nous longions la côte. Après un long silence, il reprit :

— Je ne t'ai pas raconté le meilleur.

Je savais qu'avec lui, les confidences venaient par bribes. Je me montrai patient.

— Quoi donc ?

— La barque dont j'entreprenais la construction trois mois plus tard avait été promise au sieur Desnoyers. Il m'avait décrit dans les détails ce qu'il attendait de moi. Au moment où j'allais la mettre en chantier, il m'arriva avec un tas de modifications qui faisaient que ce n'était plus du tout l'embarcation promise. Je le lui dis et lui précisai que le prix allait aussi changer à la hausse. Il m'assura qu'il paierait. Quand je fus en mesure de la lui remettre, il m'arriva en compagnie du bonhomme Renaud…

— Même s'il ne faut pas gager, je parierais que tu venais de fabriquer une barque pour le bonhomme Renaud.

— Tu as vu juste. J'étais si furieux que si Desnoyers n'avait pas été avec lui, je crois que j'aurais étranglé le bonhomme de mes propres mains. Il me paya, rubis sur l'ongle, avec sur les lèvres un sourire que je faillis lui effacer de la figure par une mornifle. Je ne te mens pas, je mis des mois à oser toucher l'argent sale reçu de lui, et c'est bien parce que j'en avais vraiment besoin.

Pendant que nous parlions de la sorte, aidée d'un bon vent de poupe, notre embarcation filait tel un oiseau au-dessus des vagues. Déjà se profilaient à hauteur d'horizon, à l'est de l'île d'Orléans, les premières îles de Montmagny. Marceau m'en indiqua les noms au fur et à mesure de notre progression. Si j'ai bonne mémoire, une de ces îles s'appelait l'île Madame, une autre l'Île-aux-Ruaux, puis nous aperçûmes les premières îles que d'aucuns appellent l'archipel de l'Île-aux-Grues. C'était là que nous allions, à l'endroit où s'élevait le manoir du seigneur Bécard. Notre atterrage y fut de courte durée. À peine eûmes-nous eu le temps de laisser la barque, et Marceau de toucher son dû, qu'il sautait déjà dans la chaloupe amenée en remorque pour notre retour, tant il avait hâte de revoir son ami le Provençal dont la maison s'élevait, loin des regards, sur la petite Île-aux-Oies.

Il fallait voir le bonheur se dessiner sur les traits du Provençal quand il reconnut Marceau. Ce dernier me présenta comme son ami et mentionna mon titre de notaire, ce qui eut l'heur de plaire à ce pauvre homme qui avait fort bien travaillé, puisqu'il était parvenu tout seul à se construire une chaumière qui, même petite, ne manquait pas d'allure. Elle tournait le dos au nord, montrant sur le sud sa face percée de deux petites fenêtres, les seules ouvertures sur le jour, hormis la porte. Le Provençal nous fit faire la tournée des lieux.

— Tu m'étonneras toujours, lui dit Marceau d'une voix admirative. Il n'y a que toi pour arriver à tout faire si bien en si peu de temps.

— Tu aurais fait tout pareil. Il le fallait bien, l'hiver par ici sans un toit c'est la mort, surtout avec une femme et un enfant. Je suis fort heureux que tu m'amènes un notaire, ajouta-t-il. Peut-être pourra-t-il régler ma situation.

— Si je peux faire quelque chose pour vous, dis-je, je le ferai avec plaisir.

— Je paierai, s'empressa-t-il d'ajouter, alors que je le savais plus pauvre que Job.

Il y a comme ça des gens qui se font un honneur de rembourser leurs dettes alors que d'autres oublient même celles qu'ils ont. Ce fut ainsi que nous passâmes cette nuit-là dans la pauvre chaumière de cet homme dont l'épouse trouva le moyen de nous nourrir d'une omelette aux herbes qui me fait encore saliver rien que d'y penser. Reprenant le temps, Marceau et le Provençal causèrent toute la soirée et jusqu'à fort tard dans la nuit. Le lendemain, au petit matin, le Provençal m'expliqua ce qu'il attendait de moi. Il espérait que je puisse convaincre le seigneur Bécard de lui concéder la pointe de la petite Île-aux-Oies, là où il avait bâti sa chaumière.

— Le seigneur doit bien te savoir là ?

— Il le sait, mais il ne fait que m'y tolérer, parce que ça l'arrange d'avoir quelqu'un sur la petite île pour dissuader les autres de s'y établir. Je le paye bien, au moyen d'oies blanches qui fréquentent ces lieux par milliers à l'automne. Si le paradis terrestre existe, c'est ici qu'il est, et c'est pour ça que je tiens mordicus à y rester.

— Nous allons nous arrêter chez le seigneur Bécard en passant et je ferai l'impossible pour que cette terre soit la tienne.

Ce fut ce que nous fîmes sur le chemin du retour. J'expliquai au seigneur tous les avantages qui étaient siens d'avoir quelqu'un d'honnête sur son île. Au début, il ne voulut point céder, puis, mes arguments ayant sans doute frayé leur chemin dans son esprit, il dit :

— Tu as peut-être raison. D'avoir un voisin connu et fiable vaut mieux que d'en hériter d'un contre son gré. Il faudra, jeune homme, que tu rencontres pour moi le notaire Becquet. Il a en main tous les papiers concernant la seigneurie. Je vais te donner un mot pour lui. Tu sauras bien lui expliquer la situation. Entre notaires, vous vous comprenez dans votre jargon.

— Je ferai le nécessaire. En tant que notaire seigneurial, je ne pourrais pas passer pareille transaction. Le notaire Becquet la fera dans les règles et ce pauvre Provençal sera bien récompensé pour son travail.

— En y pensant bien, avec cet homme sur place, c'est un avantage. Un seigneur qui ne concède pas de terre ne peut guère garder longtemps sa seigneurie et Dieu sait que peu d'hommes sont prêts à se fixer sur mes îles.

Sur le chemin du retour, Marceau me parla longuement du Provençal, qu'il enviait d'être si bien établi sans avoir à souffrir les autorités du pays, toujours à faire des lois aussi stupides qu'inutiles.

— Tu sais, m'informa-t-il, que le gouverneur est sur le point de défendre de couper des chênes sous peine d'amende à vous jeter un homme par terre.

— Pourquoi donc ?

— Pourquoi ? Pour les réserver à la construction des bâtiments du roi. Tu sais que ça prend des centaines de chênes pour un seul de ses vaisseaux ?

— Tant que ça ?

— Tant que ça ! Si jamais sa loi passe, je quitte Québec pour l'Île-aux-Grues, où je continuerai mon industrie. As-tu remarqué le nombre de chênes qui poussent sur ces îles ?

— Non pas !

— Moi si ! Je te garantis que loi pas loi, je continuerai à construire autant de barques que je voudrai avec de beaux bordages de chêne.

— Comment éviteras-tu que ça s'apprenne ?

— Rien de plus simple : je passerai des contrats verbaux, rien d'écrit, des plans entre l'acheteur et moi, aucun papier de notaire et payé en argent sonnant.

En disant ces mots, il me regardait avec le petit sourire narquois qu'il avait souvent au bord des lèvres. Comme pour ménager ses effets, il ajouta :

— Ne m'en veut pas, Marcellin, les notaires, moi je m'en sers à bon escient.

⁂

Ce fut ainsi que, petit à petit, je m'habituais à ce pays que j'aimais beaucoup, qui devenait de plus en plus le mien. Jusqu'à ce qu'en un instant tout se casse. À ça, j'arriverai, mais pas avant que je dise l'hiver, le printemps, puis l'été qui me fut si funeste.

Chapitre 26

Le retour de Le Noir

La peur s'installe en nous uniquement
si nous lui faisons de la place.

Nous n'avions pas revu le marchand Renaud depuis son altercation avec Le Passeur. Il nous envoyait chaque lundi, comme il le faisait toujours, le dénommé Sicard, lequel s'assoyait à une table de l'auberge et faisait le décompte des revenus de la semaine. Nous n'avions rien à redire, car cet homme muet et discret bougeait à peine de son banc et, ses comptes faits, repartait sans plus après nous avoir salués d'un léger coup de tête.

De son côté, Le Noir nous avait délivré de sa présence durant tout l'été, mais voilà qu'il réapparut juste avant l'hiver. Quand Bona le vit, je sus qu'entre ces deux-là la chandelle brûlait par les deux bouts. Ils étaient entre eux comme l'eau et le feu. À la différence de l'hiver précédent, parce que Bona était là avec sa musique, les habitués ignorèrent Le Noir, comme si la musique de Bona pouvait tout apaiser. L'auberge retrouva sa gaieté. C'était maintenant Le Noir qui disparaissait dès que Bona sortait son violon.

Tout alla parfaitement bien jusqu'à ce soir où, devant une auberge bondée, Le Noir apparut, fusil en main. Le silence se fit comme lorsqu'un condamné à mort arrive près de l'échafaud. Le Noir s'approcha de Bona jusqu'à le toucher du bout de son arme et s'empara du violon.

— Je t'avais dit que je ne voulais pas de ta musique. Tu as continué à me défier.

— La musique n'a jamais fait mourir personne.

— Si tu continues, elle t'emportera dans ta tombe.

Ces paroles firent frémir l'assistance. Il se fit un long silence, pendant lequel Le Noir posa le violon sur un banc. Toujours l'arme à la main, d'un bond, il fut sur le banc et se mit à danser sur le violon jusqu'à ce qu'il soit complètement en miettes. Il ricana, puis se tournant vers Bona, cracha :

— Ta musique vient de mourir, après ce sera toi !

Sans rien dire de plus, son arme pointée vers l'assistance, il regagna sa chambre en hurlant comme un loup pendant que mon ami Bona restait figé sur place, la rage au cœur, ne le laissant paraître que par un muscle qui jouait continuellement de sa mâchoire à sa joue.

Cette fois encore, l'auberge se vida en moins de deux. J'eus peur que Bona tente de se venger, mais il le fit à sa manière, en quittant l'auberge pendant deux jours. Il y revint avec un nouveau violon qu'il s'empressa aussitôt de faire chanter pendant des heures comme pour ameuter tout le monde. J'en sais beaucoup qui, au son de ce nouveau violon, durent sourire de toutes leurs dents et pousser le plus grand des soupirs. Je croyais, pour en avoir été témoin, que cette musique exorcisait leurs peurs. Je lui demandai où il avait pu se procurer ce nouveau violon.

— C'est mon ami, Martin Boutet, du Collège des jésuites, qui me l'a vendu. Il en possédait deux, il m'a laissé cestui-là parce qu'il ne s'en sert plus.

— Sauras-tu le faire chanter tout aussi bien que l'autre ?

— Sans doute, mais que Le Noir ne s'avise pas de me le vouloir détruire, il saura bien assez vite de quel bois je me chauffe.

Je n'avais jamais vu Bona parler de la sorte, avec, dans le regard, une flamme que je ne lui connaissais pas. Il tenta bel et bien, les soirs suivants, en faisant retentir son nouveau violon de ses plus beaux airs, de remettre à l'endroit ce qui avait été tourné à l'envers. Mais comme le dit si bien la fable de M. de La Fontaine, « On ne refait pas les pots cassés ». La Perrette du pot au lait en savait quelque chose, elle qui se croyait déjà riche avant même d'avoir vendu son lait. Bona s'obstina à jouer tous les soirs, mais l'auberge demeura vide tant que Le Noir y fut.

Je tentai, à maintes reprises, de connaître par Bona lui-même pourquoi le feu brûlait si vivement entre eux deux. Il resta muet comme un chêne, à croire que cet homme apportait avec lui le malheur. Je n'eus pas plus de succès avec Le Matou et Le Chauve. Quant au Passeur, il se tenait tout aussi loin de Le Noir que le faisaient Marceau et Faye. C'est toutefois Marceau qui daigna soulever un peu la couverte pour permettre à un filet de lumière de faire son chemin dans mon esprit. Il n'en dit pas beaucoup, mais suffisamment pour que je me fasse une petite idée.

— Qui, d'après toi, en notre coin de pays a le plus d'ennemis ?

— Je n'y suis pas encore depuis bien long de temps, mais il me semble que c'est le marchand Renaud.

— De qui à tes yeux Le Noir est-il l'ami ?

Je n'eus pas à répondre à sa question ; elle portait en elle-même la réponse.

Les malversations de Bonnard, la froideur du marchand Renaud et maintenant la rage de ce Le Noir me trottaient si bien en tête que je ne parvenais plus à retrouver la paix et le bonheur qui m'animaient depuis mon arrivée en ce pays. Pour recouvrer le tout, je courus à Charlesbourg chez le bon père Aveneau, pensant que, comme il l'avait toujours fait, il saurait mettre un peu de baume sur mes tourments. Je lui dis :

— Qui est ce Le Noir qui terrorise les gens ?

— Il travaille pour le marchand Renaud.

— Pourquoi les gens en veulent-ils tant à ce marchand ?

— Plusieurs l'envient d'être si riche.

Ses réponses évasives m'assurèrent qu'il ne parlerait pas. J'eus beau lui faire part de mes craintes, il ne fit rien d'autre, pour les apaiser, que de m'enjoindre de bien faire mon travail et de cesser de me préoccuper de ces hommes qui ne valaient pas la peine qu'on se donnait à se tourmenter à leur sujet.

Moi qui me proposais de lui faire part des malversations du notaire Bonnard, je sus que le moment ne se prêtait pas à pareille confidence. Je m'efforçai ensuite d'oublier tout cela comme le bon père me le conseillait, mais il n'est pas facile d'effacer ce qu'on a tous les jours sous le regard. Fort heureusement, sur les entrefaites, Le Noir vida la place et le bon père trouva le moyen de me divertir en d'autres choses.

Chapitre 27

La tournée des moulins

Il y a des hommes si incapables
qu'ils ne savent voir leur inutilité.

L'hiver entamait le gros de son parcours, janvier nous soufflait ses grands froids. Un midi, peu de temps après que j'avais été le voir pour lui raconter mes tourments, alors qu'à l'auberge se pointaient les habitués, arriva en même temps qu'eux le bon père Aveneau. Il partagea notre repas comme il savait si bien le faire, sans obliger Radegonde à mettre les petits plats dans les grands. Il était venu pour moi.

—J'ai, dit-il, quelque chose à te proposer qui devrait occuper tes mois de février et de mars. As-tu entendu parler du sieur Bonneval, pour tout dire Robert de Bonneval de la Tour penchée ?

—Non point !

—Ce monsieur est délégué du roi en Nouvelle-France pour faire rapport sur le fonctionnement du pays, tant de l'administration que de l'industrie et du commerce. Pour lors, il a terminé ses inspections un peu partout. Il n'espère plus qu'une chose : la venue du premier navire pour s'en retourner en France. Pour combler son temps, il a pensé faire l'inspection de tous les moulins à farine des alentours. Son secrétaire est indisposé par des maux de jambes qui ne lui permettent pas de réaliser ce travail.

— Ah, bon !

— Pour cette tournée d'inspection des moulins, il a besoin d'un secrétaire et j'ai pensé tout de suite à toi. Cette tâche, si tu l'acceptes, gonflera aimablement ta bourse.

— Il faudrait que je voie.

— C'est tout vu. Tu as déjà des connaissances sur les moulins, tu n'as certainement pas oublié tout ce que tu as appris là-dessus pendant deux années à notre école de La Roche-sur-Yon ?

— Pour sûr ! Ça m'est bien resté dans la tête.

— Pour cette tournée, ça te servira, tu n'auras pas à te demander ce qu'est une trémie, une lanterne ou une fusée, tandis que ce sieur de Bonneval, à ce que j'en sais, connaît des moulins aussi peu que point.

— Quelle sorte d'homme est-il ?

— Il n'est point méchant homme, mais il a ses manies auxquelles il faudra te faire.

— Mais encore ?

— Tu verras et tu devras vivre avec.

Voilà comment durant près de deux mois, en compagnie de cet homme, j'allai tous les jours d'un moulin à farine à l'autre, rédigeant un rapport aussi long qu'inutile. Je le rejoignais tous les matins au palais. Le charretier Bluteau, un petit homme jovial mais rempli de tics nous menait au moulin qui, ce jour-là, avait été choisi pour notre visite. Nous étions reçu à chaque moulin de manière polie, mais je sentais derrière les paroles et les sourires forcés des meuniers tout le désagrément que leur causait une telle visite.

À eux seuls, les déplacements du sieur de Bonneval dans les moulins constituaient une aventure. Il était mastas, joufflu, maniéré, à se demander s'il n'était pas moitié hahi, moitié haha. Il se déplaçait avec misère comme un poisson qui se débat dans la boue, halaisait, puis soufflait comme un phoque, suait tel un bœuf et empestait à la fois le vieux fromage et l'oignon. Il fallait nous y mettre à deux pour le pousser dans les étroits escaliers des moulins. Pendant tout ce temps, il émettait des petits cris de souris faits de « oh ! » de « hi ! » et de « ouf ! » que ça en faisait pitié. À chaque étage, il fallait s'empresser de trouver de quoi asseoir son précieux derrière. Il reprenait alors son souffle, tirait sa tabatière, reniflait, comme il disait, son petit morceau de pétun, jetait un coup d'œil désabusé sur tout ce qu'il voyait avant de me dire :

— Jeune homme, notez qu'il s'agit là d'un très beau moulin. Vous saurez y faire ?

— Je le saurai.

Comme il était fort empli de sa personne, il ne manquait jamais d'ajouter :

— Vous n'oublierez pas de bien mentionner que c'est là l'avis de messire Robert de Bonneval de la Tour penchée.

—Ne craignez point, je verrai à ce que personne ne puisse oublier que ce moulin a reçu votre visite.

À midi juste, il fallait installer monsieur dans la meilleure des chaises du moulin et lui apporter son dîner, qu'il faisait préparer par le cuisinier de l'intendant. Il lui fallait son petit verre de vin, sa petite serviette, son petit plat d'eau au cas où il aurait à y tremper ses doigts, et il était strictement interdit de lui parler.

Le premier jour, alors qu'il mastiquait lentement la bouchée de pain qu'il venait d'arracher en mordant à même une miche, je lui avais demandé :

— Comment trouvez-vous ce moulin ?

— Tout ce qui me préoccupe en ce moment, jeune homme, c'est de savoir si ce que je mange ne troublera point ma digestion. Veuillez donc attendre à l'avenir la fin de mon repas et de ma sieste avant de me poser ces questions aussi importunes que fâcheuses à entendre à qui déguste comme je le fais en ce moment une nourriture plus ou moins appropriée à sa personne.

La seule préoccupation de sa vie était sa grosse panse et son bien-être. Il fallait répondre à tous ses caprices, et ils étaient nombreux, et ne jamais montrer signe d'impatience. C'était un triste personnage imbu de sa personne et de son insignifiance. Il recommençait ce manège jour après jour, à chaque moulin visité.

Voilà comment furent occupés ces deux mois, à visiter des moulins, à accommoder ce sieur de Bonneval qui n'avait pas plus affaire dans un moulin qu'un marteau dans une salade. Je remplissais docilement mon rôle, touchais chaque semaine mes émoluments, mais ce que j'appréciais le plus, c'était que je me familiarisais avec le pays et, surtout, dans plusieurs de ces moulins, que je pouvais admirer le travail de mon père.

Au début, je n'y pensai pas. C'est le charpentier Lemire qui se chargea de me le rappeler lors de notre passage au moulin de la seigneurie de Maure.

— Marcellin Perré ? Tu ne serais pas le fils d'Arnaud Perré ?

— Je le suis en effet.

— Sache bien que ton père était un fameux charpentier de moulin. Tu vois celui où nous sommes ? C'est lui qui l'a construit et à peine ai-je dû venir ici plus d'une fois depuis pour y remettre en place quelque chose de défectueux. Crois-moi, ton père faisait de la bonne ouvrage, comme il aimait si souvent le répéter.

Sur ce, il me conduisit dans le moulin, me désignant tout ce qui s'y trouvait qui portait la marque de mon père.

— Tu vois ce bluteau ? C'est lui qui l'a fait. Et demande au meunier s'il en est satisfait.

Je n'eus pas besoin de le demander. Le meunier lui-même intervint :

— C'est le meilleur que je connaisse. Et s'il y en a des semblables dans d'autres moulins, ils sont certainement issus des mains de ton père.

C'est ainsi que je visitai Beauport, et sur la Côte-de-Beaupré, à la Rivière-aux-Chiens, le moulin du Château-Richer, dont les mouvements étaient l'œuvre de mon père, et ensuite ceux de l'île d'Orléans, de Québec, celui des hauteurs de Sillery, du Cap-Rouge, de la seigneurie de Maure, celui de l'Ancienne et de la Nouvelle-Lorette, sans compter celui de Charlesbourg, que je connaissais bien, et enfin celui du Bourg-Royal, pourtant tout près, où je n'avais encore jamais mis les pieds. Chacune de ces visites me permettait de mieux apprécier le pays et ses gens. J'eus le bonheur, au Cap-Rouge, de revoir pendant l'heure du dîner ma mère adoptive. Vraiment, n'eût été de ce Bonneval de malheur, j'aurais été heureux comme un roi.

Au moulin du Bourg-Royal, je fis la connaissance de Maurice Déry, qui en était le meunier, un petit homme râblé, fort comme un bœuf, des bras comme des fûts, des yeux vifs et pétillants, avec une forte moustache, accueillant comme pas un. Il trouva le moyen de me prendre à part, pendant que l'inspecteur reprenait son souffle après être monté à l'étage, pour me dire :

— Qu'est-ce que vient faire pareille gourde dans mon moulin ?

— Il se dit envoyé par le roi.

— Le roi aurait mieux à faire que de nous expédier un lourdaud de la sorte. A-t-il au moins fait enquête sur les marchands qui vivent à nos dépens ?

— Il paraît qu'il a enquêté.

— Si ses investigations sont à la hauteur de ses visites de moulin, il sera venu inutilement sur nos terres. S'il a questionné au sujet des marchands, le premier nom qu'il aura sur sa liste est sans doute celui du bonhomme Renaud. C'est le pire voleur que je connaisse. Le vaurien ! C'est un exécrable extorqueur. Il s'accapare de l'argent des bonnes gens par des prêts exorbitants. Quelle canaille ! La liste de ceux qui lui en veulent à mort, en commençant par moi, est aussi longue que mon bras.

Je n'étais pas étonné des propos du meunier, mais je voulais savoir d'où lui venait sa rancœur. Je lui demandai :

— Il t'a soutiré des sols ou a tenté de le faire ?

— À qui le dis-tu ! Mieux que ça ! Il m'est venu voir pour que je change en sa faveur l'ordre de mes moutures. Avec un bon coup de pied au cul, je lui ai fait voir la porte en moins de temps qu'il n'a eu pour la passer. Il n'a pas osé se plaindre au juge seigneurial non plus qu'au prévôt, sinon je le dénonçais pour concussion ou quelque chose du genre. Mon plus grand regret, c'est de ne point avoir de temps à moi pour le poursuivre. De toute manière, un pareil aigrefin ne vaut pas une minute du temps d'un honnête homme.

— Serais-tu étonné si je te disais qu'il a fait la même chose au moulin de Faye ?

Encore tout frémissant du souvenir de cette visite, je le vis s'indigner davantage.

— Il a osé le faire ailleurs ? Dans quel temps vivons-nous si nous devons endurer pareille pourriture !

Fort indigné de la conduite du marchand, le meunier Déry ne l'était guère moins de celle du sieur Bonneval. Il me le désigna d'un signe de tête. Notre homme était affalé sur une chaise, les pieds étendus devant lui sur un banc, la panse en l'air, il digérait en ronflant son dîner bien arrosé.

Le meunier murmura à mon intention :

— Il y a des coups de pied au cul qui se perdent.

Ne voulant pas attiser davantage son humeur, je répondis :

— Que veux-tu ! C'est comme ça.

— C'est de même parce que nous le voulons bien. Quand des incapables comme ce ferlampier nous arrivent de France, nous devrions les retourner aussitôt par le premier navire venu.

Nous en étions là de nos propos quand le sieur de Bonneval, sans doute très las de sa visite, daigna se lever. Nous reprîmes le chemin de Québec. Le charretier me laissa à l'auberge en y passant. Tout au long du trajet de retour, me revenaient en mémoire les propos du meunier touchant le marchand Renaud. Je mesurais à quel point certains hommes sont, pour les autres, une vraie calamité.

Pendant tout ce temps, à l'auberge, la vie continuait. Les habitants de la seigneurie Notre-Dame-des-Anges s'accommodaient de ce que je ne pouvais travailler pour eux. C'était heureusement, à cause de l'incommodité des routes, la période où les contrats se faisaient plus rares. Ils me tombaient dessus les samedis et les jours où le temps plus ou moins certain incitait le sieur de Bonneval à ne pas se déplacer, ce qui, j'en conviens, était le cauchemar de sa vie et me servait bien dans mes affaires.

Il ne fit que deux visites durant le mois d'avril et ne voulut rien entendre de se rendre aux Trois-Rivières ou à Montréal. Il n'avait qu'une chose en tête : voir paraître le premier navire venu de France afin d'y monter et fuir ce pays de la Nouvelle-France qu'il abominait.

Tout cela nous mena à la fin de mars. La nature fit consciencieusement son travail. La rivière se mit à laisser paraître quelques rides à travers ses glaces ; les arbres des forêts avoisinantes se débarrassèrent peu à peu de leur cape de neige ; quelques oiseaux nouvellement arrivés nous firent la joie de leur visite. Ils s'ébattirent ensemble dans les arbres, qu'ils garnirent en un instant comme des feuilles, nous donnant un avant-goût de l'été. C'était un plaisir de nous lever avec le jour rempli du chant des merles et des pinsons.

Vers Québec, le fleuve souleva doucement ses glaces en même temps que les jours allongeaient leur clarté. Mine de rien, la nature nous préparait son plus beau cadeau. Elle sortit de son sommeil à la fin d'avril pour nous offrir le miracle de ses feuilles et de ses fleurs. Pendant ce temps, dans le ventre de ma Radegonde, un fruit poussait qui allait bientôt être mûr à point.

Chapitre 28

Cocasseries de la vie en Nouvelle-France

Ceux qui ont l'autorité n'en héritent pas
toujours avec le jugement.

Le vent, surtout par les froids d'hiver, nous gratifiait de sons venus d'assez loin. Parfois, nous entendions nettement les tintements de l'angélus au clocher de Charlesbourg. Un midi de fin d'avril, alors que le soleil apportait sa bonne chaleur et que le vent soufflait dans notre direction, le glas sonna au loin. Je me demandai aussitôt: «Qui est passé du côté des morts?»

Radegonde avait entendu elle aussi. Comme si elle devinait mes pensées, elle dit:

— C'est le vieux père Pépin. Il paraît qu'il a trépassé d'un manque d'air.

— De qui tiens-tu ça?

— D'Honorine, quand je suis allée au moulin à matin pour la farine. Tu sais bien qu'elle est notre nouvelliste. Au moulin, elle est bien placée pour ça, elle l'aura su de quelqu'un qui descendait à Québec.

La vie et la mort, dans ce pays, faisaient proprement leur travail.

⁂

Même si nous n'étions pas beaucoup à y vivre, dans ce pays, il s'y passait des choses parfois fort divertissantes. Il y eut, au cours du printemps, le charivari ou carimalot donné à l'encontre du sieur Poujade, âgé de plus de cinquante ans, ayant osé mettre le grappin sur une fille de vingt ans, l'enlevant du même coup à tous ses soupirants. Ils voulurent, tout naturellement, venger cet affront. Ils n'admettaient pas qu'elle soit passée à Pâques avant Carême et que ce Poujade attrape une jeunette. Ils derlinguèrent pendant plus d'une semaine, de soir et de nuit, autour de la maison dudit Poujade. De telles manifestations, sans être monnaie courante, se répétaient, paraît-il, assez souvent en ce pays. Le Matou qui, en ce genre d'affaire, s'y connaît comme pas un, trouva un malin plaisir à me le raconter.

— Tout le monde arrive là avec chaudrons, bâtons, bouteilles, de quoi barailler le plus possible, mais surtout avec en tête tout ce qui peut apporter un grand plaisir sans rien briser d'autre que le silence. Tu peux me croire, puisque pour celui de Poujade, j'y étais.

— Je suppose que tout cela se fait en présence de celui qu'on charivarie ?

— Bien sûr ! On attend que le sieur en question soit couché, puis on le réveille à grands cris, coups de baguette sur fond de chaudron, quolibets, rires, chansons de circonstance, de quoi réveiller les anges eux-mêmes.

— Il y a des meneurs ?

— Ça se fait tout seul. Chacun y va de ses cris et de ses inventions. On processionne autour de la maison en frappant à tour de bras sur les chaudrons. D'aucuns récitent des litanies à n'en plus finir en choisissant tous les mots qui peuvent être insultants. Pour Poujade, ça ressemblait à ça : "Sancte berquignot ! Ora pour Poujade. Sancte marcacha ! Ora pour Poujade. Sancte harilleur ! Ora pour Poujade. Sancte arbalan ! Ora pour Poujade. Sancte noirchibot ! Ora pour Poujade." Chacun y allait de tout ce qui pouvait lui passer par la tête : butas, fallipoux, guerpelé, calefessier, taribondin…

— Les voisins ont dû se plaindre tout autant que le sieur lui-même ?

— Poujade n'aurait jamais osé sortir de sa tanière ! Ce sont les voisins qui, après deux nuits de cet enfer, allèrent se plaindre aux gendarmes. Le troisième soir, ils se pointèrent, mais tout le monde avait déguerpi. Le lendemain, à deux heures de nuit, le vacarme reprit.

— Si je comprends bien, un charivari ne finit que quand tout le monde se lasse.

— Mais aussi quand l'évêque s'en mêle, en menaçant d'excommunication quiconque se permettra encore de tels débordements. C'est ce qui est arrivé pour Poujade. Forcément, les choses se sont apaisées et le mariage a eu lieu. Il a bien fallu s'en contenter, comme un chien le fait d'un os sans viande.

Le charivari était à peine terminé qu'un autre événement, non moins cocasse, prit le dessus et ne manqua pas d'occuper, un temps, toutes les chaumières. Ce fut le mariage de l'écuyer Du Moulin avec celle que les gens appelaient affectueusement la Gertrude, une des filles d'un bourgeois de Beauport que tous connaissaient pour son bon cœur, ses coups de tête hors du commun, son goût à gergauder et ses parures qui la faisaient toujours calamistrer comme une princesse.

Personne ne fut surpris d'apprendre son dernier esclandre, et que le jeune Du Moulin avait su l'affronter. Elle s'était vite éprise de lui, amomie à ne plus en voir clair. Il est vrai que c'était un beau jeune homme au début de la vingtaine, fils de famille, de bonnes manières, signature – avec « pataraphe », au lieu de « paraphe », comme d'aucuns disent pour se moquer –, arrivé ici dans des conditions nébuleuses qui sentaient vraiment l'exil, plus ou moins volontaire, loin de la famille. Il avait dû, comme d'autres, être mis à la chaîne par un père outré, sans avoir d'autre choix que de suivre. Pour lors, il vivait d'expédients, sans le sou, sans parents, sans amis, seul au pays comme un naufragé sur une île déserte. La Gertrude, dont les parents n'étaient pas à plaindre, le faisait vivre et avait décidé de l'épouser.

Tout aurait été parfait dans le meilleur des mondes s'il n'y avait pas eu le méchant curé de Québec, car, il faut bien le dire, le curé, en cette affaire, ne fit guère autre chose que montrer son mauvais caractère et sa tête de mule à ne pas vouloir démordre de ses exigences pour le moins exagérées. Ce curé s'était mis dans la tête, et comme le prétendait Le Matou, quand il avait quelque chose là, ce qui était plutôt rare, il n'en démordait pas facilement, que le jeune Du Moulin n'était autre qu'un fripon. Il prétendait que ce jeune homme ne pouvait pas faire autrement que de s'être déjà marié en France. Convoqué devant lui, le jeune Du Moulin, à ce que j'appris, se défendit comme un animal pris au piège. Il est vrai qu'il était plutôt las de devoir défendre ce qui pour lui était une évidence.

— Je ne suis point marié en France. Est-il nécessaire d'avoir réussi sa théologie pour le comprendre ? Vous l'avez sans doute réussie, vous me croirez bien.

— Dans ce cas, c'est facile pour vous de le démontrer par des amis ou des connaissances. Ils n'ont qu'à se présenter devant moi et certifier, la main sur le Saint Évangile, de votre liberté en mariage.

— C'est que, pour pouvoir le certifier, je n'ai personne en ce pays qui m'ait connu en France.

Le curé le savait fort bien et se réjouissait de voir se retrouver dans un tel cul-de-sac ce jeune homme qu'il détestait sans trop pouvoir s'expliquer pourquoi. Il ne souriait pas, mais presque, quand il répondit :

— Eh bien ! Il vous faudra attendre qu'un navire arrive et que deux personnes vous connaissant viennent nous le confirmer sous serment, ou encore que deux personnes dignes de confiance nous fassent parvenir chacune une lettre contenant une preuve écrite de votre non-mariage en France.

— Comment voulez-vous que j'obtienne réponse avant un an ? Croyez-vous que je puisse éterniser jusque-là ce mariage ?

— Il le faudra bien. C'est ainsi que l'Église l'exige.

— Même si je jure sur la tête de ma mère que je ne suis point marié en France, ça ne vous suffit pas ?

— Qui m'assure que vous dites la vérité ?

— Est-ce que je mentirais sur la tête de ma mère ?

— On a vu des mensonges pires que celui-là !

— Et si je le jure sur les Saintes Écritures ?

— C'est pareil ! D'aucuns le font qui mentent comme des effrontés.

— Je ne suis point menteur.

— C'est vous qui le dites !

À bout d'arguments, en présence de ce curé qui n'en voulait point démordre, le jeune homme, incapable de satisfaire aux exigences ecclésiastiques, ne se découragea pas pour autant. Le printemps approchait, un premier navire allait bientôt arriver, il y avait peut-être moyen de berner ce curé de malheur. Ne me demandez pas pourquoi il me vint voir pour tenter de me rendre complice de ce qu'il désirait faire. Sans doute parce que, comme je suis notaire et que je possède du bon papier et des sceaux, il pensait pouvoir faire passer pour authentique la missive dont il avait préparé le brouillon. Il m'arriva un bon midi, en secret, l'air inquiet.

—Monsieur le notaire, je vous veux parler seul à seul, le plus vite que faire se peut.

Devant son air inquiet, je l'introduisis aussitôt dans mon étude, ne sachant trop à quoi m'en tenir. En chuchotant, il me dit :

—Je compte faire croire que j'ai reçu deux lettres de France par le premier vaisseau venu, ces deux lettres démontrant ma liberté au mariage. Pourriez-vous transcrire sur papier le brouillon de la missive que voici et signer du nom du notaire Boulerice de Paris, avec un sceau certifiant son authenticité ?

—Tu me demandes là, jeune homme, non seulement de rédiger, mais même d'authentifier un faux. Comment peux-tu me croire assez nonole ou godiche pour jouer le jeu ?

—C'est que votre écriture est encore peu connue en ce pays.

—Tu sais que je te pourrais faire arrêter pour pareille tentative de corruption ? Vu ton jeune âge et le malheur qui te frappe, je ne te dénoncerai pas, mais tu devras compter sur quelqu'un de plus malhonnête que moi pour réaliser ton entreprise.

Devant mon refus et poussés dans leurs retranchements, les deux amoureux décidèrent d'ignorer le méchant curé de Québec et se présentèrent devant celui de Beauport. Ils n'eurent pas plus de chance de ce côté-là qu'ailleurs, si bien qu'ils ne voyaient pas de lumière au bout de leur fanal quand un ami leur dit qu'il avait pour eux la solution idéale en pareil cas.

Les voilà tous les deux qui se présentent avec leurs témoins à l'église de Beauport, un beau jour que le curé se préparait à un mariage. Ils restent dans l'ombre jusqu'au moment où le curé demande aux mariés leur consentement. Ils se lèvent et répondent tous les deux un « oui » en même temps que les deux autres, après quoi, ils se disent bel et bien mariés. Informé de l'affaire, le curé de Québec en parle à l'évêque. Le dimanche suivant, à la grand messe, l'évêque déclare :

« J'ai ouï dire que deux jeunes gens de ce pays se sont permis de ridiculiser le sacrement de mariage en se présentant à Beauport pendant la célébration d'un mariage. S'ils croient que le "oui" qu'ils ont dit en même temps que les vrais mariés leur permet d'être eux aussi unis par les saints liens du mariage, qu'ils sachent que leur "oui" ne vaut pas plus que de la bouillie pour les chats. Je tiens, par la même occasion, à aviser tous ceux qui prétendraient agir de la sorte à l'avenir qu'ils seront passibles d'excommunication comme le sont les deux qui viennent de le faire. À moins d'une rétractation officielle de leur part, cette excommunication prendra effet dans la huitaine. »

Les deux tourtereaux se présentent le lendemain, rien de moins que chez monseigneur l'évêque lui-même, pour l'informer de la façon dont le curé les a traités. L'évêque s'entête. La nouvelle fait le tour de Québec et de toutes les paroisses avoisinantes. Les parents de la Gertrude, des mieux considérés en ce pays, interviennent à leur tour, si bien que toute la ville et la région rient sous cape, tandis que l'évêque et le curé ont l'air de deux pigeons pris sous la pluie.

Nos prêtres étaient, en général, de bonnes personnes, mais d'aucuns, comme le curé et l'évêque, étaient tellement imbus d'eux-mêmes qu'ils ne pouvaient pas souffrir qu'on ne pense pas comme eux. Pour devoir se desmander, ils eurent à piler sur leur orgueil et ce ne fut certes pas facile. L'évêque leva sa menace d'excommunication. Il laissa passer quelque temps puis, en douce, décida de marier les deux tourtereaux pour de bon et de vrai à l'église, à condition que ne les accompagnent que leurs témoins. Pour le malheur de ces gens de robe, ce secret se répandit comme l'eau d'une fontaine trop pleine. Je l'appris de la bouche du Matou et du Chauve.

— Tu ne sais pas ce qui arrive à la Gertrude et son beau Du Moulin ? me demanda Le Matou.

— L'évêque menace de nouveau de les excommunier ?

— Non pas ! Au contraire, il a décidé de les marier.

— Vraiment ? Voilà une bonne nouvelle ! Enfin, ils agissent en hommes raisonnables.

— Ce n'est pas tout, poursuivit Le Chauve. Il va les marier uniquement en présence de leurs témoins.

— Quand on est mesquin, dis-je, on l'est jusqu'au bout.

— Mais tu n'as encore rien vu, ajouta Le Matou. Attends de voir ce qui va se passer le jour du mariage.

Le jour de la cérémonie arrivé, tout le monde se donna le mot en secret. Par dizaines, ils se massèrent sans bruit à la porte de l'église, une fois la cérémonie commencée, puis entrèrent d'un coup comme une grande tourmente de vent juste après le consentement, quand l'évêque ne pouvait plus revenir en arrière. L'église en était pleine. L'évêque fut bien forcé de ravaler ses menaces d'excommunication, alors que tout ce beau monde commençait déjà la noce au sortir même du temple, et surtout que l'histoire, elle, amorçait son tour du pays.

Voilà à quoi souvent mène la méchanceté. Elle finit toujours par se retourner contre son auteur. J'ai cherché dans les fables de M. de La Fontaine quelque chose qui conviendrait à pareille aventure. Point n'est besoin de vous dire que j'en ai trouvées à plein, comme celle des *Deux Taureaux et une Grenouille*, qui se termine par cette maxime : « Hélas ! On voit que de tout temps, les plus petits ont pâti des sottises des grands. » Mais il y avait aussi, pour s'appliquer à cette affaire, celle du *Rat et l'Huître* : « Tel est bien pris qui croyait prendre», ou encore celle de la *Poule aux œufs d'or*: «On hasarde de tout perdre à vouloir trop gagner.» Si j'avais été méchant, j'aurais affiché ces maximes à la porte de monseigneur l'évêque de Québec. Et si je l'avais été plus encore, à toutes les portes de nos églises et de nos moulins, afin que personne ne les ignore. Mais je suis bon de nature et je préférai me plier à la sagesse de la fable *L'Oiseleur, l'Autour et l'Alouette*:

Les injustices des pervers
Servent souvent d'excuses aux nôtres.
Telle est la loi de l'univers;
Si tu veux qu'on t'épargne, épargne aussi les autres.

Chapitre 29

L'arrivée de Fanchonette

La naissance comme la mort
sont des commencements.

Les enfants choisissent, paraît-il, leur temps pour naître. Le nôtre, pour se présenter au monde, préféra la nuit au jour. Depuis deux semaines, avril nous faisait de plus en plus espérer la vie nouvelle quand, au moment où nous nous apprêtions à fermer les feux pour la nuit, Radegonde dit, comme ça, bien calmement, comme si c'était une chose qui survient tous les jours:

—Je crois que ça va y être!

—L'enfant sera là bientôt?

—C'est ce qu'il me dit en poussant fort pour venir.

J'étais si démené que j'en perdis mes moyens. C'est la vieille Rosalie qui me remit dans la réalité.

Heureusement, elle s'y connaissait en naissances; je pouvais partir, elle saurait sûrement y faire si jamais je ne revenais pas à temps avec la sage-femme. Je courus au moulin chercher la cavale et la carriole du meunier pour me précipiter à Charlesbourg quérir l'accoucheuse. Par précaution, Honorine passa trouver Rosalie à l'auberge.

Dans la neige fondante, le chemin défonçait de toute part, je craignais à chaque instant que la voiture ne cante et tombe dans une alisée, je me sentais ballotté comme un radeau au milieu d'un rapide. La cavale peinait dans les montées, puis elle continuait vaillamment son travail. Elle finit par prendre son allure, pendant que je m'efforçais de maintenir en vie le falot que le vent tentait d'éteindre à chaque minute. Moi qui ne suis pas superstitieux, je me racontais dans ma tête que si je parvenais à le tenir allumé jusque chez la sage-femme, le bébé naîtrait et continuerait de vivre longtemps pour notre plus grande consolation. Si le falot s'éteignait, le nouveau-né risquait de mourir alors même que tout juste arrivé. Le ciel, j'en étais certain, viendrait nous le ravir. C'est comme ça que nous nous faisons des idées fausses qui finissent par grandir, comme les boules qu'on roule dans de la neige molle.

Je pressais la cavale, j'avais le cœur qui débattait dans mes souvenirs au défilé de toutes les histoires de naissance que je connaissais. Étonnamment, celles que j'avais retenues étaient les plus difficiles, celles qui se font dans les pires conditions et les plus affreux tourments. Je me disais que nous sommes curieusement faits à ne retenir que le pire. Toutes les naissances faciles, heureuses, quand la mère se délivre comme une chatte, je les avais d'un coup oubliées.

C'était tout cela qui me trottait dans la tête pendant que j'accourais quérir celle qui savait accueillir la vie comme d'autres savent donner la mort. La vie et la mort ne me quittaient pas l'esprit, comme deux amies qui nous tiennent par la main. J'arrivai enfin au trait-quarré. Marie l'accoucheuse était fort heureusement là, où elle vivait dans une vieille maison qui faisait presque ruine. Habituée à se faire envahir en pleine nuit tout autant que dans le plein jour, elle ne maugréa même pas quand, en réponse à mes coups, elle se présenta à la porte de sa chaumière. Un marcou, qui attendait qu'elle ouvre pour sortir, me passa entre les jambes. Je fis le saut, l'accoucheuse en rit à se pâmer. Quand elle eut repris son souffle, elle dit :

— À vous voir l'air, monsieur le notaire, c'est pour une délivrance, dit-elle.

— Oui, ma Radegonde a crevé ses eaux.

— Espérez-moi, j'arrive dans la minute !

Je l'attendis dans la voiture en jonglant à ce mot de délivrance qu'elle venait tout juste de dire. Je songeai qu'il va bien aux deux bouts de la vie, à la naissance comme à la mort. Ces deux mots, vie et mort, quoique continuellement liés, n'ont pas la même mine. L'un est le commencement, l'autre la fin ; c'est tout ce qu'il y a entre les deux qui s'appelle vraiment vie.

L'accoucheuse me rejoignit au bout d'un court moment avec en main des objets de son métier que je ne pourrais même pas dire ce qu'ils étaient tant je me sentais près d'éclater. Pour me calmer, l'accoucheuse me raconta au long du trajet tous les beaux accouchements qu'elle avait menés.

— J'en ai vu des enfants naître, des beaux comme des pas beaux, mâles comme femelles. La plupart du temps, ils nous tombent dans les mains comme des fruits murs.

— Ceux qui donnent de la misère, vous n'en parlez pas ?

— Lesquels donnent de la misère ? Il y en a presque si peu que point. Ceux qui font des mauvaises surprises, je pourrais les compter sur les doigts d'une seule main. Les femmes de par icite sont des femmes fortes. Elles savent donner naissance à des enfants forts.

— Pourtant, beaucoup de petiots meurent avant l'âge d'un an ou deux.

— Ce n'est point à cause de leur naissance. C'est bien parce qu'il y a des mères qui ne savent pas les protéger comme il faut. Les enfants de par icite meurent bien plus d'un coup de froid que d'autre chose.

Sentant que ses paroles ne m'avaient guère rassuré, comme nous parvenions à l'auberge, elle me fit quelque peu la leçon.

— Vous autres les hommes, quand un enfant va naître, vous ne devenez pas plus utiles dans la maison. Allons, ne vous en faites pas, j'en ai vu d'autres. Mettre un enfant au monde n'est pas une maladie, c'est tout juste un dur moment à passer, suivi d'une des plus grandes joies qu'il y a ici-bas.

— Je sais, je sais, mais on se sent si inutile quand on ne peut rien faire.

— Tout ce que vous avez à faire est de ne pas vous mettre dans nos jambes.

— Rassurez-vous, je ne serai pas une nuisance.

Quand, enfin, je me pointai à l'auberge avec l'accoucheuse, le travail était déjà fait. Rosalie et Honorine n'avaient eu qu'à cueillir l'enfant que ma douce Radegonde avait mis au monde, comme on dépose un cadeau dans une main tendue. Je me demandais bien si ce serait un gars ou une garce. C'était une garce qui avait les yeux de sa mère et le menton de son père, avec des cheveux aussi noirs que la nuit. J'en fus quitte pour aller reconduire l'accoucheuse à sa méchante maison de Charlesbourg. C'est ainsi que j'avalai la nuit entière pour me retrouver au matin, soleil levant, avec dans les mains un petit paquet de hardes qui criait plus fort que la cloche de l'église, mais prenait déjà plus de place dans ma vie que le bâtiment tout entier.

Le lendemain, le bon père Aveneau la baptisa Françoise : elle eut pour compère Le Passeur et pour commère la bonne Honorine. Pour moi, ce fut tout de suite ma Fanchonette.

Chapitre 30

Cochon raisonnable et vache immortelle

Quand la fin approche,
vient le moment de tout donner.

Nous donnons naissance et bientôt nous ne nous appartenons plus, les enfants empruntent tout le meilleur de nos vies. Nous les laissons faire parce que nous savons fort bien qu'ils seront notre mémoire, nos bras et nos jambes quand le vieil âge nous aura courbé le dos. Ce qui me fait dire ça, c'est précisément que quelques jours à peine après la naissance de la Fanchonette, toute une famille, celle des Allard, ceux de la seigneurie, m'arriva sans autre avertissement, tel un refroidissement en plein été.

Le père et la mère marchaient du même pas mal assuré. L'âge les avait rejoints tous les deux, comme le grand voleur de gestes qu'il est. Les enfants suivaient : l'aîné s'avançait en premier, l'air contrit, comme s'il se reprochait la démarche qu'il faisait, ainsi que l'âge et la fatigue de ses parents ; la bru, la future maîtresse de maison, se faisait toute petite pour se faire oublier ; les autres venaient, derrière, l'air un peu contrarié de devoir assister à cette affaire qui les concernait pour le moins tout autant que leur frère.

— On vient pour la donaison, bredouilla le vieux.

— À vous voir en si grand nombre, dis-je, je l'avais deviné.

— C'est moé qui donne, c'est moé qui décide, insista le père.

— Soyez sans inquiétude, je suis au fait de tout ça, j'ai l'habitude.

Le vieillard voulait s'assurer que tout allait se passer selon sa volonté. Il insista :

— Je veux ben donner, mais pas tout d'un coup.

Me désignant l'aîné de ses fils, il dit :

— C'est cestui-là qui va recevoir. Il le veut ben et moé itou, mais je vas continuer à travailler et labourer à ma façon.

— Ne vous inquiétez pas, nous allons arranger ça de belle manière, vous n'aurez pas à vous plaindre.

Tout ce beau monde envahit l'auberge pour être témoin de l'acte de donation. Je m'installai à une table de la grande salle avec tout autour le père, la mère, les garçons et leurs femmes, les filles et leurs maris, sans compter les plus jeunes qui couraient partout ou se cachaient dans les jupes de leur mère.

À son habitude, Radegonde, qui avait déjà retrouvé ses moyens, leur servit un rafraîchissement. L'âtre jetait sa bonne chaleur, tout était en ordre pour rédiger un brouillon d'acte. Je m'assurai d'abord de bien noter les noms des parents et du fils qui en prenait charge. Dans ce genre de document, chaque mot est important. Ce sont tous les désirs des parents qui coulent sur le papier. Les vieux ne donnent pas leurs biens sans réticence. Ils tiennent à ce que les choses soient faites une fois pour toutes et bien faites. Ils ne sont pas très familiers avec ce genre de commerce et, comme notaire, nous avons à les guider justement.

Je demandai d'abord au père ce qu'en retour du don de ses biens il désirait avoir.

— La chambre dans le coin avec tout autour des rideaux pour la séparation, avec le lit et le bahut.

Telle fut sa première réponse, sortie d'entre ses dents comme un coup de mousquet. Je notai le tout, le vieux attendit que je lève la plume, il paupilla et dit ensuite :

— Une livre de tabac par mois pour moé et une demi-livre pour ma femme Rose-Aimée. Aussi, de l'eau-de-vie pour un peu tous les jours.

Au fur et à mesure qu'il exprimait ses désirs et ceux de son épouse, j'écrivais, m'attendant à chaque instant à ce que le fils intervienne pour donner son idée. Mais il restait bien coi, comme tous les autres. Cet homme qui se donnait de la sorte demeurait le vrai patriarche de la famille à qui on obéissait sans berlander.

— Vous avez d'autres exigences ?

— Ben manque !

— C'est le temps ou jamais de les dire.

— Je veux un habit neuf par cinq ans pour moé, par trois ans pour Rose-Aimée, avec, pour elle, une coiffe neuve par année.

Je notai cette dernière demande en attendant les suivantes. Mais le vieux semblait avoir oublié tout ce qu'il désirait réclamer. Je fus contraint de l'aider.

— Fort bien ! Mais vous en oubliez et du plus important.

— C'est vous, monsieur le notaire, qui savez.

— Vous allez bien continuer de manger.

— Ha ! Créié ! C'est vrai ! Une vache pour le lait et un cochon gras par année.

C'est à ces mots que le fils réagit.

— Son père, dit-il, je peux pas promettre ça ! Si les récoltes sont mauvaises, le cochon risque de pas être gras.

À ces mots, je vis toute la famille porter attention. Le fils avait osé contredire son père. Ça devait être une des rares fois que les choses se passaient ainsi parmi eux. Je vis les uns se ranger du côté du père, les autres du côté de leur frère et enfin quelques-uns se tenir bien cois, ne penchant ni d'un bord ni de l'autre. Froidement, le père dit :

— Cette donaison se fera comme je l'entends : le cochon de chaque année devra être bien gras, pas un norritureau.

Il comptait là-dessus pour sa subsistance, et quoi de mieux qu'un cochon pour cela : le lard, le boudin, les saucisses, le ragoût de pattes, la tête fromagée, les cretons, le jambon. Un cochon bien dodu et bien gras, c'était de l'or, le bonhomme le savait fort bien, il ne voulait pas en être privé au gré des récoltes. Le fils tenait à son idée. Je sentais la colère monter de part et d'autre. Il me fallait faire vite pour éviter l'éclatement. Je m'empressai de dire :

— Il y a sûrement moyen de moyenner.

Mon intervention fit tomber d'un coup leur courroux comme un soufflé qui se dégonfle. Je leur dis :

— J'ai, dans ces affaires-là, l'habitude de trouver le mot qu'il faut. Seriez-vous d'accord si j'écris : "Le fils donnera chaque année à son père, un cochon raisonnable." ?

Je les vis tous soupirer. Le « cochon raisonnable » venait de gagner la guerre. Ils s'entendirent bien ensuite pour que la vache annuelle soit « immortelle ». Si elle venait à mourir, le fils se devait de la remplacer. Il convint sans problème à être fidèle à conduire son père et sa mère à l'église les dimanches et fêtes et à les ramener comme il se doit, sans détour, à la maison.

Satisfaits de part et d'autre des conditions de la donation, ils quittèrent l'auberge ensemble, en rangs serrés autour de leur patriarche. J'évoquai ce moment qui, un jour, fatalement, se présenterait pour moi. Je me voyais assis devant le notaire entouré de tous les miens : j'en avais le cœur serré. Ainsi, me disais-je, va la vie. Heureusement pour moi, ce temps était encore loin.

Chapitre 31

Une journée à la cour

Le menteur finit toujours par
s'enfarger dans ses menteries.

Alors que le printemps prenait de plus en plus de place avec l'arrivée des premières grandes oies et des canards, je fus mandé par le juge seigneurial pour confirmer ma signature sur un document présenté en cour. Aussi étonnant, que ça puisse paraître, je ne connaissais pas encore le juge seigneurial. Je l'avais entrevu quelquefois à la messe, mais c'était un solitaire. Il ne se mêlait pas aux gens en fin de célébration, peut-être pour ne pas donner l'impression de trop de familiarité avec l'un ou l'autre et compromettre son impartialité dans ses jugements. Après avoir confirmé que le document présenté, une vente de terre, était bien écrit de ma main, j'eus la curiosité d'assister à ses audiences de cette matinée-là.

Bien malgré moi, je m'amusai à entendre les témoignages des personnes impliquées dans la première cause : une chicane de bonnes femmes pour des fraises.

Interrogée la première à savoir ce qui l'amenait devant le juge, une femme, une mère-grand sans doute, à en juger par ses rides, se mit à se plaindre que les temps avaient bien changé.

— Il n'est plus possible de nos jours de cueillir des fraises en paix.

— Venez-en aux faits, madame. Racontez en commençant par le début.

— C'était à peu près la Saint-Jean quand avec ma bru, on fit comme toutes les autres années. Avec nos sieaux, nous voilà en route vers la Petite-Auvergne où, pas loin, nous connaissons un endroit plein de fraises des champs. En passant à la Petite-Auvergne, celle qui est là avec sa coiffe neuve et me regarde comme si j'étais une apparition nous crie : "Vous allez où comme ça ?" "À nos affaires." "Ça serait pas plutôt aux fraises dans nos talles et dans nos champs ?" Nous ne répondons pas à ses cris, nous poursuivons tranquillement notre route. Mais voilà que ma bru se retourne et me prévient que nous sommes suivies par trois femmes, dont une avec une gaule, grosse comme trois doigts liés, et un chien qui montre déjà les dents. Je dis à ma bru : nous ferons comme si nous nous rendions à Québec, elles changeront sûrement de dessein.

Le juge, qui se montrait très attentif à son récit, lui demanda :

— Vous avez vraiment continué votre chemin ?

— Oui ! Jusqu'au Passage où nous nous sommes arrêtées le temps d'un *miserere*, puis nous sommes revenues sur nos pas jusqu'au champ qui nous intéressait. Rendues là, nous avons commencé notre cueillette, jusqu'à ce que ces trois-là nous arrivent dans le dos en prétendant que le champ leur appartenait et que nous n'avions point à y cueillir quoi que ce soit, que nous étions des voleuses.

— Elles vous ont vraiment traité de voleuses ?

— Comme je vous le dis. Nous ne nous serions pas occupées d'elles, mais, les voyant qui insistaient, je me levai, parce que, comme vous le savez, monsieur le juge, pour ramasser les petites fraises des champs, il faut se pencher jusqu'à terre, c'est pourquoi il vaut mieux se mettre à genoux. Je dis à celle-là, avec sa verrue sur le menton : "Prouvez donc que ce champ vous appartient. Avez-vous des papiers ?"

Le juge fit remarquer :

— Elles n'en avaient sans doute pas ! Qui se promène dans un champ avec ses contrats ?

— En seulement, monsieur le juge, demandez-leur si elles savent même lire et écrire.

— J'y verrai en temps et lieu.

— Toujours qu'elles ne répondent pas à ma question autrement que par un coup de gaule que ma bru reçoit dans les jambes, donné par celle-là qui a les yeux comme deux sentinelles qui regardent pas à la même place. Avant qu'elle en donne d'autres, je lui arrache la gaule des mains. En furie, elles me veulent sauter dessus et v'là que le chien s'en mêle parce qu'elles le lancent après nous.

— Abrégez et venez-en à la fin.

— J'y arrive, j'y arrive, faut ben que je raconte comme ça s'est passé, c'est vous qui l'avez demandé ! Je donne un coup de gaule au chien qui se plaint puis file en arrière, la queue entre les pattes. Sur les entrefaites, un des engagés d'Isaac le charpentier, témoin de la batterie, s'amène et hurle. "Vous en avez pas fini de vous battre comme des mécréants ?" Il s'approche. Il dit, en parlant de nous à celle-là qui a la coiffe neuve : "Je te connais, la Marie-Jeanne, qu'est-ce que tu leur veux ?" "Ce qu'elles nous veulent, que je dis, c'est nous tuer parce que nous cueillons des fraises dans ce champ." "Mais ce champ, c'est le désert du bonhomme Renaud. Il n'appartient qu'à lui, pis il se moque bien, avec tous les sols qu'il a, de ce qu'on ramasse des fraises dans son champ."

Le juge en avait suffisamment entendu. Il se tourna vers les trois qui n'avaient pas encore dit un mot pour leur demander :

— Ce que madame vient de raconter, est-ce juste ?

La grande aux yeux en bataille, qu'on ne savait où elle regardait, lança d'une traite :

— C'est tout aussi inventé que le poil de nez qui sort par les oreilles. La gaule, si sa bru l'a reçue, c'est à cause qu'elle s'est mise les quenouilles devant. Je ne frappe pas par derrière.

— Allons, fit le juge, je voulais savoir s'il était vrai que vous êtes allées dans le champ empêcher madame et sa bru d'y faire cueillette de fraises et vous venez de dire que vous étiez bien là.

Elles furent si confondues qu'elles n'ajoutèrent pas un mot.

— Votre silence, conclut le juge, me signifie que vous y êtes allées et que les choses se sont passées comme madame les a rapportées. Le champ ne vous appartenait pas plus qu'à elles. Vous vous êtes mal comportées en cette affaire et pour réparation, vous donnerez cinq livres aux pauvres de la paroisse et cinq livres à madame et à sa bru, tout en payant les frais du procès qui s'élèvent à quinze sols. Défense à l'avenir d'injurier madame et sa bru sous peine de prison.

⁂

Le juge avait à peine réglé cette cause qu'il passait à une autre impliquant cette fois un homme qui réclamait d'un autre le paiement de vingt-deux livres pour une centaine de bottes de foin. Les discussions se révélèrent fort courtes. Le demandeur dit :

— Les bottes de foin que j'ai reçues ne pesaient pas la moitié de ce quelles devaient peser, c'est pourquoi j'ai refusé de verser les vingt-deux livres.

Le juge s'adressa au défendeur :

— Est-ce vrai que ces bottes n'avaient pas leur poids ?

— C'est juste et il a été convenu entre nous qu'il ne payerait que onze livres, mais il refuse de le faire, disant que le reste des bottes pèsent moins encore.

Le juge arrêta là les délibérations en ordonnant que des experts aillent peser les bottes de foin qui restaient et qu'il serait fait droit à la suite de leur rapport.

Je m'apprêtais à retourner au Passage quand je vis se présenter au tribunal nul autre que le marchand Renaud lui-même. Ma curiosité l'emportant, je décidai de demeurer sur place afin de savoir ce qui l'amenait là. À voir le visage du juge se crisper à sa vue, j'en conclus qu'il ne devait guère le porter dans son cœur. Ce fut alors que je remarquai, dans l'ombre, en retrait de la pièce, une femme qui, quand je la vis à la lumière, malgré ses meurtrissures, me parut d'une beauté rare. Elle eut aussi un mouvement de recul à l'arrivée du marchand. La curiosité me poussa à rester afin de savoir quel différend existait entre eux.

Soucieux de la vérité, le juge leur fit d'abord prêter serment. La femme s'approcha, toute tremblante à la simple vue du marchand. Je ne mis guère de temps à comprendre pourquoi. Son visage portait des marques qui ne mentaient pas. Interrogée la première, elle mit du temps à répondre, comme quelqu'un qui a crainte de provoquer par ses paroles une catastrophe. Le juge l'incita à parler.

— C'est cestui-là qui m'a esquintée et rouée de coups parce que mon mari n'était pas là.

Le juge intervint :

—Je vous sens effrayée, dit-il, mais vous n'avez rien à craindre. Il faut d'abord nous dire pourquoi vous avez porté plainte. Il vaudrait mieux que vous nous racontiez en premier lieu ce qui s'est passé. Si on vous a fait du tort, je verrai à ce qu'il soit réparé.

Les encouragements du juge semblant l'apaiser, elle se mit en frais de raconter par le long et par le large ce qui s'était passé.

—Mercredi passé, alors que mon mari était parti à la ville chercher tout bonnement l'argent qu'il devait à cestui-là que vous voyez ici présent devant moi, qui me regarde pour m'assassiner, il est arrivé dans ma maison sans que je l'invite et il a dit: "Où est l'argent que vous me devez?" J'ai répondu que mon mari était allé le chercher à la ville et qu'il n'était dû que le lendemain. Il a dit: "Il me le faut tout de suite." J'ai dit: "Je ne l'ai pas." Comme j'étais toute seule, le gros pourceau a changé sa façon et s'est approché de moi. Il a commencé par me vouloir embabioler avec des mots doux, puis il a dit: "Je peux oublier la dette si tu veux me donner autre chose." Il a tenté de me biquer, de me catouner et de trousser mon jupon. Je l'ai poussé, il m'a frappée à grands coups dans la figure que j'en ai encore la face bien marquée. Il m'a encore voulu prendre. Je l'ai repoussé et il est parti en rage, disant qu'il reviendrait chercher son argent le lendemain.

Le juge fit avancer le marchand Renaud. Il s'approcha avec l'air méprisant de celui qui se sent supérieur.

Après lui avoir fait prêter serment, le magistrat alla droit au but.

— Qu'avez-vous à redire de ce qui vient d'être dit ?

— C'est une menteuse qui se défend sur moi de ce que son mari la bat. Le jour qu'elle dit que je suis l'allé voir, j'étais à Québec de toute la journée.

— Êtes-vous bien certain de ce que vous avancez ? Les croques qu'elle porte à la figure ne sont pas de votre fait ?

— Ils sont l'œuvre de son mari, comme tout le monde le sait dans tout le canton.

— J'en suis de ce canton, fit remarquer le juge, et je n'ai jamais ouï dire que Jean-Baptiste Leclerc battait sa femme.

D'un air méprisant, le marchand ajouta :

— Vous êtes bien le seul à ne le point savoir.

— Je saurai faire sortir la vérité, dit le juge en faisant signe au marchand d'aller se rasseoir.

Puis, à la manière du pêcheur qui vient de tendre sa perche et s'apprête à prendre son poisson, il appela le chirurgien La Brière qu'il avait fait mander pour témoigner.

— Dites-nous la vérité sur ce que vous savez de cette affaire.

— Mercredi, vers les dix heures, madame Leclerc m'est arrivée, la figure en sang, me disant qu'elle venait d'être agressée par le marchand Renaud. J'ai pansé ses plaies.

— Vous avez bien dit : vers les dix heures ?

— Oui ! C'est l'heure qu'il était parce que Germain, le boucher, passe chez moi tous les jours à cette heure-là pour me laisser la viande qui fait mon repas du soir et il venait tout juste de repartir.

— Fort bien, dit le juge avant de s'adresser au greffier : Joseph, faites entrer qui vous savez.

L'homme se dirigea vers le fond de la salle et ouvrit la porte d'une pièce qui servait d'antichambre. Il en revint accompagné de deux hommes, un grand qui s'approcha d'un pas ferme et un petit tout plein de tics faisant le saut à tout moment, comme si on lui plantait un dard dans l'arrière-train.

Le juge s'adressa au plus grand des deux.

— Vous êtes bien Jean-Baptiste Leclerc, l'époux de cette dame ?

— Je le suis !

— Jurez-vous de répondre au vrai, aux questions que je vais vous poser ?

— Je le jure !

— Où vous trouviez-vous, à dix heures, mercredi de la semaine qui vient de mourir ?

— À Québec, chez le sieur de Lachenaye.

— À quelle fin ?

— Pour emprunter trente-cinq livres et rembourser l'homme qui est là.

— Pouvez-vous nous démontrer que vous y étiez vraiment ?

— Simon Lecourt, ici présent, saura vous l'acertainer.

Le juge fit avancer le petit homme tout en tics, de plus en plus agité des bras, de la tête et du fondement. Après avoir prêté serment, il jura que ce jour-là, à dix heures, ils étaient tous les deux chez le sieur de Lachenaye à attendre de le voir pour un prêt. Satisfait de ce témoignage, le juge fit revenir le marchand Renaud.

— Vous avez entendu comme moi le chirurgien et le mari de madame ainsi que ce monsieur Lecourt. Qu'avez-vous à dire pour votre défense ?

Le marchand grimpa d'un coup sur ses grands chevaux :

— Si ce n'est pas le mari qui a battu sa femme, ce sera quelqu'un d'autre, hurla-t-il.

Me vint alors à l'esprit cette maxime de monsieur de La Fontaine : « L'homme est de glace aux vérités, il est de feu aux mensonges. »

— Et si ce quelqu'un d'autre, c'était vous ? fit remarquer le juge.

— À vous de le démontrer, espèce de dona !

Sans s'offusquer, le juge dit :

— C'est tout fait !

D'un geste, il fit avancer un homme qui, depuis le début, se tenait au fond de la pièce.

— Comment vous nomme-t-on ? s'enquit le magistrat.

— Glardière.

— C'est votre nom ?

— Oui don ! C'est le seul que je me connaisse.

— Vous nous direz la vérité ?

— Pardiou ! C'est toujours ce que je dis.

— Fort bien ! Que savez-vous, au sujet de cette batterie survenue chez les Durand, le jour de mercredi dernier ?

— Ce que j'en sais ? J'allais pour quérir mon tapabord, laissé là le jour d'avant par oubli de ma part, quand je vis le marchand Renaud entrer dans la maison des Leclerc comme on entre dans un moulin sans même frapper ni appeler. Je ne devais pas censément être là tout près, vous pensez bien que je me suis gardé d'y être en même temps que lui. Je ne suis pas entré avant qu'il sorte.

— Pourquoi donc ?

— Parce que c'est un méchant homme qui ne souffre personne autour de lui.

— Qu'avez-vous fait en attendant qu'il ressorte ?

— J'ai resté dehors près du lilas.

— Que s'est-il passé ?

— J'ai entendu qu'il parlait fort et faisait du raffut.

— Vous êtes demeuré là longtemps ?

— Le temps d'une pipée. Puis je l'ai vu sortir, rouge comme le coq de la reine, et il a filé son train de par chez lui avec sa voiture et son cheval.

— J'en ai suffisamment entendu, dit le juge. Vous pouvez regagner votre place.

Sur ce, il fit venir de nouveau le marchand Renaud, qui avait quelque peu perdu de son assurance.

— Avez-vous quelque chose à redire de ce que vous venez d'entendre ?

Le marchand s'indigna : il en bafouillait.

— Ce sont tous des scélérats, des menteurs de caniveau.

— Ce ne serait pas plutôt vous qui mentez comme vous parlez ?

Furieux, le marchand allait se mettre à hurler quand il s'étouffa, rougit, blêmit, passa par toute la gamme de l'arc-en-ciel, pendant que le juge, impassible, attendait qu'il reprenne son souffle. Il le condamna à vingt livres d'amende, dont dix aux jésuites de Charlesbourg et dix à la dame Leclerc, à laquelle somme s'ajoutaient les frais du chirurgien ainsi que ceux du procès.

Je quittai les lieux, en même temps que le mari et sa femme. Ce dernier dit à son épouse :

— Je te vengerai, Aline, je te le promets. Un jour, je saurai bien le rencontrer sans qu'il y ait de témoin et je lui ferai son compte.

— Ce n'est point la peine de risquer la mort pour ce méchant homme.

— Personne ne saura qui l'aura occis.

Je me dis : « Cet homme est bien capable de se faire justice lui-même. En voilà un de plus sur la liste des ennemis de ce marchand de malheur. Il finira par s'attirer une fois pour toutes ce qu'il mérite. »

Chapitre 32

Une missive pour Faye le meunier

Un ami part, un autre vient qui le deviendra.
Ainsi va la vie, comme un grand fleuve paisible,
sans qu'on sache le destin qui nous guette.

Le premier navire venu de France, cette année-là, avait apporté son lot de missives. Il y en avait une pour Faye, le meunier. Comme ni lui ni Honorine ne savaient lire, ils me mandèrent pour leur en faire lecture. Radegonde en profita pour amener la Fanchonette que sa marraine se plaignait de ne pas voir assez souvent. Me voilà donc au moulin, lettre en main, en devoir de leur en lire le contenu.

À Jean-Baptiste Faye dit Mouture, meunier au pays de la Nouvelle-France en Canada,

Depuis si tant de temps que tu es parti sans même écrire, les premières nouvelles de toi sont pour assavoir si notre père et notre mère sont toujours sur la terre des vivants. Sache bien qu'ils sont passés au royaume des cieux depuis trois années pour le père et une année pour la mère, avec la peine de ne plus avoir rien su de toi.

Ta lettre arrive juste à temps comme un oiseau sur sa couvée au moment où les petits sont à éclore. Il y en a pour toi comme pour nous tous, en bel argent sonnant, puisque, comme dans la fable de monsieur de La Fontaine, nous avons vendu veau, vache, cochon, mouton, couvée, mais à la différence qu'à nous ça a rapporté puisque les parents, eux, avaient tout ça. Si tu en veux ta part, tu feras mieux de la chercher le plus tôt que faire se pourra, car ici, les appétits sont grands et les sous des autres, fort tentants. Donne-nous avis de ta venue, nous tuerons le veau gras pour le frère prodigue et c'est avec plaisir que nous le mangerons en ta compagnie.

Pour les autres, la santé les tient tout aussi gras ou tout aussi fluets, tout aussi bons ou tout aussi mauvais qu'avant. Tu pourras t'en rendre compte à ton gré quand tu daigneras venir nous visiter. Nous t'attendons, à la grâce de Dieu et au bon vouloir des hommes.

Ton frère, Alexandre Faye, toujours aussi vivant qu'avant, celui qui tient comme autrefois sa boutique d'apothicaire aux Sables d'Olonne, comme tu le sais, puisque ta lettre l'y a rejoint après moult détours.

Faye ne mit guère de temps à se décider. Il résolut de passer en France l'année même. Le plus pressé consistait à lui trouver un remplaçant durant son absence. Le père Aveneau en connaissait plus d'un, mais ils étaient tous engagés à l'un ou l'autre moulin. Mais voilà que parfois, les choses s'arrangent d'elles-mêmes. Des Trois-Rivières nous en arriva un, dont l'histoire n'était pas de celles qu'on rencontre à tous les coins de notre vie. Martin Vincenot, qu'il s'appelait.

C'était un homme doux et sans malice mais quelqu'un de délibéré. On le disait vaillant comme pas un, ce qui s'avéra des plus justes. Il espérait trouver épouse parmi les filles du roi qui ne manqueraient pas d'arriver, cette année encore. Il se présenta à l'auberge pour passer le contrat de bail temporaire du moulin de Notre-Dame-des-Anges, le temps que Faye serait absent. Tout ça fut volontiers agréé par Honorine, qui durant le temps d'absence de son mari, tout en continuant son travail au moulin, acceptait de prendre chambre à l'auberge, ce qui lui permettrait de gâter notre Fanchonette. Martin, qui s'y entendait dans la bonne marche d'un moulin, en prendrait charge jour et nuit.

Vincenot, beaucoup plus volubile que Faye, prit l'habitude avant la nuit de venir à l'auberge, histoire de causer un peu. C'est ainsi que, petit à petit, j'appris sa vie et, surtout, que je fus mis au courant de sa mésaventure. Il lui était arrivé, le pauvre, ce qu'on ne souhaite vraiment à personne.

—J'avais laissé, dit-il, ma promise en France. Quand j'ai vu que je trouvais du travail ici, j'ai fait venir Angélique au pays.

— Est-elle venue ?

— Je craignais fort qu'en mon absence, elle ait fini par donner sa parole à quelqu'un d'autre. Ce sont des choses qui arrivent : loin des yeux, loin du cœur.

— C'est juste. Qui va à la chasse perd sa place.

— Je fus présent à l'arrivée de tous les vaisseaux, cet été-là. J'espérais une lettre de sa part dans le premier navire arrivé en avril afin de savoir sur quel vaisseau elle allait s'embarquer et me préparer le cœur à son arrivée.

— Elle n'a pas écrit ?

— Pas un traître mot. Mais je ne désespérais pas de la voir descendre. Elle ne vint jamais, mais la lettre que j'attendais, elle, arriva, porteuse de la plus mauvaise nouvelle qu'on puisse entendre. Avant de mourir sur le vaisseau qui la menait vers moi, Angélique avait eu le temps de m'écrire. Sa lettre, je l'ai toujours sur moi, près du cœur.

Il la tira de dessous sa chemise et me la montra. J'aurais bien voulu en connaître le contenu, mais on ne force point quelqu'un à livrer un secret qu'il veut garder pour lui seul. Quand il fut assuré que je le croyais, Martin remit tout bonnement sa lettre là où il l'avait prise et me dit :

— Passe encore si je n'avais subi que ce malheur, mais voilà que la malchance me sauta dessus quand je fus à Montréal. Les filles se font si rares sur nos rives que je ne croyais jamais pouvoir me marier. Pourtant, crois-le ou pas, alors que je faisais tourner un moulin à Pointe-aux-Trembles, m'est arrivée sur son âne la vraie Marie-Anne de la chanson. Elle en avait tout sauf le nom, puisqu'elle s'appelait Mathilde. Elle venait faire moudre du grain pour son père, mais ce jour-là, le moulin ne tournait pas. En la voyant, je te dis, Marcellin, que c'est le cœur du meunier qui se mit à tourner et si bien que deux mois plus tard je la mariais.

— Voilà qui est merveilleux.

— Tu dis ça parce que tu ne sais pas comment tout ça a chaviré.

Seulement à voir son visage se défaire en prononçant ces mots, je sus que la faucheuse avait de nouveau fait son œuvre.

— Un beau jour elle m'a dit : "Mon Martin, tu seras père bientôt." J'étais fou de joie. Je ne voulais pas moins d'une douzaine d'enfants. Le bon Dieu n'avait pas la même idée que moi. Il est venu la chercher avec le petiot qu'elle a mis au monde.

— Pauvre de toi !

— Ça m'a brisé le cœur aussi bien qu'on démonte une maison pour la refaire ailleurs. Voilà pourquoi je n'ai pas voulu rester à Montréal. Je suis passé de là aux Trois-Rivières, où j'ai travaillé quelques mois, puis j'ai décidé de quitter les Trois-Rivières pour Québec, à la recherche d'un moulin à faire tourner et en espérance d'une fille à marier, quand je me suis adressé aux bons pères jésuites à Charlesbourg.

Voilà comment Martin nous arriva et comment notre ami Faye put faire, cet été-là, la traversée de

France afin d'y cueillir sa part d'héritage. Pourquoi je me souviens si bien de la venue de Martin et du départ de Faye ? C'est que tout se passa en même temps et si vite que je n'ai pas pu oublier. D'abord, Martin nous arriva le jour même où je découvris un message d'une importance capitale qui fit se précipiter les choses à ne pas savoir où donner de la tête, et puis Bona et ensuite Faye partirent au moment où ma vie allait être tellement bouleversée. Qui m'eût dit que je ne les reverrais pas ? Ainsi va la vie ! Nous formons des desseins que le destin, en si peu, se charge de bousiller. Ainsi en fut-il, hélas, des miens.

Chapitre 33

Un curé plus catholique que Dieu

La vérité finit toujours
par pointer le nez.

Cet été-là, je ne peux faire autrement que de m'en souvenir, comme nous n'oublions pas quand, à la fois, le chaud et le froid nous enveloppent. Il y eut d'abord les moments de grandes réjouissances qui, comme tout le monde le sait, ne durent jamais longtemps parce que ce n'est pas vraiment notre lot sur Terre. Chaque bonheur fut brisé aussitôt que né, comme pour rappeler que nous ne sommes pas faits pour ce pain-là. Il y eut ensuite les malheurs et les pleurs, qui suivent naturellement les mêmes chemins.

Le Chauve nous arriva un matin, porteur d'une nouvelle inattendue qui ne manqua pas de réjouir le cœur de chacun.

— Vous ne savez pas ? dit-il d'entrée.

— Quoi donc ?

— Je me marie !

Il avait gardé le tout secret comme on préserve un trésor précieux. À cette nouvelle, toute l'auberge fut en liesse.

— Tu nous as si bien caché tout ça, fit Marceau, qu'on ne sait rien en tout de ta promise ? Est-ce qu'elle, au moins, a des cheveux ?

La question mit tout le monde en joie, Le Chauve en premier.

— Elle en a tant qu'elle pourra ben manque m'en passer. C'est pas tout, ajouta-t-il, les témoins sont de ce jour choisis.

— Qui donc ? s'enquit Marceau.

Il se tourna vers Radegonde et moi.

— Ces deux-là, si le cœur leur en dit.

Pour une fois, Radegonde prit les devants.

— Ça ne sera pas de refus, hein, Marcellin ?

Il épousait une des filles venues ce même été, expédiées à cette fin par le roi. Le mariage eut lieu à Québec, en même temps que celui de deux amies de sa femme. Je n'oublierai jamais ce jour-là, car il fut mélangé d'émotions contraires qui font de moments semblables un amalgame à jamais gravé dans la mémoire.

Le charretier Mongrain nous mena à Québec, Le Chauve, Le Matou, Radegonde et moi, sans mot dire comme à son habitude, mais eût-il voulu parler qu'il n'aurait pu le faire tant le futur époux se montrait volubile. Il échafaudait des plans de vie comme on construit sa maison, à grands renforts de vous allez voir et de vous verrez bien. Quand il ne parlait pas, il chantait tant il était heureux de pouvoir partager son bonheur avec nous. Il avait grand hâte de nous faire connaître celle qui allait désormais vivre à ses côtés.

Arrivés à l'église, une autre surprise, et pas petite, nous y attendait: retourné de traite de la veille, Bona avait été requis pour la musique. Rien ne pouvait être plus parfait. Tout l'aurait été si le curé des lieux ne s'était pas mêlé de jeter le désarroi sur nous quand il refusa la communion à Radegonde pour un simple fontange de couleur qu'elle avait mis à sa coiffe.

— Que portez-vous là, madame, que je ne saurais voir?

— Un fontange, monsieur le curé.

— Votre vanité offense Dieu lui-même en son propre temple.

— Quelle vanité y a-t-il à porter un simple ruban de couleur pour une si belle fête?

Elle eut beau argumenter et même l'enlever, rien n'y fit. Il lui refusa la communion, allant jusqu'à menacer d'effacer nos noms comme témoins. Je n'avais jamais vu ma douce Radegonde aussi furibonde. Pour notre malheur, croyant bien faire, Le Chauve avait invité l'ecclésiastique au souper de noces, préparé avec toute l'adresse habituelle par la bonne Rosalie. À peine étions-nous parvenus à l'auberge remplie des bonnes senteurs du repas que le curé y pénétra comme s'il entrait dans le pire lieu de débauche et de perdition. À la manière du grand inquisiteur, il fit le tour de la salle sans manquer de lever le nez sur tout ce qui ne lui paraissait point de son gré. Je le vis soudain se jeter sur mon volume des fables de M. de La Fontaine que, par mégarde, j'avais oublié sur une des tables. Il s'apprêtait à en déchirer les pages quand je m'interposai et le lui arrachai des mains.

— Que je vous voie, détruire les leçons de monsieur de La Fontaine !

Ces mots sortirent instantanément de ma bouche.

— Ce ne sont là que des niaiseries de fabulateur ! cracha-t-il avec un air de dégoût. Contentez-vous, qui que vous soyez, de lire les Saints Évangiles, ça vous suffira.

Sur ce, il s'étouffa dans son indignation, pâlit comme farine, puis dit, en rage :

— Vous serez tous excommuniés si vous osez lire autre chose que la parole de Dieu et la vie de ses saints.

Son indignation ne connaissait pas de bornes. Il nous alourdit d'un nouveau sermon où il était question de damnation et des flammes de l'enfer qui nous guettaient tous.

— Vous n'êtes que de misérables pécheurs qui vous réjouissez ici-bas en oubliant que le seul bonheur possible est dans l'au-delà, auprès de Dieu, de Sa Mère, des saints et des anges !

— Amen ! dit avec flegme Le Matou.

Le courroux de cet homme fut si grand qu'il s'étouffa de nouveau, ce qui l'incita à regagner Québec sur-le-champ et nous valut de profiter en paix du souper de Rosalie et de la musique de notre bon ami

Bona. Je louai le fait que le bon père Aveneau n'agissait pas de la sorte envers nous, car nous n'aurions guère été de bonne entente avec son Dieu.

⁂

Une pareille aquiaulée ne présageait rien de bon. Ce fut alors qu'arriva ce qui n'aurait pas dû se produire. Autant je suis curieux de connaître tout ce qu'il y a autour, autant je ne le suis pas en ce qui touche la vie des autres, et c'est pour ça que je dis que tout ça n'aurait pas dû survenir. Les autres, je les laisse vivre leur vie comme ils l'entendent sans me préoccuper de leur lever ni de leur coucher. Nous avons bien assez de nos affaires à régler sans vouloir nous mêler de celles des autres. Ils passaient devant moi les contrats qu'ils voulaient, je leur donnais parfois des conseils, mais je n'insistais pas. Ils étaient assez vieux pour prendre leurs décisions tout seul, je leur souhaitais seulement la meilleure chance du monde. Je m'entendais bien avec tous, je n'avais que des amis. Je connaissais leur voix à tous sans même regarder qui parlait. C'est quelque chose, le mystère des voix : pas deux pareilles, toutes si différentes que, pour peu que nous les entendions, nous les reconnaissons tout de suite et nous ne les oublions plus, même de longue date, même après de longs espaces sans les ouïr.

Je n'avais que des amis. Les gens me saluaient chaque fois qu'ils me croisaient sur le chemin et au sortir de la messe du dimanche. Je connaissais maintenant tout le monde tant j'avais l'occasion de les voir soit à l'auberge, soit à l'église, soit à mon étude. J'étais devenu parmi eux Marcellin le notaire Perré, sur qui ils comptaient pour tout ce qui touchait les contrats, tant d'achat que de vente, les obligations et les quittances, les contrats de mariage, de donation, d'inventaire de biens, de partage et, de temps à autres, même les marchés quand ils daignaient en passer devant notaire, car il était plutôt rare qu'ils ne s'entendent pas à l'amiable pour les marchés de construction en se faisant mutuellement confiance.

Qu'est-ce que je pouvais demander de mieux ? Mais voilà que bien des choses en peu de temps allaient changer, tant le bon équilibre de la vie ne tient pas mieux qu'un château de cartes qu'un peu de vent fait s'écrouler en une seconde. Il ne suffit que d'un accident, d'une lettre, d'une dette, d'un mot écrit, d'une parole dite ou entendue pour que d'un coup tout bascule et que jamais plus rien ne soit pareil.

C'est pourtant ce qui m'est advenu, comme ça, sans que je le cherche vraiment et surtout sans que j'y sois pour rien, mais dont je veux bien vous faire part, pour m'en délivrer le cœur comme on parle d'un malheur à un ami en espérant qu'il saura trouver les mots qui apaisent et soulagent, même s'ils ne peuvent rien corriger ou effacer du passé qui reste toujours le même quoi que l'on fasse.

Chapitre 34

Un message de détresse

La vérité finit toujours par pointer le nez,
mais elle prend trop souvent son temps.

Il suffit que nous nous mettions à chercher un mot ou encore un nom pour que nous ne le trouvions pas. Puis, soudain, quand nous cessons d'y penser, le voilà qui nous apparaît en un éclair, comme les lucioles un soir sans lune. C'est bien ce qui m'est advenu alors que j'avais depuis long de temps oublié le notaire Bonnard et ses malversations. Comme je prenais un vieux livre de comptes pour y relever le montant d'un achat, il en tomba de la couverture une missive scellée de cire au cachet de ce notaire. J'hésitai avant d'en faire sauter le sceau, me demandant si je ne devais pas d'abord en prévenir le père Aveneau, puis, comme ça m'est coutume, ma curiosité prenant le dessus, je me dis qu'il ne pouvait s'agir que d'un papier sans grande importance, oublié là par mégarde, et j'ouvris la lettre. Il s'agissait d'un message de détresse écrit par le notaire Bonnard. J'en fus tout chaviré.

Si, par malheur, je disparaissais, celui qui trouvera ce mot saura que ce n'est pas de mon plein gré. Je sais que je suis un homme indigne : mes passions ont pris le dessus sur moi, me menant à la déchéance. Tous ceux qui me connaissent savent que je perds tous mes moyens devant la moindre goutte de boisson. Je fus longtemps quelqu'un d'honorable, puis un jour, pour mon malheur, je me laissai entraîner à boire. Jamais depuis je n'ai pu surmonter cette calamité. J'ai perdu petit à petit tous mes avoirs et tous mes amis.

Le marchand Renaud, à qui j'avais emprunté des sols qui se sont transformés avec le temps en quelques livres puis en centaines de livres tournois, m'est venu voir pour toucher son dû. Il me tenait à la gorge et le savait fort bien. Il m'a menacé et m'a fait si bien chanter que d'honnête homme, je suis devenu mécréant, falsifiant les contrats à son avantage. J'ai, de la sorte, abusé un bon nombre d'honnêtes gens qui n'avaient pas les connaissances suffisantes pour percevoir et dénoncer mes malversations

Il fut un temps où j'obéissais au marchand Renaud comme, enfant, on obéit à ses parents, sans poser de questions. Mais voilà qu'un jour, je lui demandai, quand cesserait pareille concussion. « Quand je l'aurai décidé », fut sa réponse. J'en avais plus que ma capacité de ses menaces. Il me faisait chanter, je voulus à mon tour le mettre dans l'embarras en menaçant de le dénoncer en même temps que j'avouerais mes fautes. Il se moqua de moi. « Comment pourras-tu seulement prouver que je t'ai incité à agir de la sorte ? Je n'aurai qu'à dire : "Je ne sais rien de cette affaire", personne ne voudra croire le menteur et le faussaire que tu es devenu. »

Il avait sans doute raison. Puis, de menaces en menaces, il en est venu à dire qu'il me ferait disparaître sans laisser de traces, qu'il avait les moyens de le faire, ayant à son service plus d'un homme de main qui, tous, lui devaient mer et monde et se feraient un devoir de lui rendre service. Voilà pourquoi, si je viens à disparaître et que quelqu'un trouve cette missive, je le prie d'en faire part aussitôt aux autorités.

Signé et paraphé : B. Bonnard

Je tenais là dans les mains un message brûlant comme un feu de la Saint-Jean. Je pensai un moment faire disparaître ce papier dans l'âtre. Mais ce geste me serait resté à jamais sur la conscience. Je ne mis guère de temps à le porter au père Aveneau, qui promit de le faire suivre sans délai au lieutenant civil et criminel. Mais voilà que ce dernier ne put s'en occuper le jour même, aux prises qu'il était à régler une mort qui soulagea beaucoup de monde et, faut-il le dire, qui fit fondre beaucoup d'inquiétudes.

Chapitre 35

Un peu regretté défunt

Le malheur des uns
fait souvent le bonheur des autres.

Comme à son habitude, Le Matou nous arriva, ce samedi matin-là, en compagnie de son ami Le Chauve. Ils parlaient et riaient tant et si fort que j'allai m'enquérir de ce qui les mettait en si grande joie.

— Bon débarras ! ricanait Le Matou. Une charogne de moins sur nos rivages.

— De quoi parlez-vous donc ?

— Le sorcier est mort, m'informa aussitôt Le Chauve.

— Le sorcier ?

— Oui-da ! Le corps du Noir a été trouvé ce matin sur la rive du fleuve, entre la Canardière et Beauport.

— Noyé, je suppose ?

— Peut-être bien que oui, peut-être bien que non !

— Pourquoi vous réjouissez-vous à ce point de cette mort ?

— Parce qu'un sorcier, ça ne meurt pas tous les jours.

— D'où vous vient cette idée de l'appeler sorcier ?

— Il en était un. Il avait menacé tout un chacun d'un mauvais sort uniquement à dire son nom.

— Avait-il seulement le mauvais œil ?

— S'il l'avait ? s'indigna Le Matou. Il a fait disparaître Bonnard !

— Vraiment ? De quelle façon ?

— Deux jours avant la disparition de Bonnard, il est venu à l'auberge. Bonnard, qui n'était pas du genre à se cafinioter, s'éloignait dès que Le Noir apparaissait. Il l'abominait tellement qu'il l'aurait débaptisé s'il l'avait pu. N'empêche que le sorcier l'a trouvé. On les a entendus se colletailler un bon moment, puis Le Noir a hurlé : "Si tu ne me remets pas l'argent dans deux jours, tu disparais !"

Le Matou s'arrêta pour faire acertainer ses dires par les autres. Il ajouta derechef :

— Deux jours plus tard, Bonnard a disparu.

Je jugeai bon d'intervenir :

— Le Noir a menacé, mais ça n'en fait pas un sorcier pour autant.

Ils me regardèrent avec l'air de se demander de quelle lune j'étais tombé.

— Rappelez-vous, dis-je, il n'y a pas si longtemps, le dénommé Grisard. Tout le monde disait de lui qu'il était un sorcier.

— Grisard ? questionna un homme que je voyais pour la première fois à l'auberge.

— Oui ! Il avait dit à son voisin qui mettait ses nasses dans le fleuve, vis-à-vis de sa terre, que s'il ne les enlevait pas de là, il y aurait des grenouilles dedans le lendemain.

— Des grenouilles, il y avait, le jour d'après ?

— Non seulement il y en avait, mais on a accusé Grisard de sorcellerie. Il y a eu procès et le juge a dit que Grisard n'était pas plus sorcier que vous et moi. C'est lui ou bien le hasard qui a fait que le lendemain des grenouilles s'y trouvaient.

— Pour Le Noir, reprit Le Chauve, c'est pas pareil.

— Qu'y a-t-il de si différent ?

— Il y a que Bonnard a disparu. Quand on parle de grenouilles, passe encore, mais un homme…

L'intervention du Chauve me fit aussitôt revenir en mémoire la lettre de Bonnard. Sans doute l'avait-il écrite le jour même où Le Noir avait menacé de le faire disparaître. Je me dis que Le Noir devait être directement impliqué dans la disparition de Bonnard. J'en étais là de mes réflexions quand Le Matou ajouta :

— Bonnard, ce n'est pas une grosse perte. Il a gourré tout le monde.

Marceau intervint :

— À cause du bonhomme Renaud.

Sur ces paroles se présenta Le Passeur, agité, porteur d'une nouvelle qu'il brûlait de partager :

— Le Noir a été tué !

— Il ne s'est pas noyé ?

— Non, il fut forché de se noyer.

— De qui tiens-tu cela ?

— Du chirurchien Rouchel. J'ai été chercher le corps afec lui. Le chirurchien a dit : "Chet homme a été achachiné."

— Qu'on l'ait tué, dit Marceau, ne m'est pas sujet d'étonnement. Il avait des dizaines d'ennemis. Tous ceux qui avaient emprunté de l'argent du bonhomme Renaud ne le portaient pas dans leur cœur.

Je demandai :

— Pourquoi donc ?

— Tu ne le sais pas ?

— Quoi donc ?

— Le Noir était le percepteur du bonhomme Renaud. On le voyait tout autant à Québec qu'à Montréal et aux Trois-Rivières, chez ceux qui devaient de l'argent à Renaud.

Je finis par apprendre que ce Le Noir terrorisait tous les débiteurs du marchand. Il allait ramasser les sommes dues comme on cueille les fruits d'un arbre. Ses menaces portaient si fort que personne n'osait critiquer ses manières. Cet homme terrorisait à lui seul tous ces gens trop honnêtes qui peinaient à survivre et le prenaient pour un sorcier, ne voulant pas être affligés par lui d'un mal de plus à ajouter à tous les maux qui les accablaient, tant s'avère difficile la tâche de prendre racine dans un nouveau pays.

Il y avait des années qu'il se comportait de la sorte et, comme l'avait fait remarquer Marceau, il s'était fait tellement d'ennemis qu'il ne pouvait finir autrement que d'en croiser un qui n'a pas hésité à lui faire ravaler ses menaces à jamais.

Chapitre 36

Une lecture interrompue

*Il y a parfois des paroles qu'il vaudrait
mieux n'avoir jamais entendues.*

Il y avait bien une semaine que l'ami Bona nous avait divertis par sa musique et était parti de nouveau à la traite et, cette fois encore, pour n'en revenir qu'au printemps. J'avais eu avec lui, avant d'aller dormir, un long échange où il était question de l'idée qu'il entretenait de son établissement sur une terre dès son retour au printemps et de son mariage possible, ce qui m'avait réjoui le cœur. Au lever du soleil, ce jour-là, je fus avec lui sur le chemin de Québec jusqu'à la Canardière. Je lui fis mes adieux alors qu'il s'en allait vers le palais avec, sur son dos, tout ce qu'il possédait, et sous le bras, dans son étui, le précieux violon qui ne le quittait jamais. Je remontai ensuite lentement vers le Passage, la tête pleine de tout ce que nous avions dit et le cœur peiné d'avoir, une fois de plus, à me séparer de son amitié.

Les jours se passèrent, tristement, comme ils s'écoulent après le départ de quelqu'un d'aimé. Puis m'arriva la découverte de la missive de Bonnard, suivie, le lendemain, par l'annonce de la mort du Noir. La présence de Bona me manquait, avec qui j'aurais pu causer de tout ce qui se passait. Quand je m'ennuyais de la sorte, j'avais pris l'habitude de m'en aller lire paisiblement les fables de M. de La Fontaine.

Au Passage, la Saint-Charles sortait tout juste d'un méandre qui lui faisait comme un sourire. Chaque fois que je la remontais, elle m'était consolation contre toutes les laideurs qui nous entourent. De temps à autre s'y dessinait un îlet envahi de saules; on voyait sur ses bords des cerfs venus y boire quand ce n'était pas un élan, de l'eau jusqu'au ventre, occupé à manger des nénuphars. Dans l'ombre des berges se tenaient des truites et toutes sortes d'autres poissons dont j'ignore les noms. Il y avait un sentier qui courait tout au long, entre la rivière et la forêt, jusqu'au désert du bonhomme Renaud. J'y allais à l'occasion, entre deux contrats, quand mon travail me permettait de respirer un peu. C'était un endroit tout à fait merveilleux pour lire, et le livre de fables de M. de La Fontaine m'enchantait.

Dans ce désert, les souches pour s'asseoir ne manquaient pas. J'en avais adopté une, un peu avant la grande partie de la forêt ainsi désertée. Je m'y installais comme sur un vieux banc. Elle me permettait d'apercevoir la rivière qui se sauvait au loin, entre des rideaux de saules, pendant que les oiseaux chantaient dans la forêt autour. Je sentais tout partout la vie des animaux dont M. de La Fontaine racontait les exploits dans ses fables. N'y parlait-il pas de corbeau, de renard, de loup, d'agneau, de lièvre, de cerf, de belette, quand ce n'était pas de bœuf et de grenouille ? Quand j'étais là, avec mon livre plein de leçons de sagesse, quoique seul au monde, je me sentais comblé comme pas un.

Quand Radegonde me vit partir avec mon livre, elle ne manqua pas de demander :

— Tu seras de longtemps absent ?

— Le temps de lire un peu et de chasser de ma tête toutes les noirceurs des derniers jours.

Elle vint me trouver, comme elle le faisait souvent, et m'embrassa doucement.

— Je n'aime pas te voir si tristement sombre.

— Et moi donc ! Voilà pourquoi je cherche dans ce livre ce qu'il faut pour revoir en moi la lumière.

Ce matin-là, avec le soleil qui nous tirait dehors, mon livre sous le bras, je pris tout naturellement le sentier qui ondulait tout du long, soumis aux caprices de la rivière. Il me semblait que tout l'air était rempli de chants d'oiseaux. Avant de remonter la rivière vers le désert du bonhomme Renaud, je m'arrêtai au bord de l'eau, histoire de me remplir les yeux de ce paysage que j'aimais tant. Les grandes ailes du moulin du Passage battaient lentement l'air, comme les bras d'un géant. Le Passage semblait dormir encore sous l'œil débonnaire de la rivière, pendant que fièrement l'auberge reflétait par ses fenêtres les rayons du soleil levant. J'empruntai le sentier que désormais mes pieds connaissaient par cœur. Je humai avec délice les parfums multiples de la pinière toute proche. Le jour allumait partout ses feux. Il me semblait impossible de trouver matin plus délicieux. Comme à mon habitude, j'allai m'asseoir sur ma souche. Je me mis à lire, ce qui m'était chaque fois pur plaisir.

J'étais plongé depuis longtemps dans ma lecture quand j'entendis, du côté du désert, des branches craquer. Je levai la tête, un peu inquiet. Je pensai qu'il s'agissait d'une bête quelconque, d'autant plus que le bruit ne se répéta pas. Quelques minutes plus tard, j'entendis très mal une voix dire quelque chose comme : « Larron ! Plus jamais… personne. » Il y eut un bruit sourd, un craquement, puis plus rien. Instinctivement, je m'étais laissé choir au pied des arbustes tout près. J'attendis un moment sans bouger, puis me dirigeai d'un pas prudent vers le désert.

C'est là que je trouvai le marchand Renaud, étendu sur le dos, le visage couvert de sang, le crâne ouvert comme une noix. Il avait la tête renversée et les yeux chavirés. Près de lui, dans les fougères ensanglantées, je vis une branche de chêne grosse comme un bras, tout éclaboussée de sang. C'était à ne pas s'y tromper l'arme du crime. Je fus tellement abasourdi par cette scène horrible que je me mis à trembler comme une feuille de peuplier. Il me fallut beaucoup de temps pour retrouver mes esprits et mes jambes.

Je courus le long de la rivière jusqu'au Passage avertir Le Passeur et je montai avec lui dans sa barque. Il la laissa filer sur la rivière avec l'aide du jusant. Avant d'atteindre le fleuve, il l'accosta et promit d'attendre là que je ramène du secours. Je courus comme un fou jusqu'au palais de l'intendant. Le lieutenant civil s'y trouvait. Il envoya aussitôt à l'hôpital quelqu'un quérir le chirurgien Boisseau ainsi qu'un gendarme. Ce fut dans cet équipage que l'on gagna ensuite le désert, d'abord dans la barque du Passeur, puis à pied.

Le chirurgien fit son travail, puis le lieutenant civil commença aussitôt le sien par un interrogatoire en règle à mon endroit.

— Où étiez-vous quand l'assassinat s'est produit ?

— À lire, non loin de la rivière.

— Qu'est-ce que vous avez remarqué en premier ?

— Le corps étendu sur le dos.

— Avez-vous entendu du bruit ?

— Non !

— Qu'est-ce que vous faisiez à cette heure, à cet endroit ?

— Je l'ai dit, je lisais.

— Quel livre ?

— Les fables de monsieur de La Fontaine.

— Où est votre livre ?

— Je l'ignore !

— Vous l'ignorez vraiment ?

— Oui !

— Il faudra vite le retrouver.

Tout cela avait été dit avec une voix remplie de soupçons, beaucoup d'interrogations dans le regard et des œillades entendues du côté du gendarme.

— Avez-vous touché le corps ?

— Jamais je ne me le serais permis.

— Quelqu'un savait que vous étiez là ce matin ?

— Oui ! Mon épouse.

— Ça ne compte pas. Quelqu'un d'autre ?

— Non !

— C'est mal parti ! Vous faites quoi dans la vie ?

— Vous le savez, ce n'est pas notre première rencontre, je suis le notaire de Notre-Dame-des-Anges.

— À part ça ?

— Rien !

— Vous lisez ?

— Je lis.

— Pourquoi ?

— Parce que monsieur de La Fontaine raconte bien.

— Qu'avez-vous sur vous ?

— Rien d'autre que le linge que je porte.

— Faites voir !

— Quoi ?

— Je vous veux tout nu.

— Pourquoi ?

— C'est moi qui décide. Allons, mettez-vous en frais, sinon Blaise va vous y aider.

C'était donc ainsi que s'appelait ce gendarme qui se tenait tout près, gros comme un bœuf et mal dégrossi, avec des poings aussi larges que des pattes d'ours. Je m'exécutai, non sans gêne, devant ces trois hommes. Le chirurgien passe encore, il en avait vu d'autres, mais le lieutenant civil de même que cette espèce de gendarme empâté qui mettait un temps fou à fouiller mes hardes, je me serais bien passé d'être nu en leur présence. Je me rhabillai en vitesse dès que j'en reçus l'ordre.

— Vous n'avez rien sur vous, là-dessus, au moins, vous n'avez pas menti, dit le lieutenant. Qu'avez-vous d'autre à me dire ?

— Rien, j'en ai bien peur.

— Vous connaissiez la victime ?

— Comme tout le monde, mais pas pour lui avoir parlé souvent, à part deux fois qu'il est venu à l'auberge et une autre au Passage, mais plus pour en avoir entendu parler, pour ça oui !

— Que voulez-vous dire ?

— Ce n'est pas quelqu'un dont on entendait dire du bien.

— Qui vous en a parlé ?

— Plusieurs de ceux qui passent à l'auberge.

— Vous sauriez m'en faire la liste ?

— C'est qu'elle risque d'être fort longue.

— Vous me la ferez quand même.

Le chirurgien avait terminé son travail. Le lieutenant me donna congé. Il laissa le gendarme de faction près du corps en promettant du renfort. Il me conseilla toutefois de ne pas m'éloigner, de sorte à être toujours à la disposition de la justice. Nous avions à peine esquissé quelques pas sur le chemin du retour que le lieutenant se tourna brusquement vers moi et me retint par la manche.

— Montrez-moi, dit-il, l'endroit où vous vous teniez pour lire…

Je le guidai vers la souche qui me servait de banc. Ce fut lui qui, en premier, vit le livre. Dans ma précipitation à me cacher sous les buissons, je l'avais laissé tomber tout près sur un tapis de mousse. Le lieutenant se pencha et le ramassa.

— Pour quelqu'un qui prétend n'avoir rien entendu, dit-il, vous semblez, mon cher ami, avoir brusquement quitté les lieux.

Je n'avais rien à redire à cette remarque. Je restai coi. Il n'insista pas.

— Vous êtes notaire, jeune homme, vous allez me mettre par écrit dans un procès-verbal, en bonne et due forme, le récit de ce dont vous avez été témoin ce matin en n'omettant rien. Tâchez de bien vous souvenir : le moindre détail parle parfois plus que vous ne pensez.

Pendant tout ce temps, il me regardait droit dans les yeux avec un petit sourire en coin qui en disait long sur ce qu'il pensait vraiment de mon témoignage. Il ajouta sans coup férir :

— Ne vous inquiétez pas, je saurai bien tirer cette affaire au clair !

Chapitre 37

Un assassinat qui fait jaser

Rien ne fait plus parler que la mort, sinon
le temps qu'il a fait, qu'il fait ou qu'il fera.

Revenu à l'auberge, je ne dis d'abord rien à Radegonde pour ne point l'inquiéter. Je me mis en frais de me rappeler qui m'avait parlé du marchand Renaud. Ce fut alors que nous arriva Marceau.

— J'ai croisé sur la route, dit-il, un gendarme avec Mongrain qui ramenait un corps dans sa voiture.

— C'était le corps de qui ? demanda Radegonde.

— Je ne sais pas ! Le gendarme et Mongrain, à qui je l'ai demandé, n'ont pas voulu me le dire.

Plus tard, c'est le meunier qui vint nous prévenir.

— Quelqu'un venu au moulin m'a dit qu'on avait retrouvé un mort au désert du bonhomme Renaud. Ce n'était pas une mort paisible.

— Tu en es sûr ? questionna Le Matou, qui venait d'entrer à l'auberge.

— Pour être sûr, j'en suis sûr !

— Ça fait deux morts violentes en peu de temps, remarqua Le Matou.

Jean Challot, dit Le Calfateur, arriva à son tour. Il avait toujours la formule pour boucher : celle qui s'ingère dans les conversations comme un caillou dans un sabot et ne souffre aucune réplique. Autant Le Matou parlait peu, autant lui avait une rage de causer. Au besoin, il inventait des raisons de le faire. Quand il ouvrait la bouche, c'était parti comme un fleuve et pour longtemps. Tout y passait : le mauvais temps qu'il avait fait, celui qu'il faisait et celui qu'il ferait, les quatre saisons pires les unes que les autres, les chemins mal entretenus, les moulins sans vent et sans eau, les animaux malades, les personnes décédées, celles qui n'en avaient plus pour longtemps à vivre, bref, son discours ne se bâtissait que de ce qui meurt ou qui est sur le point de disparaître. Il disait tout cela en faisant aller ses petits yeux de porc dans toutes les directions, comme s'ils cherchaient une place où se poser définitivement. Ce fut ce rustre prédestiné qui arriva avec l'information qu'il s'agissait du corps du bonhomme Renaud. Quand Le Chauve se présenta à son tour, la nouvelle semblait avoir pris toute l'ampleur que pareille annonce prend d'ordinaire, et ils en causèrent longtemps autour d'un verre.

Marceau dit :

— Cet homme-là a eu ce qu'il a cherché. Un mécréant de la sorte ne méritait pas de vivre : faut voir ce qui est advenu de notre bon Ladouceur.

Le Passeur, qui s'était joint à eux, intervint :

— Chen connais des dichaines qui chouaitaient cha mort.

Quand Le Calfateur voulut prendre la parole, Le Matou, qui paraissait amorphosé, lui coupa l'inspiration comme celui qui n'en peut plus de se retenir :

— Écoutez bien ce qui me tarabuste ! Il va y avoir une enquête sur sa mort. Le lieutenant civil finira par trouver un coupable. Pourvu qu'il ne se trompe pas comme pour Prêt-à-Boire. Le bonhomme Renaud était le pire mécréant de ce pays, il ne vaut pas la tête d'un coupable, va falloir tout faire pour éviter que quelqu'un crève à cause de lui.

Je les entendais discuter de la sorte, et pendant tout ce temps me trottait dans la tête la voix du meurtrier. Je croyais connaître le coupable, si je ne me trompais pas de voix. J'entendais dans ma tête les mots qu'il avait dits : « Larron ! Plus jamais... personne. » Un moment, j'étais certain de qui il s'agissait, plus tard le doute entrait en moi. Tantôt je savais, tantôt je ne savais plus. Cette voix, je n'en étais pas réellement sûr. Je me disais : si c'est cestui-là que tu penses, tu fais fausse route, jamais il ne serait capable de pareil crime ! Puis, je m'arrêtais pour me dire : mais que savons-nous au fond de ce qui motive les hommes ? Ensuite, je me convainquais : non tu te trompes. Si tu le livres à la justice, tu le livres aussi à la mort. Et si ce n'est pas lui ? Il faut que tu te concentres, que tu penses très fort, que tu sois certain. En plus, lui ou un autre, toutes les raisons du monde sont bonnes de ne pas le dénoncer : il est vrai que le bonhomme Renaud ne vaut pas la tête de quelqu'un.

Puis je revoyais ce pauvre Prêt-à-Boire sur le gibet, lui qui n'était pas coupable, se défendre de son mieux pour ne pas perdre la vie. Je me disais : il ne faut pas que j'envoie à la mort un innocent. Tout ce que mes amis énonçaient autour de la table à l'auberge renforcissait en moi l'idée de me taire. Allais-je faire condamner l'honnête homme qui nous avait délivrés de cette crapule ? Je me débattais de la sorte dans mes pensées, prisonnier du fait que je n'avais pas vraiment assez bien entendu pour être certain de cette voix qui, pourtant, ne me quittait plus l'esprit.

Il n'en demeurait pas moins que je devais, à la demande du lieutenant civil et criminel, dresser un rapport de ce dont j'avais été réellement témoin et, de plus, fournir sur une liste les noms de ceux que je savais ennemis de la victime en raison des différends qu'ils avaient eus avec lui et de leurs doléances à son endroit.

Je me mis à la rédaction de mon rapport et, en même temps, je trouvai un expédient pour ne pas fournir la liste. J'allais prétendre ne pas pouvoir démêler les noms de ceux qui m'avaient parlé de lui lorsqu'ils avaient passé un contrat devant moi, de ceux qui en avaient parlé en d'autres circonstances parce qu'une confidence au moment où quelqu'un passe un contrat doit rester secrète.

Ma Radegonde, comme le sont beaucoup de femmes, était sensible à mes humeurs. Elle me vint voir pour demander :

— Qui penses-tu est l'assassin ?

Je fis celui qui ne savait rien de toute l'affaire.

— Il avait tellement d'ennemis que ça peut être n'importe qui.

Comme pour se rassurer, elle hasarda :

— Ceux de nos amis ne sont pas des tueurs.

— Sans doute ! Mais qui sait ?

— Penses-tu, ajouta-t-elle, que celui qui a tué Le Noir peut aussi être celui qui a tué le bonhomme Renaud ?

— Peut-être bien ! Le lieutenant civil saura sans doute éclaircir le tout.

— À moins qu'il se trompe comme pour Prêt-à-Boire !

Sa remarque fit long de chemin en moi, vu ce que je savais et dont j'avais été témoin. Je ne laissai rien paraître, ne voulant pas l'inquiéter inutilement.

Je pesai chaque mot de mon rapport afin de le rendre tout ce qu'il y avait de plus plausible. Je mis si long de temps à l'écrire et il me rendit si soucieux que ma Radegonde s'en inquiéta.

— Qu'as-tu, mon Marcellin ? Je te sens inquiet !

— Je suis un peu fatigué, voilà tout.

— Mais qu'est-ce que tu as de si long à écrire que ça te rend tout chose ?

— Un rapport pour le lieutenant civil.

— Un rapport ? Ne saurais-tu pas quelque chose que tu ne m'as pas dit ?

Je ne pus reporter plus longtemps la réponse à sa question. Il me fallut, contre mon gré, lui faire part de ce qui m'était arrivé. Je ne lui parlai pas de cette voix entendue, bien décidé à tout faire pour éviter que son porteur soit condamné.

Je savais que le lieutenant ne tarderait pas à rappliquer, et il le fit par le truchement du charretier Mongrain qui me remit un billet de sa part, me priant d'être au palais le lendemain, rapport et liste en main.

Chapitre 38

Devant le lieutenant civil

Il ne vaut mieux pas, même
de bonne foi, jouer avec le feu.

Le lendemain, il pleuvait des sieaux. Je peux le dire sans risque de me tromper, car il semble bien qu'il en soit toujours ainsi en ce qui touche les jours dont nous évoquons avec dédain le souvenir. Dès mon arrivée au palais, le lieutenant civil ne me fit pas droguer, il me reçut avec alacrité, pressé qu'il était de m'entendre de nouveau. Je lui remis mon rapport, ou procès-verbal, de ce dont j'avais été témoin. Il se montra des plus contrarié du fait que je n'avais pas dressé la liste demandée.

— Vous l'avez oubliée ?

— Non pas !

— Vous vous refusez de la fournir ?

— Je la remettrais volontiers si je pouvais départager ce qui m'a été dit dans l'exercice de ma fonction et hors de cet exercice.

— Qu'est-ce que ça change ?

— Dans un cas, je suis tenu au secret ; dans l'autre, pas.

— Pour la justice, il n'y a pas de secret. Vous vous faites scrupule de révéler des noms que nous connaîtrons nonobstant vos réticences.

— Ne vous offensez donc pas si je vous demande alors pourquoi vous exigez cette liste de ma part.

— Pour sauver du temps.

— Il vous est facile de connaître ces noms : vous n'avez qu'à jeter un œil sur les contrats d'obligations passés depuis deux ou trois ans devant les notaires de Québec entre le marchand Renaud et nombre d'habitants.

— Vous ne me montrerez pas comment faire mon travail.

— Loin de moi l'idée de vous en remontrer, c'était tout bonnement une remarque que je faisais.

Je vis que j'avais touché juste, car d'un doigt il replaça sa perruque avant de grommeler :

— Je retiendrai que c'est mauvaise volonté de votre part.

— D'aucune manière ! Je ne suis pas homme à trahir le secret des transactions passées avec mes habitués. Par contre, vous avez toute ma collaboration en ce qui touche le rapport également demandé.

Il jeta alors un premier coup d'œil sur le document qu'il tenait en main et que j'avais intitulé :

Rapport de Marcellin Perré, notaire de Notre-Dame-des-Anges, touchant l'assassinat du marchand Pacifique Renaud, le mercredi 19 août 1674

En ce mercredi 19 du mois d'août de l'an de grâce 1674, tôt le matin, comme j'avais souvent l'habitude de le faire, je me rendis à un point donné, que j'appelais la souche, non loin du désert appartenant au marchand Pacifique Renaud. Là, me servant d'une souche comme banc, je me plongeai dans la lecture des fables de monsieur de La Fontaine. Il y avait bien une demi-heure que je me laissais absorber par cette captivante lecture quand mon cœur fut mis en émoi par un bruit sec de branches cassées, à quelques portées de mousquet de l'endroit où je me trouvais. Croyant être victime de la charge de quelque animal sauvage, je me précipitai à terre, pensant profiter de l'abri constitué par quelques arbres bas. Je restai là un moment dont je ne pourrais dire la longueur, puis, me pensant hors de danger, je sortis de ma cachette. Ma curiosité l'emportant sur ma peur, je m'avançai doucement dans la direction d'où le bruit était venu. C'est alors que je butai presque sur le corps d'un homme que je reconnus être celui du marchand Renaud. Il baignait dans son sang, la tête fendue par ce que je jugeai être à ses côtés l'arme du crime, un gourdin lui aussi tout éclaboussé de sang. L'horreur de cette vue me fit me figer un moment sur place, ne sachant plus ce qu'il convenait de faire ou ne pas faire. Je me gardai bien de m'approcher davantage. Je partis aussi vite que mes jambes me pouvaient porter rejoindre la route qui va de Charlesbourg à Québec.

Une fois là, je courus porter la nouvelle à Denis Drieux dit Le Passeur avec qui, au moyen de son embarcation, je me rendis prévenir les autorités au palais. Le reste, ceux qui furent du voyage de retour vers le corps de la victime, c'est-à-dire monsieur le lieutenant civil et criminel, le chirurgien Boisseau, Drieux Le Passeur et un gendarme nommé Blaise, pourront le rapporter tout aussi bien et mieux que moi.

Signé avec paraphe, Marcellin Perré Ce mercredi 19 août 1674

Quand il eut terminé cette lecture, le lieutenant civil releva lentement la tête. Me fixant droit dans les yeux, il dit :

— Tiens ! Tiens ! La mémoire vous est enfin revenue.

— Pour qu'elle me revienne, encore eût-il fallu que je la perde.

— Vous n'êtes pas dans une position pour vous permettre des impertinences !

— Aucunement ! Je dis simplement la vérité.

— En ce cas, où étaient-elles, cette vérité et cette mémoire, hier, quand je vous ai demandé si vous aviez entendu du bruit et que vous avez répondu que non ?

— J'avais compris votre question comme touchant du bruit relatif à l'assassinat. Pour ce, je n'ai rien entendu. Le seul bruit que j'ai perçu a été celui de branches cassées qui m'a tant effrayé. Après analyse, je conviens qu'il s'agissait peut-être alors du bruit qui a causé la mort de la victime, mais dans ma tête c'était plutôt un bruit commis par une bête sauvage, ce qui m'a fait me précipiter par terre, comme je l'ai relaté dans mon rapport.

— Vous venez de trouver là une bonne explication au fait que vous aviez oublié votre livre dans la futaie…

— Ce n'est pas une bonne explication, c'est la seule vraie. Si vous ne m'aviez pas fait penser par la suite à mon livre de fables, il serait sans doute encore à l'endroit où, dans ma précipitation, je l'avais laissé tomber. Je vous sais gré de m'avoir permis de reprendre ce bien fort précieux à mes yeux.

Mon rapport semblait avoir mis fin à l'interrogatoire. C'est ce que j'en conclus quand le lieutenant civil se leva. Je fis mine de prendre congé. Il m'ordonna de rester là et d'attendre. Il revint après quelques minutes, tenant à la main un morceau de parchemin dont la lecture semblait captiver toute son attention.

— Pour votre information, commença-t-il, j'ai ici en main des noms de personnes que vous connaissez. Je ne crois pas me tromper en disant que le nom du meurtrier s'y trouve. J'aimerais connaître votre opinion à l'endroit de quelques-uns d'entre eux avec lesquels vous avez sans doute assez souvent frayé puisqu'ils ont la réputation de fréquenter assidûment l'auberge où vous logez.

Je ne pouvais rien contre sa volonté de me faire parler au sujet de mes amis. Je demandai :

— Est-ce un interrogatoire propre à faire avancer l'enquête ?

Ma question sembla le surprendre.

— Ce sont simplement quelques informations supplémentaires.

— Là encore, je crains de vous décevoir, car, comme je suis leur notaire, ils sont certainement, à ce titre, mes obligés. Comment démêler ce qu'ils peuvent m'avoir dit dans mon étude de ce dont ils m'ont fait part à l'auberge ?

— Je constate que vous vous faites bien du souci pour ce qu'il convient d'appeler le secret auquel vous êtes tenu. Sachez que la justice loge au-dessus de cela. Si vous ne collaborez pas, j'aurai la nette impression que vous avez quelque chose d'important à cacher.

— Dois-je prendre cela comme une menace ?

— Veuillez le prendre comme il vous convient. Habituellement, celui qui n'a rien à se reprocher ne se sent pas menacé.

Cette dernière remarque me fit comprendre que j'étais en présence de quelqu'un de retors.

— Fort bien, lui dis-je. Posez toujours vos questions.

— Voilà qui est plus raisonnable.

Il marqua une pause avant de continuer.

— J'ai ouï dire que le marchand Renaud et le passeur de la rivière Saint-Charles, le dénommé Drieux, n'étaient pas les deux meilleurs amis du monde.

— À ce que je sache, ils ne l'étaient pas en effet.

— Auriez-vous été témoin d'une algarade entre eux ?

— Je l'ai été, même que je suis venu en aide au Passeur, que l'autre menaçait d'un couteau.

— Ah, bon ! Ce n'est pourtant pas ce que ce pauvre marchand m'a raconté le lendemain de cette dispute.

— Je ne connais pas sa version, mais vous venez d'entendre la mienne et c'est la seule vraie.

— Pourquoi n'avez-vous pas rapporté la chose en son lendemain ?

— Parce que je n'ai pas jugé bon de le faire. Je suis de ceux qui ne font pas une tempête de ce qui se passe dans une coupe d'eau.

— Peut-être auriez-vous dû faire la tempête que vous dites. Ce pauvre marchand m'a même montré le couteau avec lequel Le Passeur l'a attaqué.

— Quel menteur il faisait ! Il possédait sans doute des douzaines de couteaux semblables, puisque le couteau avec lequel il s'en est pris au Passeur dort au fond de la rivière. Croyez-moi, c'est là que ce dernier l'a jeté après que le marchand en fut désarmé.

— Seriez-vous prêt à jurer sur les Saintes Écritures ce que vous venez de dire ?

— Tout de suite si ça vous chante.

— Vous savez que chez nous le parjure se paie parfois par une corde au cou ?

— J'en suis informé. Mais comme je vois que vous ne me croyez pas, puis-je espérer que vous enverrez quelqu'un sonder la rivière là où le couteau se trouve ? Je puis fort bien lui en indiquer approximativement l'endroit.

— Je vous ai déjà dit que vous ne m'en remontrerez pas sur ce qui me convient ou ne me convient pas de faire.

— Ce n'était là qu'une simple remarque de bon sens.

Voyant qu'il ne gagnerait pas de ce côté-là, le lieutenant civil s'essaya d'un autre. Il continua ses questions avec l'air de ne pas y attacher trop d'importance. Mais, durant tout ce temps, il ne me quittait pas des yeux, soupesant chacun de mes gestes, chacun de mes regards, chacune de mes paroles. Il avait l'habitude d'interroger. Il souffla un peu, le temps de renifler un coup dans sa tabatière.

— Voyons donc, enchaîna-t-il, un autre que vous semblez bien connaître, un nommé Jobidon. Qu'en dites-vous ?

— Il y a quelque temps que je l'ai vu. Depuis qu'il vit sur sa terre du Bourg-Royal, il se fait moins présent, d'autant plus qu'il ne l'était guère avant, ayant dû se rendre chercher sa légitime en France qui, comme vous le savez, n'est jamais parvenue en Nouvelle-France.

— Oui, nous savons. Elle est morte sur le navire qui les ramenait, et d'un mal mystérieux que personne n'a pu expliquer.

— Je la savais morte sur le navire… Mais de quoi, au juste ?

— C'est précisément ce que nous apprécierions savoir.

— Il vous faudra vous adresser à lui ou à un autre que moi pour faire la lumière.

— Surtout, continua le lieutenant, qu'avant son retour sa terre a été achetée. Et par qui ? Notre marchand Renaud ! Qui a tué une fois le fait plus facilement une deuxième !

— Je doute fort que cet homme puisse avoir tué pour ça et encore faudrait-il être assuré qu'il l'ait bien fait pour sa femme. On ne bâtit rien sur des ouï-dire.

— Vous êtes sage, je vous l'accorde. Vos propos me semblent très sensés et j'aurais bien idée de vous donner congé, mais pas avant que vous m'informiez au sujet de quelques autres individus de votre entourage, tels le meunier Faye dit Mouture, le charpentier Marceau, les dénommés Le Matou et Le Chauve.

— Je ne doute pas un instant qu'ils aient tous un alibi. Le meunier quitte rarement son moulin, et le charpentier, son chantier. Quant aux deux autres, il y aura bien quelqu'un qui les aura vus ce jour-là.

— Détrompez-vous en ce qui concerne le meunier et le charpentier de navire. Ni l'un ni l'autre ne peut se disculper par un alibi. Ce jour-là, quelqu'un les a aperçus sur la route, peu avant l'heure fatidique. Comment expliquez-vous que, depuis, le meunier nous ait quittés pour la France, sous prétexte d'aller y chercher un héritage ? Ne serait-ce pas plutôt pour se faire oublier ?

— Le meunier avait préparé de longue date son départ pour la France : j'avais même écrit là-bas pour lui l'année dernière. Par ailleurs, vous m'apprenez que Marceau et lui se trouvaient sur la route ce matin-là. Je ne les connais guère assez pour vous éclairer sur leurs allées et venues. Je les considère tous les deux comme d'honnêtes hommes et n'ai pas de reproches à leur faire. De se promener sur la route ne fait pas de quelqu'un un assassin.

— Pas plus que de lire dans les bois, n'est-ce pas ? Mais ça peut faire des suspects. Quant aux deux autres, nous les avons à l'œil. Ce ne sont pas des enfants de chœur.

Il dit cela avec son sourire énigmatique qui me le rendait de moins en moins amène, car il me faisait angoisser à force de me bigler et c'était quelqu'un de futé. Sur ce, il me donna congé. Je me dis : « Que le bon Dieu le patafiole ! »

Chapitre 39

Hanté par la voix

La vérité est toujours la meilleure chose à dire.

Le lendemain de ma rencontre avec le lieutenant civil, je fus tourmenté tout le jour. Je n'en pouvais plus. J'avais beau m'étourdir dans mes écritures jusqu'à ne plus rien voir, la voix que j'avais entendue près du désert ce jour-là ne me sortait plus de l'esprit. Elle me bourdonna dans la tête tout le jour et le soir encore, quand, mort de fatigue, je tentai de m'endormir, et m'ennuya toute la nuit dans mon sommeil, en même temps que la porte qui ne cessait de fléler.

La voix était de nouveau là le matin, dès que j'ouvris les yeux. Je me dis que je ne pouvais plus garder ça pour moi, qu'il fallait que j'en parle à quelqu'un. Mais à qui ? J'en étais tellement tourmenté que j'en venais à conclure qu'il me fallait en parler tout de suite, que c'était inutile de repousser ce fardeau le plus loin possible, il allait toujours revenir en vitesse se figer dans ma tête comme une eau stagnante sans passage où s'écouler. Je n'avais pas vu l'assassin, mais j'avais entendu sa voix juste avant son méfait. Je n'arrivais pas à être sûr de cette voix. Puis je me disais : « C'est bien lui ! » Mais celui à qui je pensais, je ne parvenais pas à le voir dans la peau d'un tueur. Pourtant, est-ce que ça pouvait être quelqu'un d'autre ? Je me disais : « Tu te fais des accroires quand tu penses qu'il y a des voix qui se ressemblent et qu'une erreur est vite arrivée, surtout quand on est sous le choc. Ce sont des défaites pour ne pas admettre la vérité. Tu as reconnu la voix, tu connais le meurtrier, tu es même le seul à le connaître. »

J'avais sous les yeux une copie du rapport écrit exigé par le lieutenant civil et criminel. Je le relisais, pour voir à quel point je l'avais bien fignolé, en y glissant des phrases qui ne voulaient rien dire, des mots pour éblouir et faire oublier le principal, des mots pour tromper, pour endormir, pour faire croire. Je savais que j'avais fauté, que je n'y avais pas mis l'essentiel : cette voix.

Caïn après sa faute voyait constamment l'œil de Dieu sur lui ; moi j'entendais continuellement cette voix. Je tentais de repousser le plus loin possible le moment d'avouer. Pourtant, au-dedans de moi, je savais que je finirais par céder. Ma conscience me disait : « Celui qui fait un faux témoignage est aussi coupable que l'autre. » Qu'est-ce qui m'arrivait ? Pourquoi n'avais-je pas eu le courage de dire la vérité tout de suite, une fois pour toutes ? J'aurais pu parler de cette voix, même si j'avais une doutance de l'avoir vraiment reconnue. Et maintenant qu'à force d'y penser je croyais savoir à qui cette voix appartenait, je me disais que si c'était vraiment lui, à mes yeux, le coupable était un saint comparé à sa victime. Mais tout de même, saint ou démon, personne n'a le droit de tuer comme ça. « Tu ne tueras point ! » C'est bien écrit dans les commandements. L'assassin avait sans doute ses raisons, mais ce n'était pas pour autant une excuse. J'avais beau tenter de l'absoudre, il n'avait même pas l'excuse d'un geste non prémédité ou de la légitime défense : c'était pure vengeance de sa part.

Je restais là, avec en moi des remords lourds comme des pierres, et tout cela parce que je ne pouvais pas me faire à l'idée de livrer un meurtrier à la justice. Ça me déchirait rien que d'y penser. Qui étais-je, moi, pour décider du sort d'un homme ? Et si je me trompais ? J'étais tout aussi déchiré par le fait de ne pas le livrer que de le livrer. J'apprenais avec cette affaire que la vie est ainsi faite. Tout y est possible, même ce qu'on croit impossible. Je n'étais plus qu'un tremblement sur une mare de doutes. Je ne voulais pas admettre qu'une pareille chose était arrivée et, surtout, que j'en étais l'unique témoin.

⁂

Pendant ce temps, le lieutenant civil continuait ses interrogatoires. Tous ceux qu'il m'avait nommés avaient été convoqués. Il fallait les entendre gronder à leur retour.

—Moi, un criminel? s'indignait Marceau. Parce que ce matin-là, je me suis promené avec Faye sur la route de Charlesbourg, pour lui faire mes adieux et lui souhaiter bon voyage, le lieutenant civil prétend que je n'ai pas d'alibi. Comme nous disons chez nous: c'est un goubiot tout juste bon qu'à soupçonner à tort et à travers.

—Pourquoi t'en fais-tu? lui fit remarquer Le Matou. Est-ce que les gens n'ont plus le droit de se promener sur la route?

Marceau éleva la voix:

—Est-ce que Prêt-à-Boire n'était pas sur la route ou tout près quand la pauvre Belle a été tuée?

Sa remarque eut l'effet d'un coup de massue. Un lourd silence tomba sur l'auberge comme un linceul.

C'est encore Marceau qui reprit la parole.

—Toi, Le Matou, as-tu été convoqué?

—Je l'ai été. Il m'a demandé: "Où étiez-vous, monsieur, le matin du meurtre?" "Chez moi!" que je lui ai répondu. Là, il a tenté de me prendre au piège. "Et si je vous disais que vous n'étiez pas là?" "Vous vous tromperiez joliment, ou celui qui vous aurait dit pareil mensonge, s'il a une conscience, n'en dormirait pas depuis." "Qu'est-ce qui vous rend si certain de ce que vous dites?" "Parce que tous les matins, à cette heure-là, je suis chez moi, d'aussi longtemps que je suis en Nouvelle-France: j'ai des animaux à nourrir!"

—Il a dû déchanter? s'exclama Le Chauve.

— Il pensait m'avoir par une cautèle, enchaîna Le Matou. Il a besoin de se lever de bonne heure s'il pense m'avoir de cette façon.

Sa réflexion jeta de nouveau un drap de silence. Puis, après quelque temps sans parler, comme pour donner à chacun le temps de jongler, l'un d'eux a dit :

— Il faut bien qu'il y ait un assassin, mais qui est-ce ? Qui a pu l'occire ?

— Forcément quelqu'un que nous connaissons, grogna Marceau.

Sa remarque eut l'effet d'une flèche lancée comme ça, au hasard. Personne n'osait plus regarder son voisin dans les yeux. Ils se soupçonnaient les uns les autres et moi en premier, puisque j'étais celui qui avait trouvé le corps, celui qui était allé prévenir les autorités. Je voyais se dessiner la même trame qu'à la mort de Belle. On soupçonnerait tout le monde, puis bien sûr on jetterait son dévolu sur l'étranger. Il était vrai que pour eux j'étais de moins en moins un étranger ; par conséquent, ils en soupçonneraient certainement un de plus étranger que moi.

Tous ceux qui avaient emprunté de l'argent à la victime défilèrent devant le lieutenant civil. Ils avaient pour la plupart de bonnes excuses, des alibis parfaits. Toutefois, j'appris que l'on soupçonnait davantage l'un d'entre eux d'être l'auteur de ce meurtre. À l'auberge, vu les regards, les voix qui se taisaient à mon approche, je me faisais le plus discret possible. Je ne manquais pas moins de tendre l'oreille aux conversations. Ce fut ainsi que parvint à mes oreilles le nom du Portugais. Je n'en fus pas du tout étonné. Je ne m'étais pas trompé, on soupçonnait une fois de plus celui qui n'est pas encore de la famille, celui qui communique difficilement et qui, forcément, porte en lui toutes les racines du mal.

Si la rumeur s'avérait juste et si le lieutenant civil le faisait arrêter, ma supercherie me pèserait encore plus lourd. Le lieutenant et ces messieurs du Conseil allaient-ils, une fois de plus, commettre une erreur comme celle qui avait valu la mort de Prêt-à-Boire? Qu'est-ce qui me pendait au bout du nez? Je serais obligé de dire que j'avais entendu une voix, que je pensais connaître le coupable et, à la fin, de donner son nom. Je n'osais même pas me figurer comment les choses tourneraient alors. J'étais coincé. Si j'avais été seul, j'aurais trouvé le moyen de m'éclipser quelque part. Ce n'étaient pas les possibilités qui manquaient de quitter le pays par la Nouvelle York ou encore l'Acadie. Ce pays était si grand qu'il y avait toujours moyen de s'y cacher quelque part. Mais je n'étais pas seul, j'avais femme et enfant. Je ne suis pas le plus ingénu des hommes, mais nécessité oblige: en me taisant je jouais ma propre vie. Je savais pourtant que de dire la vérité aurait été pour moi une délivrance. Malgré tout, je résolus d'attendre la suite des événements.

Chapitre 40

Aveux à Radegonde

Le silence est toujours plus lourd
à porter qu'un simple aveu.

La vie est curieusement faite. Trois jours auparavant, je filais le parfait bonheur avec tout plein de bons amis autour de moi, une femme comme il ne s'en fait pas, une Fanchonette plus belle qu'on peut l'imaginer, un bon ouvrage et, devant moi, des années de ce même bonheur tranquille. Et voilà que cela était arrivé sans que je le cherche, comme ça, tout bêtement. Depuis, toute ma vie s'en trouvait remuée comme la surface d'un lac que vient de toucher une pierre.

Je savais que si je ne parlais pas, personne ne saurait qui avait tué. Ici, dans ce petit monde clos, tous se connaissaient, personne n'élèverait la voix pour accuser, sauf sans doute l'étranger. Me revenait constamment en mémoire une maxime de M. de La Fontaine à la fin d'une de ses fables : « Nous n'écoutons d'instinct que ceux qui sont les nôtres et ne croyons le mal que quand il est venu. » C'est encore une de ses fables si précieuses qui expliquait sans doute les motifs de cet assassinat, celle où une génisse, une chèvre et une brebis s'acoquinent avec un lion pour partager à parts égales les profits de leur société. Voilà que le lion est requis par ses associées pour tuer un cerf perdu sur un lac du territoire de la chèvre. Le lion tue le cerf et le divise en quatre parts. Il garde la première pour lui; la deuxième aussi parce qu'il est le plus fort; la troisième de même, parce qu'elle revient au plus vaillant, celui qui a tué le cerf; la quatrième enfin, parce que, dit-il, «si l'une des trois autres associées tente d'y toucher, je l'étranglerai».

Le bonhomme Renaud, la victime du meurtre, n'agissait pas différemment envers ceux à qui il prêtait de l'argent.

Pour donner le change, je me mêlai aux conversations, comme je l'avais toujours fait. Les soupçons se portant sur le Portugais les détournaient de moi. Déjà, je sentais diminuer la tension qui, la veille encore, montait rien qu'à ma vue. Mais mon secret demeurait tout aussi lourd et il me fallait le partager. Ce fut à ma douce Radegonde que je le confiai, un soir, sur l'oreiller.

—J'ai quelque chose de si tant difficile à te dire que j'ai mis un temps fou à penser te l'avouer.

Mes paroles la rendirent d'un coup toute pâlotte et je vis se dessiner dans ses yeux une vive inquiétude, cependant que des plis profonds barraient soudain son front. Le cœur me fit trois tours et je me sentis tout penaud d'avoir parlé de la sorte.

— Qu'est-ce qu'il y a ? finit-elle par murmurer.

— Il y a que c'est moi le premier qui ai trouvé le corps du marchand Renaud.

— C'est toi ?

— J'étais-là, dans son désert, quand tout ça est arrivé. Souviens-toi, ce matin-là, je m'en étais allé lire les fables de ce bon monsieur de La Fontaine là où je vais si souvent.

— Et puis ?

— J'étais à lire depuis un bon moment quand j'ai entendu des branches qui se cassent et une voix qui a dit : "Larron ! Plus jamais... personne !"

— Tu as entendu ?

— Oui ! Mais ce n'est pas clair dans ma tête. Je ne suis pas certain d'avoir reconnu la voix.

— L'as-tu dit au lieutenant civil ?

— Non point ! S'il fallait que je lui dise un nom et que ce ne soit pas le bon !

— C'est quelqu'un que nous connaissons ?

— Oui ! Si c'est vraiment la voix que j'ai entendue.

— Que vas-tu faire ?

— Je n'en sais rien pour le moment...

— Mais, Marcellin, il faut dire la vérité !

— Que j'ai entendu une voix, peut-être, mais pas de révéler la voix de qui tant que je ne serai pas certain.

Elle en fut atterrée.

— Qu'allons-nous devenir ? Tu as pensé à moi, à notre Fanchonette ?

— Si j'y pense ? Bien sûr ! Vous êtes tout le temps dans ma tête et dans mon cœur.

Elle qui a tant de courage se mit à pleurer. Je la serrai contre moi et tâchai de la calmer en lui servant tous les arguments que je me servais à moi-même depuis l'affaire. Si je ne parlais pas de la voix, tout finirait par rentrer dans l'ordre, personne d'autre que nous ne saurait. Tout cela ne servit pas à la convaincre, pas plus que ça ne me convainquait moi-même. La pauvre ne cessait de dire : « Pourquoi tu n'en as pas parlé tout de suite ? Pourquoi tu gardes tout ça en toi ? Pourquoi fais-tu porter sur nous des dangers de la sorte ? Va tout de suite avouer ! »

J'avais beau lui répéter que je ne supporterais pas de voir mourir quelqu'un par ma faute sans être certain de mon coup, ça s'avérait inutile. Elle me répétait sans cesse : « Et nous, est-ce que nous méritons de vivre ainsi ? » Sa question si sensée avivait mes craintes. Loin de m'apaiser, ma démarche auprès d'elle ne fit que m'angoisser davantage, si bien que je me mis à dépérir, me demandant ce que j'avais pu faire de si mal pour que le destin me joue un si vilain tour. Il ne s'agissait pas là que d'une riotte : une vie était en jeu.

Chapitre 41

Une visite du père Aveneau

Quand s'apaise la tourmente, c'est souvent pour mieux recommencer.

Puis, comme par enchantement, l'affaire s'apaisa peu à peu. Quelques jours passèrent sans qu'il en soit réellement question. Les préoccupations du quotidien avaient repris le dessus. C'était la période où la terre donne ses fruits, la récompense de tous les labeurs. On fauchait les foins, on commençait à engranger les blés, les récoltes requéraient toute l'attention, la nature récompensait ceux qui lui avaient confié leur travail. Je commençais à respirer mieux.

Le bon père Aveneau venait rarement à l'auberge. Il se montrait par ailleurs fort satisfait de mon travail et je n'avais qu'à m'en réjouir. Je le vis survenir un beau matin, l'air quelque peu soucieux. Je compris tout de suite les raisons de sa venue. Il n'avait pas manqué d'entendre parler de tout ce qui se brassait autour de la disparition du marchand Renaud. Il savait le rôle que j'avais été appelé à jouer en cette affaire et c'était précisément ce qui nous valait sa visite.

Il n'en parla pas d'abord, se contentant d'amuser par toutes sortes de mimiques notre Fanchonette, mais derrière cette façade, je le sentais soucieux. Je ne mis pas de temps à comprendre qu'il en savait plus qu'il ne le laissait voir. La lumière se fit dans mon esprit quand je me rappelai le dimanche précédent. Comme elle le faisait de temps à autre, Radegonde était passée à son confessionnal. Elle avait sans doute vendu la mèche. Lié par le secret de confession, mine de rien, le bon père venait tâter le terrain.

— J'ai donné au lieutenant civil la lettre que tu m'as remise, écrite de la main du notaire Bonnard.

— Vraiment ! Qu'est-ce qu'il en a dit ?

— Il a promis de faire une enquête plus poussée, mais est arrivé ce que tu sais. Il m'a mandé d'aller le voir pour des questions plus précises sur Bonnard et aussi sur toi.

— Ah, bon ! À quel sujet ?

— D'abord, à savoir comment tu avais découvert la lettre. Il m'a semblé très étonné qu'elle apparaisse le jour même de la mort du dénommé Le Noir.

— C'est pure coïncidence !

— Je n'en doute pas, mais ça n'en reste pas moins troublant, tu ne trouves pas ?

— Qui, à part moi et vous, connaissait l'existence de cette lettre ? Personne, puisque je n'en ai pas soufflé mot, même à Radegonde.

Le père se tut un moment avant de poursuivre d'une voix plus inquiète :

— Le lieutenant civil m'a aussi appris que c'est toi qui as découvert le corps du marchand Renaud. Il m'a même fait lire le procès-verbal que tu en as fait. Pourquoi ne m'as-tu pas parlé de tout ça ?

— Parce que je n'en ai pas eu l'occasion.

— Simplement pour ça, ou bien parce qu'il y a autre chose que tu ne veux pas que j'apprenne ?

— Il y a autre chose que je ne peux dire pour le moment…

Ma réponse le rendit songeur.

— J'espère bien que vous ne me soupçonnez pas de quelques malfaisances ou encore même de pire !

— Ton silence m'attriste, mais je ne doute pas de toi. Ce qui m'inquiète le plus, c'est ce qui pourrait t'arriver à toi et aux tiens si jamais…

Je ne le laissai pas aller plus loin.

— Soyez sans inquiétude. Je n'ai rien à voir avec tous ces morts et vous saurez la vérité tout entière quand je serai en paix avec moi-même et certain de ne pas faire une bêtise qui pourrait compromettre la vie de quelqu'un d'innocent.

Ce fut absolument tout ce que je lui dis à ce moment-là. S'il comptait sur mon amitié à son égard pour que je crache le morceau, il en fut quitte pour une bonne visite, parce que le morceau me resta dans la gorge comme un os qui se prend au gosier et n'en veut point sortir. Il dut s'en retourner avec son petit bonheur pendant que le mien diminuait de jour en jour comme un vieux lumignon au bout de sa cire.

Chapitre 42

Le procès du Portugais

Souvent l'étranger nous semble
plus coupable que les autres.

Il n'y avait pas une journée que le bon père Aveneau était passé quand la nouvelle éclata comme un feu de la Saint-Jean: le lieutenant civil avait fait arrêter le Portugais! Ce que j'appréhendais se produisait. Je mis du temps à me faire à cette idée, me persuadant qu'une fois son procès commencé, le Portugais réussirait à se disculper.

Je ne manquai pas d'aller y assister. Les plus hauts représentants de la justice s'y trouvaient tous réunis autour du lieutenant civil comme les anges du jugement dernier autour de Dieu. Le greffier trônait tout près avec l'ensemble des instruments d'écriture. Debout devant tout ce beau monde, le pauvre accusé se morfondait à espérer qu'on veuille bien lui donner la chance de s'exprimer. Le lieutenant civil semblait s'en ficher éperdument. Malheureusement, il n'y avait aucun truchement maîtrisant assez le portugais pour lui faciliter les choses et traduire clairement ses paroles. Il dut se contenter de balbutier, sans cesse à la recherche des pauvres mots de français qu'il connaissait, les seuls aptes à le sauver. Il semblait comprendre les questions mais se montrait très malhabile à y répondre, ce qui indisposait à la fois le lieutenant civil, les membres du Conseil et l'auditoire. Ses hésitations étaient interprétées comme une façon de dissimuler la vérité. Je le voyais avec pitié se débattre dans le filet qui, de plus en plus, enchaînait ses épaules. Implacable, le lieutenant civil questionnait sans fafigner.

— Où étiez-vous le matin du meurtre ?

— Charlesbourg !

— Pour y faire quoi ?

— Roue brisée.

— Si je comprends bien ce que vous dites, vous étiez à Charlesbourg pour y faire réparer une roue brisée ?

— Oui !

— Par qui ?

— Forgeron.

— Lequel ? Il y en a plus d'un à Charlesbourg, j'en connais au moins deux : Léonard Foucher et Antoine Gandin. Était-ce l'un des deux ?

— Oui, Gandin.

— Nous l'avons interrogé chez lui et il dit qu'il ne vous a pas vu à Charlesbourg, ce matin-là. Qu'avez-vous à répondre à ce sujet ?

— A oublié.

— Vous prétendez qu'il aurait oublié ?

— Oui !

— Pourtant, il soutient qu'il a une bonne mémoire, qu'il n'oublie pas facilement et encore moins quand ce n'est pas un de ses habitués qui va à sa forge. Êtes-vous un habitué de cette forge ?

— Comprends pas.

— Est-ce que c'était la première fois que vous alliez chez lui ?

— Oui !

— Qui vous avait recommandé ses services ?

— Maître Thomas.

— Si je saisis bien, vous travaillez pour Thomas Harnois et c'est lui qui vous aurait dit de vous rendre faire réparer cette roue chez Gandin.

— Oui !

— Pourtant, interrogé hier à ce sujet, votre maître dit ne pas se souvenir.

— Roue réparée.

— Vous laissez entendre, si je comprends bien, que la roue que vous avez portée chez le forgeron Gandin a été réparée ?

— Oui !

— L'avez-vous rapportée avec vous ?

— Non !

Je voyais ce pauvre Portugais se tordre comme sous la torture. Il était au supplice d'être interrogé de la sorte sans pouvoir s'expliquer à sa guise. Sa peur de ne pas être compris lui faisait monter les sueurs au visage.

C'était, je crois bien, cela qui le rendait craintif, davantage que le fait qu'on le crût coupable. J'étais d'ailleurs bien placé pour le savoir innocent : il n'était pas le meurtrier. Le lieutenant civil n'en continuait pas moins impitoyablement son interrogatoire, sans se soucier des souffrances et des difficultés de l'accusé, passablement emmêlé. Il cherchait visiblement un coupable afin de classer au plus tôt cette affaire.

— Connaissiez-vous la victime, le marchand Renaud ?

— Oui !

— Quelles étaient vos relations avec la victime ?

— Comprends pas.

— À quelle occasion avez-vous rencontré le marchand Renaud ?

— De l'argent !

— Une somme qu'il vous a prêtée ? Combien ?

— Deux fois cent livres.

— Avez-vous remboursé ?

— Non !

— Quelle était l'échéance de ce prêt ?

— Comprends pas.

— Quand deviez-vous rembourser votre dette ?

— Moitié août.

Le lieutenant civil, d'un geste calculé pour en mettre plein la vue, se tourna vers le greffier.

— Monsieur le greffier, voulez-vous nous rappeler à quelle date l'assassinat a eu lieu ?

— Le mercredi 19 août.

Le lieutenant se pencha en direction de l'accusé, l'index pointé vers lui.

— Vous avez compris ? Le meurtre a eu lieu quatre jours après l'échéance de votre prêt. Quand le marchand Renaud vous a-t-il réclamé les deux cents livres ?

— Moitié août.

— Quel jour ? Le 15, le 16, le 17 ?

— Quinze.

— Vous n'avez pas pu le rembourser ? Est-ce vrai que le marchand a fait saisir tout ce que vous possédez ?

— Vrai !

— Est-ce vrai que vous avez juré de vous venger ?

— Comprends pas.

— Des témoins ont dit que vous aviez promis de tuer le marchand.

— Non.

— Où étiez-vous quand le marchand Renaud a été tué ?

— Charlesbourg.

— Des témoins disent vous avoir vu, peu de temps avant le meurtre, sur la route qui va de Charlesbourg à Québec.

— Possible. Retourner de Gandin.

— Comme je l'ai dit plus tôt, le forgeron prétend ne pas vous avoir vu chez lui ce matin-là.

— A oublié.

— Vous maintenez que le forgeron Gandin aurait oublié votre visite ?

— Oui ! Lui mentir.

Il y eut un remous dans l'assistance, et des murmures que le lieutenant civil s'empressa aussitôt d'apaiser. Il semblait satisfait de son interrogatoire et reporta l'audience d'autres témoins au lendemain. Les gendarmes conduisirent l'accusé en prison. L'assistance se dispersa.

Chapitre 43

Autour d’une roue

Nécessité oblige.

Par après, en route vers l’auberge, je poursuivis jusqu’à Charlesbourg pour me diriger droit à la forge de Gandin. C’était un homme carré, puissant, la moustache aussi haute que le verbe, la voix rude, le regard dur comme le fer qu’il battait. Malgré ses airs de matamore, je lui posai sans autre forme de procès cette question :

— Est-ce vrai que vous ne connaissez pas le Portugais et qu’il ne serait pas venu, le matin du 19 août dernier, porter une roue à faire réparer pour Thomas Harnois ?

Il me toisa du haut de sa corpulence et cracha à mes pieds avant de dire carrément :

— Ça te regarde ?

— Peut-être bien que oui, peut-être bien que non, mais il y va de la vie de quelqu’un.

— Je n’ai jamais vu cet homme ni d’Adam ni d’Ève.

— C’est bien ce qu’on verra !

Je le quittai sur ces mots avec l'idée bien arrêtée de lui faire recouvrer la mémoire. Je me disais qu'il colorait bien ses mensonges, mais je me trompais. Sans plus, je retournai à Québec directement chez Thomas Harnois. J'avais décidé de voir la roue réparée par le forgeron. Au besoin, je me proposais de la faire saisir. Chaque forgeron a sa manière de travailler. Sa marque reste dans les réparations qu'il réalise. Arrivé chez Harnois, ce dernier n'était pas chez lui. Je prétendis venir pour voir un outil qu'il se proposait de me vendre. Sans se méfier, sa femme me conduisit dans le hangar où cet outil était censé être. En entrant, je vis tout de suite une roue de charrette appuyée contre le mur. Elle venait visiblement d'être remise à neuf. Pour la forme, j'examinai un louchet d'aucune utilité pour moi. Fort de ce que je cherchais, je quittai les lieux, sans plus insister.

Le lendemain, je me rendis de nouveau au palais pour la suite du procès, mais avec la ferme intention de m'y faire entendre. Le lieutenant civil ne fit aucune objection à ce que je comparaisse. Il se méprit sur les raisons de mon intervention et me fit citer volontiers parmi les témoins.

Mon tour venu, pour la forme, je racontai brièvement en quelles circonstances j'avais trouvé le corps du marchand, puis j'en vins directement au fait de mon intervention, ce qui sembla prendre de court le lieutenant civil.

— Permettez-moi d'apporter un éclairage nouveau aux dires de certains témoins de ce procès.

— Parlez donc!

— Je trouve que d'aucuns ont curieusement perdu tout à coup la mémoire.

— Expliquez-vous!

— Le forgeron Gandin prétend ne pas connaître l'accusé et ne pas l'avoir vu chez lui, ce matin-là. Par ailleurs, le sieur Thomas Harnois soutient qu'il n'a pas demandé à son engagé, en l'occurrence l'accusé, d'aller chez Gandin faire réparer une roue de charrette.

— En quoi doutez-vous de leurs paroles?

— C'est que je sais pertinemment, pour l'avoir vue, qu'une roue de charrette qui se trouve dans le hangar du sieur Harnois montre tous les signes d'une réparation récente. Il serait très facile d'y retrouver la marque du forgeron qui l'a réparée.

Le lieutenant civil s'arrêta un moment avant de demander:

— Je m'explique fort mal pourquoi vous montrez tant de zèle à défendre l'accusé.

— C'est que, monsieur le juge, je ne voudrais pas qu'il lui survienne la même méprise que pour le nommé Prêt-à-Boire.

Mon argument porta. Pour ne pas perdre la face, le lieutenant civil manda immédiatement un huissier et l'expédia sur-le-champ chercher la roue en question.

J'avais atteint mon but. Je respirais mieux. Le Portugais avait de meilleures chances de s'en tirer. Je croyais bien avoir réussi mon coup, comme quand on ramarre deux bouts de corde, mais il ne faut pas préjuger de la justice.

⁂

Interrogé le lendemain à savoir s'il avait réparé une roue de charrette pour le sieur Harnois, le forgeron répondit avec assurance :

— Monsieur le juge, des roues de charrette, j'en remets à neuf bien suffisamment par année pour en remplir la place.

— En avez-vous réparé une récemment pour le sieur Harnois ?

— Je lui en ai raccommodé plus d'une et plus d'une fois.

— Dans ces derniers temps ?

— Peut-être bien que oui, peut-être bien que non !

— Le jour du mercredi 19 août dernier, l'accusé ici présent prétend que, de bon matin, il a apporté une roue à faire réparer à votre forge.

— S'il est venu ce jour-là et tôt le matin, ce n'est pas moi qu'il a vu, mais mon engagé Jean-Baptiste Aucoin dit Le Tonnerre, parce qu'il festampe fort sur l'enclume. Il l'aura pris pour moi.

— Vous n'avez donc pas vu l'accusé ?

— Diantre ! Non seulement je ne l'ai pas vu cette fois-là, mais c'est bien la première fois que je le vois aujourd'hui.

Le lieutenant civil se tourna alors vers l'accusé pour lui demander :

— Connaissez-vous cet homme ?

— Non !

— C'est en plein ce que je vous disais ! exulta le forgeron. C'est mon engagé qu'il aura vu, pensant que c'était moi.

— Est-ce que votre engagé répare lui-même les roues ?

— Pardi ! Jamais de la vie, il sait tenir les fers et les battre, mais pour l'ouvrage bien fait, ça ne tient qu'à moi.

— Dans ce cas, vous reconnaîtriez une roue que vous avez réparée ?

— Pour sûr que oui !

— Fort bien, nous verrons tout à l'heure si vous saurez reconnaître votre ouvrage.

Le lieutenant civil fit alors comparaître le sieur Harnois.

— Vous êtes bien celui que l'on connaît sous le nom de Thomas Harnois ?

— Je le suis.

— Vous jurez de dire la vérité et rien que la vérité ?

— C'est tout juré !

— Avez-vous souvenance d'avoir expédié votre engagé, ici présent, chez le forgeron Gandin le matin du 19 août de ce mois pour y faire réparer une roue de charrette ?

— Maintenant que vous me le dites, il me le semble.

— Tiens donc ! La mémoire vous revient… Sachez qu'il ne faut pas me cabasser !

— Vous savez, monsieur le juge, quand on a la conscience tranquille, on ne remarque pas quel jour on est et quel jour on a fait telle ou telle chose. Ça nous revient par la suite en y songeant bien, c'est ce qui m'est advenu pour cette roue.

Le juge manda l'huissier et l'invita à représenter la roue en question, puis il interrogea de nouveau le sieur Harnois.

— Reconnaissez-vous cette roue comme vous appartenant ?

— C'est la mienne, en effet.

— Reconnaissez-vous avoir expédié votre engagé chez le forgeron Gandin pour la faire réparer ?

— Je le reconnais.

— Une fois de plus, la mémoire vous est revenue !

— Je me souviens d'avoir dit à l'engagé de se rendre chez Gandin quand il le pourrait. Ça m'était parti ensuite de l'esprit. Je vois maintenant qu'il s'y est rendu ce jour-là.

— J'ai peine à croire que vous ignorez où va votre engagé. Là-dessus, je vous conseille de ne pas tenter de mentir.

— Loin de moi l'idée de lousser ! Faut savoir, monsieur le juge, que j'ai beaucoup d'autres choses en tête qu'une pauvre roue de charrette. En plus, je ne manque pas d'engagés.

S'adressant au forgeron, le lieutenant civil demanda :

— Reconnaissez-vous cette roue ?

— Pour sûr ! Je l'ai réparée pas plus tard qu'il y a quelques jours.

— C'est le cas de dire, fit remarquer le lieutenant civil, qu'autour de cette roue nous ne faisons que toupiner.

Fier de sa remarque, il se rengorgea à la manière d'un paon avant d'ajouter :

— Tout cela, cependant, a du bon. Ça nous confirme la présence de l'accusé à Charlesbourg, le matin du crime, et également les dires de ceux qui l'ont vu dans les parages du désert peu avant l'assassinat. Il n'y a pas de boutons et de ganses sans raison.

Il ajourna ensuite la séance au lendemain. Le pauvre Portugais n'était pas délivré pour autant.

Chapitre 44

Le plus grand des pétrins

Souvent les meilleures intentions
du monde ne suffisent pas.

Si mon intervention ne changea rien au dénouement de ce procès, elle eut, à tout le moins, le mérite d'en calmer quelque peu le cours. Le lieutenant civil fut contraint d'y aller avec plus de précisions dans ses interventions. Il ne démordait pas cependant de son idée que le Portugais était le coupable. Il avait enfin sous la main quelqu'un à qui il pouvait faire porter le chapeau. Ses preuves, toutefois, ne tenaient guère la route. Ce n'était pas parce que ce jour-là quelqu'un avait été vu dans les parages du désert qu'on devait lui faire porter l'odieux de la situation.

Après avoir interrogé quelques personnes mieux informées des faits et gestes du Portugais sans réellement en tirer quoi que ce soit de concluant, il finit par suspendre indéfiniment le procès tout en maintenant l'accusé aux fers, en prison.

Pour moi, la vie reprit son cours habituel. Je me replongeai dans mes écritures pour reprendre le retard causé par mes absences des derniers jours. J'y travaillais avec zèle quand, un beau midi, le charretier des bons pères arrêta en passant à l'auberge. Il avait pour moi une missive qu'un coureur des bois lui avait remise. Depuis tout le temps que j'étais en ce pays, c'était la première fois que j'en recevais une. Mes mains tremblaient quand je l'ouvris, j'allai tout de suite voir la signature à la fin. Elle était de mon ami Bona et se lisait comme suit :

Marcellin,

Quand tu recevras cette missive, que je vais confier à un coureur des bois en route vers Québec, je serai certainement près de mon territoire de traite. Tu te souviendras qu'avant mon départ, je te disais qu'à mon retour, je trouverais femme et me marierais avant que de m'établir sur une terre à proximité de Québec. Mais voilà qu'en route, j'ai compris que je ne suis pas fait pour la terre, j'aime trop la forêt et ma liberté pour me passer la corde au cou. Quand j'ai besoin d'une femme, les Sauvages m'en prêtent volontiers une des leurs et ça suffit à mon bonheur.

Pour peu que j'aurai troqué contre des fourrures les marchandises apportées, je gagnerai les bois pour deux ou trois ans, peut-être plus, histoire de vivre chez les Sauvages de différentes tribus pour apprendre leurs langues et devenir par la suite un truchement. Tu sais tout aussi bien que moi comment les services de ceux qui parlent plusieurs langues sauvages sont souvent requis et très appréciés, en plus de rapporter de bonnes bourses à ceux qui ont le privilège de les parler.

Ma décision te chagrinera sans doute, puisque nous serons plusieurs années sans pouvoir profiter ensemble de tout ce que la nature nous offre de bon. Il nous faudra vivre de nos souvenirs. Mais ne crains pas, je ne t'oublierai pas, et un jour, je te reviendrai avec ma musique. D'ici là, comme tu ne pourras pas me joindre facilement par écrit, je ne laisserai pas que de t'écrire et me ferai un devoir de te donner de temps à autre des nouvelles afin de t'aviser de la façon dont tu pourras me faire assavoir les tiennes.

Là-dessus, je te laisse en vous espérant, Radegonde, toi et votre Fanchonette, heureux et en santé prospère.

Ton ami, Bonaventure La Musique

Cette lettre me jeta dans tous les souvenirs d'un passé récent et je tombai dans les affres de l'ennui. Mais dans ce pays, certains semblaient se charger de maintenir sur le qui-vive toutes les créatures en décidant de la vie et de la mort. Une fois de plus, le lieutenant civil surprit tout le monde en décidant que l'enquête sur l'assassinat du marchand Renaud avait trouvé son dénouement. Il convoqua les gens du Conseil, fit venir le Portugais, fers aux mains et aux pieds, puis prononça la sentence suivante :

— Après examen et considération des différents témoignages et en particulier celui de l'accusé, j'en suis venu à la conclusion que Maximin Andrade dit le Portugais, ici présent, par son témoignage s'est découvert et est coupable du meurtre et assassinat du marchand Pacifique Renaud, commis le matin du 19 août de cet an de grâce mil six cent soixante-quatorze. Pour ce forfait, je le condamne à être pendu haut et court en la place Royale de cette ville, ce mercredi le deuxième de septembre de l'an de grâce mil six cent soixante-quatorze. Que Dieu lui vienne en aide !

Quand Le Chauve m'apprit la nouvelle, je fus atterré.

— Il a condamné le Portugais ?

— Comme je te le dis. Ça n'a pas pris de temps. Il avait l'air sûr de son fait.

Je ne pus pour un moment reprendre la parole tant j'avais la gorge serrée. Puis, recouvrant tous mes moyens, je dis au Chauve :

— Il commet la même erreur que pour Prêt-à-Boire.

Ce fut au tour du Chauve d'être décontenancé.

— Saurais-tu quelque chose que nous ignorons ?

— Oui, en effet !

— Quoi donc ?

— Je sais qui est le vrai coupable.

— Qu'attends-tu alors de le dire ?

— C'est ce que je vais faire pas plus tard que tout de suite, et quand je l'aurai dit, tu comprendras pourquoi je ne l'ai pas fait plus tôt.

Une fois de plus, le lieutenant civil faisait fausse route. Je me demandai si tout cela n'était pas pure ruse de sa part pour forcer à faire naître la vérité. Je fus contraint d'admettre qu'un homme sensé comme lui ne jouerait pas la vie de quelqu'un s'il n'était pas convaincu de sa culpabilité, mais je savais que le Portugais n'était pas le coupable. La voix que j'avais entendue n'était pas la sienne. Au fond de moi, à mon corps défendant, j'étais désormais certain de ne pas me tromper sur cette voix. Tout concourait à me le confirmer. La veille encore, comme pour m'en persuader, j'étais retourné m'asseoir près du désert, sur la souche où je lisais, le jour de l'assassinat. Rendu là, je concentrai tout mon esprit sur ce que j'avais vécu ce jour-là. J'entendais dans ma tête la voix du meurtrier. Désormais, il n'y avait plus de doute dans mon esprit, il ne fallait plus que j'hésite, je devais intervenir et c'est exactement ce que je fis le jour même.

Je savais, toutefois, qu'en agissant de la sorte, je n'aurais pas la vie facile et que même je risquais de mettre la mienne en jeu. Quand il entendit ce que j'avais à dire, que je connaissais le nom du coupable, le lieutenant civil n'hésita pas une seconde et me fit mettre les fers aux pieds avant de me jeter en prison sans ménagement. Tout le pays avoisinant fut secoué par cette nouvelle comme il l'avait été, une heure plus tôt, par celle de la condamnation du Portugais. Il y avait du nouveau dans cette affaire, l'exécution prévue pour le lendemain était reportée, ce que d'aucuns réprouvaient vivement, tant certains sont insatiables du spectacle de la mort d'autrui.

Ma pauvre Radegonde arriva à ma prison en compagnie du bon père Aveneau. Je leur expliquai ce qui me valait ce traitement. Ils n'eurent pas de reproches, mais je les vis si bouleversés que je regrettai amèrement ne pas avoir parlé, dans mon rapport, de la voix entendue. J'en étais profondément chagriné.

— Sais-tu, dit le père Aveneau, que tu risques gros ?

— Je le sais.

— Le lieutenant civil t'accusera sûrement d'avoir été de connivence avec l'assassin.

— Je saurai démontrer le contraire.

— Il voudra savoir pourquoi tu as tant tardé à parler.

— Je saurai bien expliquer mes raisons.

— Il ne nous reste plus qu'à prier pour qu'il les accepte et ne fasse pas de toi le complice du meurtrier, car tu risques d'avoir le même sort que lui.

— Je ne le sais que trop, mais le fait que j'intervienne maintenant parlera en ma faveur.

— Il faut grandement le souhaiter !

Durant tout ce temps, ma pauvre Radegonde se morfondait, tout en pleurs. Je tâchai de mon mieux de l'apaiser, même si je savais que mes paroles ne pouvaient pas calmer sa douleur.

— Ma mie, il ne faut pas te faire de peine de la sorte, il ne peut rien m'arriver de mal. Après tout, je n'ai été que le témoin de ce malheur. Le lieutenant civil n'est pas si mauvais homme qu'il aille jusqu'à me croire coupable.

Il n'y avait rien à faire. Plus je parlais, plus elle pleurait. Je tentais, tout en voulant la consoler, de m'apaiser moi-même. Après ce qui était arrivé à Prêt-à-Boire et à ce pauvre Portugais, j'étais loin d'être tranquille quant aux intentions du lieutenant civil.

Dans quel pétrin m'étais-je fourré ? Dans quoi le destin m'avait-il plongé ?

Chapitre 45

Interrogatoire serré

Il n'y a rien de pire que la vérité
à qui ne veut l'entendre.

La nuit me fut bien courte, si tant est que je fermai l'œil. Tôt le matin, les gendarmes vinrent me chercher pour me ramener en charrette au palais. Le lieutenant civil m'y attendait avec tous les membres du Conseil, dont monseigneur l'évêque qui, pour la première fois, daignait se déplacer afin d'assister au dénouement de cette affaire.

Le lieutenant civil, qui, en considération de mon témoignage précédent, avait toujours eu quelques doutes, triomphait et le laissait paraître par toutes sortes de gestes vifs et des regards brûlants, de quoi enflammer d'un seul coup tout le palais. Il ne manqua pas de me faire jurer de dire toute la vérité. Il insista même pour prétendre que dans mon cas ce serait sans doute la première fois. Tout cela augurait vraiment mal. Il débuta l'interrogatoire en rappelant que j'étais celui qui avait, le premier, rapporté le meurtre du marchand Renaud.

— Non seulement, le notaire de Notre-Dame-des-Anges, ici présent, était à quelques pas de la victime quand ce dernier a trouvé la mort, mais, s'il faut l'en croire, il a presque assisté en direct à la chose. Il en a même fait rapport écrit à ma demande. Maintenant que quelqu'un est condamné pour ce forfait, le voilà qui rapplique et me dit à présent qu'il connaît le coupable, avec lequel il avait sans doute comploté. Pourquoi, dites-le moi, a-t-il mis deux semaines avant de recouvrer la mémoire ?

Je ne bronchai pas, le laissant déverser ses humeurs bilieuses en attendant de pouvoir m'expliquer. Il finit par s'adresser enfin à moi pour me demander ce qui m'avait incité à venir de nouveau témoigner.

— Comme je vous l'ai révélé hier, bien que je ne vous aie pas dit son nom, je sais qui est le coupable parce que, après mûres réflexions, j'en suis enfin venu à être convaincu de ne pas me tromper sur son identité.

— Expliquez-vous ! Et surtout…

Il s'arrêta au mitan de sa phrase pour ajouter :

— Ne tentez pas de m'embarbouiller.

— Pourquoi tenterai-je de le faire, ça ne changerait rien à l'affaire…

— Venez-en au fait et ne me prenez pas pour une tête de bouc !

— Le jour de l'assassinat, alors que je lisais paisiblement assis sur une souche, comme je l'ai écrit dans mon rapport, j'ai entendu des branches se rompre et je me suis précipité par terre, à l'abri d'arbres bas, croyant qu'il s'agissait là de la charge d'un animal fonçant sur moi. Puis, chose que je n'ai pas rapportée, j'ai entendu une voix dire : "Larron ! Plus jamais... personne." Si je l'avais entendue nettement, j'aurais parlé tout de suite de cette voix dans mon écrit. La voix était faible. Sur le coup, je ne suis pas parvenu à reconnaître réellement qui en était l'auteur. Plutôt que de risquer de faire condamner injustement quelqu'un, j'ai préféré ne pas parler de cette voix entendue tant que je ne serais pas sûr de mon fait. Je savais parfaitement que si j'en parlais, on me tourmenterait sans arrêt à ce sujet, ce qui ne ferait qu'ajouter de la confusion dans mon esprit. J'ai préféré passer le tout sous silence pour pouvoir prendre le temps nécessaire afin de bien me rappeler la voix en question et finir par en percer le mystère de façon sûre et certaine.

— Voilà que le chat sort enfin du sac ! s'écria aussitôt le lieutenant civil. Et à qui appartenait cette voix ?

— C'est justement ce que j'ai mis tant de temps à reconnaître avec assurance.

— Pourquoi ? Parce que c'était celle de quelqu'un près de vous ?

— Oui ! Quelqu'un que je connais bien.

— Qu'est-ce qui vous a enfin décidé à le dénoncer ?

— J'y viens ! Après m'être longuement interrogé là-dessus, jour après jour, nuit après nuit, puis remis tout en question mille et une fois, j'ai décidé hier de me rendre à l'endroit où j'étais quand l'affaire est arrivée. Là, bien calmement, j'ai repassé dans ma tête, seconde après seconde, ce qui était advenu. C'est là, enfin, que j'ai été persuadé de ne pas me tromper sur le coupable, bien que j'aie fort mal entendu ce qu'il disait. Je tenais à être sûr afin de ne pas me reprocher le reste de ma vie d'avoir fait injustement condamner quelqu'un. Je ne voulais pas que se répète l'erreur survenue pour ce pauvre Prêt-à-Boire.

Je vis que ces dernières paroles exaspéraient le lieutenant civil, qui reprit vivement.

— Allons-nous savoir enfin qui est l'assassin ?

— Oui ! Bien que j'aie le cœur déchiré de prononcer ce nom, je vais le dire, puisque c'est mon devoir de le faire : il s'agit de mon ami Bonaventure Frouin dit La Musique.

Je ne peux pas décrire tout l'émoi que la révélation de ce nom causa dans l'assistance. Le lieutenant civil jugea opportun de suspendre un moment l'interrogatoire. Il voulait visiblement se donner le temps de le poursuivre avec tous les moyens pour me confondre. J'avais prévu sa réaction et toute la nuit je m'étais préparé en conséquence. Quand il reprit son interrogatoire, le lieutenant civil attaqua comme une bête féroce lâchée hors de sa cage.

— Je vais vous dire ce que vous êtes, Marcellin Perré, notaire de Notre-Dame-des-Anges ! Vous êtes le plus beau berneur que la Terre ait jamais porté. Vous tentez, par cet aveu, de tromper tout le monde tout en vous trompant vous-même. Vous saviez fort bien, depuis le début, ce que votre ami La Musique préparait. Vous avez même été son complice. En effet, pourquoi étiez-vous supposément à lire au bord de la rivière, sinon pour observer si personne ne venait et en prévenir aussitôt votre complice ?

— Si tel avait été le cas, pourquoi me serais-je embarrassé d'un livre ?

— Pour vous donner bonne contenance au cas où quelqu'un vous connaissant vous aurait surpris en ces lieux.

— Au contraire ! Comment aurait-il pu me surprendre si j'avais été là pour prévenir l'assassin au cas de la venue de quelqu'un ? De plus, si j'avais été dans le coup, pourquoi aurais-je cru qu'il s'agissait d'une bête quand il y a eu le bruit des branches cassées ? Pourquoi, croyez-vous, me suis-je précipité dans les buissons et y ai-je oublié mon livre ?

— Pour une intrigue préméditée.

— Drôle d'intrigue, qu'un livre oublié pour se donner contenance ! Sauf votre respect, monsieur le juge, il aurait fallu être fort malhabile pour préparer pareil expédient.

— Ça s'est déjà vu ! Ce qui me chicote le plus, c'est que ça fait deux fois en deux ans que vous êtes ici et que vous nous rapportez la découverte d'un cadavre.

— Pour la petite Belle, je vous ferai respectueusement remarquer que ce n'est pas moi qui l'ai trouvée, mais bien cette femme qui passait et qui est venue m'en prévenir à l'auberge. D'une façon ou de l'autre, deux hommes ont payé pour ce crime dont un a été faussement accusé.

Ma réflexion le mit tellement en rage qu'il suspendit un moment l'interrogatoire sous prétexte d'aller boire. J'étais fort conscient qu'en le mettant dans cet état, je risquais gros. Mais je tenais également à rafraîchir la mémoire de tous ceux qui assistaient au procès. De la sorte, je comptais sur leur intervention si jamais le lieutenant civil venait à dépasser les bornes.

Quand il vint reprendre son interrogatoire, il s'était quelque peu calmé. Il dit brusquement :

— Cette fois-ci, c'est bien vous qui avez découvert le cadavre !

— Précisément ! C'est ce que tout le monde sait depuis longtemps.

— Pourquoi avoir mis tant de temps à révéler le nom du coupable, sinon pour lui donner la chance de fuir ?

— Vous oubliez, monsieur le juge, que si tel avait été le cas, si réellement j'avais été le complice de l'assassin, je ne me serais pas empressé d'aller révéler la découverte du cadavre. Ce désert n'est pas très fréquenté. Plusieurs jours, sinon des semaines, auraient pu passer avant qu'on le découvre, si ce n'est ses restes après le passage des bêtes sauvages.

Mon argument fit mouche. Le lieutenant civil s'arrêta un moment, le temps d'une nouvelle gorgée d'eau et de réfléchir à une réplique intelligente.

— Votre intrigue était parfaite. Vous vous empressez de prévenir du meurtre, sachant très bien que le coupable qui était parti à la traite aurait tout le temps voulu pour disparaître et, de la sorte, vous éloignez de vous tous les soupçons de complicité.

— Je savais si peu ce qu'il préparait que j'étais allé le reconduire, une semaine plus tôt, jusqu'au palais, car, précisément comme vous le dites, il partait pour la traite. C'est d'ailleurs pour ça qu'au début je n'ai pas même imaginé que ce pouvait être lui que j'ai entendu au moment du meurtre. Pour moi, ça ne pouvait pas être sa voix puisqu'il devait être déjà très loin au moment de l'incident.

— Et à quel moment avez-vous fait le lien possible entre lui et la voix entendue ?

— Quand, il y a quelques jours, vous m'avez interrogé au sujet de mes amis, je me suis souvenu qu'il devait beaucoup d'argent à la victime. Ce n'est qu'alors que j'ai recommencé à croire que la voix entendue pouvait être la sienne. Ensuite, plus j'y ai pensé, plus je m'en suis persuadé. Or, voilà qu'hier j'ai reçu de lui une missive dans laquelle il disait qu'il ne reviendrait pas dans nos parages avant plusieurs années. J'ai compris pourquoi. C'est là que j'ai eu l'idée de me rendre à l'endroit où je me tenais lors de ces événements et c'est là qu'en y songeant comme il faut, j'ai été persuadé que c'était bien sa voix que j'avais entendue.

— N'est-ce pas plutôt parce que vous saviez que le Portugais avait été condamné et devait être exécuté aujourd'hui ?

— Ça n'a pas manqué de peser dans la balance. Je savais fort bien que la voix entendue n'était pas celle de cet homme et je ne l'aurais pas laissé exécuter de toute façon. J'aurais alors parlé de cette voix, même si je ne l'avais pas eu encore reconnue, mais le hasard a voulu que les deux choses soient arrivées en même temps.

Le lieutenant civil en avait assez entendu. Il leva la séance, non sans préciser que je ne m'en tirerais pas avec son absolution. Pour le reste du jour et de la nuit, on me conduisit de nouveau, fers aux mains et aux pieds, en prison.

Ma bonne Radegonde m'y attendait. De la voir si anxieuse m'attristait à mourir. Je m'inquiétais de notre Fanchonette, gardée par la vieille Rosalie. « Qu'allons-nous devenir ? » ne cessait de répéter ma chère épouse. Je lui disais que je m'en tirerais sans doute avec quelques bonnes remontrances, que ma franchise et mes arguments ne pouvaient qu'avoir persuadé le juge de ma bonne foi.

Chapitre 46

Le pire cauchemar

Aussi longtemps qu'il y a de la vie,
il y a place à l'espoir.

Cette journée du vendredi quatrième de septembre de l'année mil six cent soixante-quatorze fut le pire cauchemar de ma vie. Sur les huit heures du matin, les gendarmes vinrent me quérir dans ma prison pour me conduire sans coup férir au palais où le lieutenant civil, avec sa perruque de juge et tous ses préjugés, m'attendait de pied ferme. Ce qui me rassura quelque peu fut de voir dans l'assistance le bon père Aveneau, venu sans doute par sa présence me redonner du courage.

Le lieutenant civil ne tourna pas trop longtemps autour du pot. Il commença presque immédiatement, après mon arrivée, un discours sans fin où il était question de parjure, de mise au ban de la vérité, de duplicité, de complicité, de supercherie, de filouterie, de friponnerie, de tromperie, d'escobarderie et j'en oublie.

Quand je vis que son intervention prenait de telles proportions, je compris tout de suite que j'étais dans de beaux draps. Je sus que si je m'en sortais, ce serait fort écorché, et j'attendis anxieusement son verdict, le cœur serré, le souffle court comme le capitaine d'un voilier qui sait que son navire s'en va droit au naufrage. Tout ce que je tentais de deviner, c'était si ce naufrage se ferait abruptement comme sur un rocher ou doucement comme sur un banc de sable. Je tentais durant tout ce temps de saisir ce que pouvait ressentir le père Aveneau, mais je ne pouvais pas percevoir son regard, car il était placé de biais avec moi. Tout ce que je voyais, c'étaient les têtes de certains membres du Conseil qui, par de petits signes vers l'avant, approuvaient les paroles du lieutenant civil.

Quand il eut terminé sa vitupération, quand il eut fini de se persuader que son jugement serait bien reçu, il déclara :

— Parce qu'il a tant tardé à révéler ce qu'il savait, parce que, de la sorte, il a entravé le cours de la justice, parce qu'il n'est pas parvenu à démontrer qu'il n'était pas complice du meurtrier, je condamne Marcellin Perré, notaire de Notre-Dame-des-Anges, à être mené, demain matin sur les dix heures, aux quatre coins habituels de cette ville, torse nu, avec suspendue au cou une affiche où sera inscrit très visiblement « Je suis un exécrable menteur », pour être, à ces mêmes quatre coins de la ville, fustigé de verges et être ensuite pendu haut et court sur la place Royale de cette ville pour expier de la sorte le crime incommensurable qu'il a commis contre la vérité.

En entendant ces paroles, je m'effondrai. Quand je repris mes esprits, j'étais revenu en prison et ma Radegonde, au désespoir, était tout près de moi. Je n'osais plus penser ni parler, je ne savais plus que balbutier, demander pardon et pleurer.

Ce fut la plus longue nuit de ma vie. Le bon père Aveneau me vint voir pour recevoir ma confession. Il ne me laissa pas sans espoir quand il me dit qu'il rencontrerait le soir même le lieutenant civil et plusieurs membres du Conseil afin de faire commuer la sentence que d'aucuns, sinon tous, trouvaient beaucoup trop sévère.

Le jour se leva sans que rien de ce qui avait été dit la veille ne soit changé. Outre les fers que je portais déjà aux mains et aux pieds, on m'en passa un au cou. On y suspendit l'affiche infâmante. Sur les dix heures, à pied, sous les injures des badauds, on me conduisit en Haute-Ville sur la place du marché et là, le bourreau me flagella jusqu'au sang. Je ne sais pas encore comment je ne perdis pas conscience. Tout ce que j'avais dans la tête, c'étaient les visages de ma chère Radegonde et de ma Fanchonette, que je ne reverrais pas avant de mourir.

De la place du marché, on me conduisit non loin du Collège des jésuites, où on m'attacha à un anneau fixé au mur, et le bourreau fit une fois de plus son ouvrage. J'étais dans l'état de qui vit un mauvais rêve. J'entendais autour de moi des gens vociférer: «Meurtrier! Canaille! Torturez-le jusqu'à ce qu'il crève!»

Par la côte de la Montagne, je me retrouvai, me tenant à peine sur mes pieds, à la Basse-Ville. Là, sur la placette, près du fleuve où les navires sont accoutumés d'accoster, le bourreau sortit de nouveau les verges. Dès les premiers coups, je m'effondrai pour ne recouvrer conscience que beaucoup plus tard, revenu comme par enchantement en prison.

Ce fut encore Radegonde qui, à travers ses larmes, m'informa de ma bonne fortune.

— Courage, Marcellin! Le bon père Aveneau est parvenu à faire commuer la sentence.

Je croyais rêver. Radegonde me secoua un peu.

— Tu as compris? Ils ne vont pas te pendre!

J'ouvris les yeux. De voir le beau visage de ma Radegonde penché vers moi, je sus que je ne rêvais pas.

— Il a réussi à m'aveindre de ma mauvaise position?

— Il a réussi!

— Je n'aurai jamais assez de mercis pour lui!

Je sombrai de nouveau dans une demi-conscience. Les coups de fouet de la veille m'avaient beaucoup affaibli.

⁘

Je l'appris plus tard, le père Aveneau, qui en savait beaucoup plus long que moi sur les affaires de ce pays, était allé trouver le lieutenant civil. Le père avait des reproches si graves à lui faire au sujet des malversations du notaire Bonnard et de sa disparition que, sous menace de révéler le tout en public, il contraignit le lieutenant civil à revenir à de meilleurs sentiments à mon égard. Par ailleurs, plusieurs de mes connaissances avaient plaidé auprès de l'évêque, de l'intendant et du gouverneur en ma faveur. En plus, le bon père lui fit remontrance que si je ne m'étais pas livré de moi-même, il aurait, encore une fois, fait périr quelqu'un qui ne le méritait pas.

Après s'être contenté de me faire battre de verges, le lieutenant-civil commua ma peine de mort en celle de cinq années d'exil hors de la Nouvelle-France. À l'exception de l'armoire fabriquée par mon père, que le père Aveneau acheta, ainsi que le coffre où je rangeais mes hardes, tous mes biens furent saisis, nonobstant les récriminations de Radegonde et l'intervention de mes amis. Ma pauvre épouse se réfugia avec notre Fanchonette chez Honorine, le temps qu'on puisse nous expédier en France à bord du premier navire en partance. Je n'eus pas droit de recevoir mes amis pour un dernier adieu.

⁘

Par un matin d'octobre, cagoulé, une autre malice du lieutenant civil pour me priver de revoir ce pays que j'aimais tant, je quittai ma prison. Le bon père Aveneau m'accompagna jusqu'au moment où on me fit monter à bord du navire.

— Sans vous, lui dis-je, je ne serais pas là aujourd'hui en mesure de vous remercier.

— Sans moi, mon pauvre Marcellin, tu n'aurais pas vécu tous ces malheurs.

— Et bien des bonheurs non plus ! N'oubliez pas que c'est parce que je suis venu en ce pays que j'ai connu ma chère Radegonde et qu'elle m'a fait le grand bonheur de notre Fanchonette. Ne manquez pas de dire à la vieille Rosalie à quel point elle va me manquer. Surtout, prenez bien soin de vous. Je tiens à vous revoir quand, dans cinq ans, nous reviendrons et, cette fois, pour toujours, en ce pays.

Je n'avais pas assez de mercis pour tout ce qu'il avait fait pour moi, jusqu'à défrayer notre passage sur le navire qui nous ramenait en France. Malgré le fait que je ne voyais pas qui était autour de moi, j'entendis les mots d'adieu de Marceau, du Passeur, du Chauve, du Matou et même de Vincenot, le meunier qui, pour ce jour-là, avait délaissé son moulin.

— Bon courage, Marcellin ! me dit Marceau. Si jamais Dieu existe, il a manqué une bonne chance de le montrer ! Tu ne pourras pas revenir avant cinq ans, mais rien ne t'interdit de nous écrire. Nous saurons bien nous arranger pour te tenir au courrant de nos malheurs.

— Je vous écrirai, c'est promis. Vous saurez ce que nous devenons et dans cinq ans, vous allez nous revoir, aussi vrai que le soleil se lève le matin et que la lune éclaire la nuit !

Le Passeur, homme de peu de mots, me surprit en me disant :

— Marchellin, tu ne méritais pas cha ! Si chamais quelqu'un dit que tu as eu che que tu méritais, je lui refucherai le Pachage tant qu'il ne dira pas le contraire !

Le Chauve et Le Matou, contrairement à leur habitude, furent courts de paroles.

— Cinq ans, c'est un pet ! dit Le Matou.

— C'est même un pet plus court qu'on pense, renchérit Le Chauve.

Ils ne surent rien dire de plus tellement je les sentais tristes de mon départ.

Vincenot, quant à lui, eut des mots qui me firent chaud au cœur :

— Le temps n'a pas voulu que nous fassions beaucoup connaissance, Marcellin. Mais un ami comme toi, on en trouve si peu que c'est pour ça que le cœur nous manque tant de le voir partir.

Sur le vaisseau, on m'enferma à clef. Lorsque le navire fut en route depuis plusieurs heures et que le soir fut tombé, on me délivra de la cagoule et des fers. Ce fut alors seulement que je revis ma douce Radegonde et notre Fanchonette, et que je pus laisser libre cours à mes pleurs.

Chapitre 47

Nouvelle vie dans l'Ancien Monde

Nous finissons toujours par revenir
à l'endroit d'où nous sommes partis.

Tout au long de la traversée, nous parlâmes, ma chère épouse et moi, de ce qu'il y avait de meilleur à faire pour notre avenir. Radegonde me dit :

— Allons à Paris ! Tu y trouveras certainement du travail chez un notaire. Quant à moi, j'offrirai mes services dans une auberge. Nous mettrons la Fanchonette en nourrice, le temps de nous réajuster.

Je lui répondis :

— Avec quel argent payerons-nous ?

Elle eut un sourire que je ne lui avais pas vu depuis des semaines.

— Le nôtre, dit-elle.

Elle se pencha pour remonter le bas de sa robe. Dans l'ourlet, elle avait cousu tout l'argent que nous avions pu mettre de côté en vue d'acheter une maison.

— Ils ne l'ont pas trouvé ?

— Qui donc hors nous pouvait savoir que nous avions mis quelques livres à l'abri ?

⁂

Arrivés à La Rochelle, notre premier souci fut de trouver une patache pour Paris. Ce fut ainsi qu'au bout d'une semaine, après mille et une misères, nous nous retrouvâmes à Paris, à bout de sous. Comme prévu, je me dénichai une place de clerc chez un notaire, de quoi nous payer une chambre misérable dans une auberge de bas étage dont le propriétaire voulait se rembourser au lit avec Radegonde. La pauvre devait constamment s'en défendre. Il menaçait de nous mettre dehors mais ne le faisait pas, tant son obsession pour Radegonde le subjuguait. Toute la journée, elle se morfondait dans cette auberge. Quand, le soir, je revenais au logement, Radegonde me racontait ses journées, faites de tant de familiarités de la part des clients que je désespérais des hommes.

— Tu ne sais pas, me répétait-elle, à quel point je m'ennuie de Rosalie et de l'auberge du Passage…

— Tu me rappelles qu'il faut que je leur écrive.

— Fais-le donc ! Nous aurons des nouvelles d'eux qui nous feront oublier nos malheurs.

Ce fut ainsi que j'écrivis une première lettre que je ne pus leur faire parvenir avant le printemps, avec les cinq autres que j'écrivis par la suite, à raison d'une par mois. Pour ne pas les inquiéter, je leur disais que nous avions à Paris une vie convenable et que la Fanchonette nous surprenait par ses sourires et sa vivacité.

Après quelques mois de ce régime insoutenable, alors que son patron osa pousser davantage ses avances auprès de Radegonde, j'eus soudain l'idée qui devait nous sortir de notre misère. J'avais au Havre un ami, un seul, Raphaël. Il était clerc, tout comme moi. Je l'avais connu quand, pour des commissions pour son maître, il venait consulter des actes à l'étude de mon oncle. Je décidai d'aller m'enquérir auprès de lui, au Havre de Grâce, s'il ne trouverait pas quelque chose qui nous rendrait la vie meilleure. Un ami reste toujours un ami. J'étais certain qu'il ferait tout pour me tirer d'embarras. Je vois encore sur son bon visage le sourire qui se dessina quand il me vit débarquer chez lui. C'était le visage heureux de qui retrouve un ami qu'il n'a pas vu de longue date et ne s'attendait pas à le revoir comme ça, d'un coup.

— C'est la disparition de ton oncle qui nous vaut ta visite ?

Ce furent ses premiers mots.

— C'est la première nouvelle que j'en ai !

— Tu l'ignorais ? Ton oncle Laterreur ne terrorise plus personne. Il y a quelques mois, il a fini par casser sa pipe à force de se faire peur à lui-même et de se priver de vivre en empilant son or que personne maintenant ne sait où il l'a mis. Tu aurais dû voir comment tu lui as manqué !

— Vraiment ?

— Où étais-tu parti ?

— Au pays de la Nouvelle-France.

— Ah, ça ! Qui l'eût cru ? Qu'est-ce que tu deviens ?

— Je travaille comme clerc à Paris.

— Pourquoi ne reviens-tu pas au Havre ?

— Parce qu'il me faudrait d'abord y trouver du travail.

— C'est tout trouvé ! Tu n'as qu'à prendre la succession de ton oncle.

La suggestion de mon ami ne tomba pas dans l'oreille d'un sourd. Le décès de mon oncle changeait tout. J'allai m'enquérir de qui héritait de ses biens. Le notaire Dumoulin me l'apprit quand je me présentai à son étude.

— Tu es son premier et unique héritier, à ce que je sache. Il n'a plus ni frère ni sœur, et seulement un vague neveu et une nièce du côté de Paris. La nièce est chez les nonnes, le neveu a rappliqué pour voir le testament dès que nous l'avons prévenu. De testament, j'ai pensé d'abord qu'il y en avait un, mais il n'y en avait pas vraiment, puis j'ai trouvé dans ses papiers ce qui peut en tenir lieu : une lettre qu'il ne t'a jamais fait parvenir parce qu'il ignorait où tu étais, mais dans laquelle il laissait entendre que tu hériterais de ses biens si jamais tu revenais à de meilleurs sentiments et que tu réapparaissais au Havre de Grâce. Comme tu es revenu, tu hérites. Nous n'aurons plus qu'à informer le neveu en question de ton arrivée et nous ne le reverrons plus. Tu connaissais ton oncle, une lettre comme celle-là, c'était beaucoup de bon vouloir de sa part.

— C'est une histoire incroyable ! Comment cet homme a-t-il pu penser à faire de moi son héritier ?

— Il faut croire qu'il t'appréciait plus que tu ne le croyais. Ce qui compte d'abord et avant tout, c'est que tu sois revenu. J'avais mis tout en œuvre pour te retrouver, mais tu étais parti sans laisser d'adresse. Ton retour est inespéré !

Je me gardai bien de dire au notaire les vraies raisons de ma présence au Havre de Grâce. Ce qui comptait surtout, c'est que je pourrais sans doute prendre la place de mon oncle et continuer son travail de notaire, puisque c'était là tout ce que je savais faire. J'héritais, sans même m'y attendre, d'une maison et d'une étude de notaire avec, de surcroît, des clients de longue date.

Le notaire Dumoulin ayant les clefs de la maison, il m'y conduisit aussitôt, heureux de pouvoir se débarrasser d'un problème qui semblait beaucoup le contrarier. Je l'entendis grognonner entre ses dents :

— A-t-on idée, être notaire et ne pas avoir mis en ordre ses affaires avant de déguerpir de ce monde !

— Ça ne m'étonne guère de lui, dis-je, il se croyait éternel !

Il continua sur le même ton :

— Mon pauvre Marcellin, tu connaissais mieux ton oncle que nous tous. Il était réputé avoir de l'argent, ne disait-on pas qu'il couchait sur son or ? Crois-moi, c'est en vain que j'ai cherché où il le cachait s'il en avait tant, et si encore c'était dans sa maison.

Ça me fit tout drôle de me retrouver entre les quatre murs de cette maison dont j'avais pensé ne jamais pouvoir m'évader. Aujourd'hui que j'y étais de nouveau, je la redécouvrais d'un autre œil et, ma foi, elle s'avérait avantageusement plus belle que dans mes souvenirs. Tout était demeuré en place, comme au moment où, deux ans plus tôt, je l'avais quittée. Il y avait, à hauteur de la chaussée, la grande pièce où l'oncle recevait ses clients, puis la bibliothèque chargée par endroits de deux rangées de livres et, derrière tout cela, la cuisine et la salle à manger.

Tout semblait être resté figé comme avant : les couteaux à dépecer dans la cuisine, les plats sur leur tablette, la crédence le long du mur, un chaudron suspendu à la crémaillère et l'âtre encore tout plein de cendres. À l'étage, les deux grandes chambres, froides en hiver et chaudes en été, n'avaient pas changé de visage : la chambre de l'oncle, toute sombre avec ses rideaux fermés, son grand lit à baldaquin ; la mienne, dépouillée comme un ver avec son unique bougeoir, son guéridon et son tapis de sol, bien étendu comme un drap.

⁂

Le cœur léger, je regagnai Paris sans perdre un instant, heureux de ce revirement du sort. Quand je dis à Radegonde que nous partions le lendemain pour le Havre, elle ne le voulut point me croire.

— Tu as trouvé du travail au Havre ?

— Mieux que ça !

— Mieux que ça ?

— Devine !

— Je ne sais pas !

— Allons, essaie !

— Je ne peux pas, je donne ma langue au chat.

— Non seulement j'ai trouvé du travail, mais nous avons même une maison à nous.

— Allons donc ! Tu me fais languir ! Tu mets tout plus beau que c'est !

— Non pas ! C'est comme je te dis ! Mon oncle Laterreur est mort il y a quelques mois à peine. Je suis son unique héritier.

Au cri qu'elle poussa et au grand bonheur que je lus dans ses yeux, je sus une fois de plus que notre destin est tout tracé d'avance et qu'on n'y échappe pas, pour le meilleur et pour le pire. Là, le meilleur venait de nous rejoindre comme un bon feu en plein hiver.

J'avais beau repasser dans ma tête tous les malheureux événements qui nous avaient chassés de Nouvelle-France, ce revirement du sort me laissait pantois. Il me permettait de reprendre goût à la vie, et je n'avais de cesse de dire et de répéter : « Quel coup de chance ! »

⁂

Le lendemain, Radegonde, Fanchonette et moi nous retrouvions chez nous dans cette maison que j'avais tant voulu fuir et que je ne pensais jamais revoir. En franchissant le seuil, Radegonde dit :

— C'est donc là, Marcellin, que tu as passé tant d'années de malheur ?

— Eh, oui ! Ici même.

— Ça me semble pourtant une belle demeure.

— Sans doute ! Et surtout depuis que celui qui l'habitait et y régnait en despote n'y est plus.

Pendant que nous causions ainsi, Fanchonette se promenait dans toute la maison. Elle nous revint en disant :

— Rosalie n'y est pas !

— Il ne faut pas la chercher ici, lui dis-je.

— Pourquoi donc ?

— Parce qu'elle n'est pas venue avec nous.

— Il faudra aller la voir, dit-elle. J'ai hâte de manger de son bon pain doré.

J'eus beau tenter de lui expliquer que Rosalie ne viendrait pas, elle n'en démordait pas. À ses yeux, il n'y avait que Rosalie pour cuire du si bon pain. Voyant que ses arguments ne sauraient pas me gagner, elle se tourna vers sa mère.

— Maman, tu iras la chercher, toi, Rosalie ?

Radegonde la serra contre elle et dit :

— Rosalie ne viendra pas, mais maman te fera de l'aussi bon pain parce que Rosalie lui a montré comment le cuire.

La réponse de Radegonde sembla satisfaire Fanchonette. Je ne pus m'empêcher de constater comment, si ce bannissement avait bouleversé notre vie, il en avait fait tout autant pour celle de notre enfant. Il fallait relever nos manches en vitesse pour tout remettre en place. N'est-ce pas le lot de tous les parents dignes de ce nom ? Pour les cinq années à venir, une nouvelle vie commençait pour nous.

Chapitre 48

Une missive de Nouvelle-France

Pourtant la vraie vie
n'est jamais celle de demain.

Nous nous sentions comme des voleurs dans les biens de l'oncle Laterreur, même si tout cela nous appartenait désormais. Radegonde ne tarda point à tout mettre à sa main. En quelques jours le décor changea. Ce n'était plus la maison de l'oncle, elle devenait de plus en plus la nôtre. Les fenêtres et les volets ouverts, tout prenait un nouveau visage, si bien que même les murs semblaient heureux de se tirer de cette prison faite de tant d'années d'ombre.

Je me mis à l'ouvrage. Ce fut un défilé de clients venus pour tout et pour rien, heureux de savoir que tout reprenait vie. Je pensais à mes années passées dans cette maison, me demandant comment des hommes peuvent parvenir, par leur mesquinerie, à se bâtir une si triste vie. L'oncle avait tout pour être heureux, il aurait pu profiter à plein de chaque jour que lui réservait la vie. Au lieu de cela, il s'était laissé envahir par la grande misère de l'avarice, se privant de tout: de nourriture, d'amis, de plaisirs et jusque de lumière. Il avait la réputation d'être fort riche; ça ne lui avait servi à rien d'autre qu'à mourir seul à petit feu, assis sur son or.

Nous nous installâmes, Radegonde et moi, avec notre Fanchonette, dans cette nouvelle vie avec l'idée de la faire la plus belle possible. Mais nous demeurions en attente, car, dans la vie, nous attendons toujours. Au bout de ces cinq années d'exil, nous étions résolus à reprendre la route de ce pays de rêve qui avait vu naître notre bonheur. Nous n'en perdions jamais l'idée. Nos visiteurs, ceux qui avaient connu l'oncle, ne manquaient pas de questionner toujours:

— Eh! Puis son or, c'était vrai?

Chaque fois, nous nous regardions, Radegonde et moi, et nous haussions les épaules avant de répondre:

— Bah! Sans doute, mais après tout, lui seul savait où il le cachait. Il aura emporté son secret dans la tombe.

Certains nous conseillaient:

— Vous devriez vider la maison, la retourner de fond en comble.

D'autres disaient:

— À votre place, je bêcherais tout le jardin. Il doit l'avoir caché là quelque part, dans un coffre.

— De bêcher le jardin, retorquait Radegonde, ça ne serait pas de refus, mais bien et avant tout pour y semer de bons légumes afin de nous en régaler. C'est ce que nous ne manquerons pas de faire le printemps venu.

D'autres, plus tenaces ou plus intéressés par l'argent, nous proposaient, contre vingt pour cent de la fortune de l'oncle, de faire les recherches à notre place. Je ne manquais pas de leur répondre :

— Le Havre est plus qu'un petit village, c'est même une petite ville, avec moult rues, moult jardins, moult maisons, moult placettes. Cherchez là si vous le désirez. Si jamais vous trouvez, il y aura bien le dixième du trésor pour vous.

Mais personne, il va sans dire, ne se mit à l'ouvrage et tous ceux qui pensaient venir fouiller dans la maison se virent incontinent indiquer la porte. Si trésor il y avait, c'était pour lors le dernier de nos soucis. Le notaire Dumoulin n'avait-il pas dit qu'il avait cherché sans succès cet argent dans toute la maison ?

⁂

La Fanchonette grandissait. Nous venions de recevoir des nouvelles de la Nouvelle-France, certaines fort heureuses, comme le mariage de Vincelot, le meunier remplaçant de Faye, et celui, inespéré, du Matou, et ce récit fort coloré qui nous fit tant rire et derrière lequel il y avait certainement une griffe du Matou. La lettre se lisait ainsi :

Cher Marcellin,

Le père Aveneau nous ayant renseigné sur la façon de te rejoindre, nous, tes amis, avons saisi l'occasion de t'écrire afin que tu ne nous oublies pas dans les brumes du passé.

Nous tenions particulièrement à te raconter les derniers épisodes de l'affaire qui t'a valu cinq années d'exil en France.

Figure-toi, Marcellin, que, furieux de ne pas pouvoir mettre la main au collet de La Musique, le lieutenant civil, menaces à l'appui, nous a expédié un peintre officiel, le sieur de Courtebotte, chargé de reproduire le portrait de La Musique afin de lui intenter un procès et de le pendre en effigie.

Ce Courtebotte est arrivé un beau midi à l'auberge avec ses airs de grand seigneur, lui qui est aussi petit que son nom. Il nous a solennellement lu l'ordre du lieutenant civil qui l'autorisait à interroger qui il voulait pour accomplir son travail.

« Tous ceux que ce message verront ou entendront, sachez que celui qui en est porteur a toute l'autorité qui vient de nous d'interroger toute personne ayant été en contact avec le nommé La Musique et en mesure de le décrire physiquement de telle sorte que pour fins de justice soit dressé de ce triste individu le portrait le plus fidèle et ressemblant possible. Quiconque dûment mandé à cette fin s'opposera à cet interrogatoire sera passible de prison. »

Nous avions donc toutes les raisons du monde de ne point surseoir à cet ordre. Quelques jours plus tard, réunis à l'auberge en sa présence, il nous questionna sur les traits de La Musique. Nous nous étions au préalable donné le mot pour que ce portrait soit le moins fidèle possible.

Il commença par demander :

— Quelle est la couleur de ses cheveux ?

— Noir d'ébène, lança Marceau.

— Pas noir, dit Le Matou, je dirais plutôt brun foncé.

— Allons donc ! Brun… reprit Marceau. Il n'y a pas plus noir que lui. Plutôt que de dire brun, tu ferais mieux de dire roux.

Courtebotte s'impatienta :

— Allons ! Entendez-vous. Était-il noir, brun ou roux ?

— Brun.

— Et ses cheveux, ils étaient comment ?

— Lisses et attachés comme ceux des Sauvages.

— Lisses parce qu'attachés, mais en fait plutôt crépus.

— Je dirais frisés, intervint Marceau, mais attachés, c'est certain.

— Attachés comment ?

— Comme on l'a dit.

— Mais encore ?

— Avec un lacet de cuir en une couette sur la nuque, mais pas de plume dedans.

Nous nous regardions et avions besoin de tout notre sérieux pour ne point rire. Pendant ce temps, l'autre commençait son dessin et, ma foi, reproduisait bien ce que nous lui disions. Quand il demanda de décrire son nez, ce fut la confusion la plus totale. Nez droit, nez plat, nez rond, nez pointu, nez croche, nez en trompette !

— Nez comment ? questionna Courtebotte.

— Néant ! glissa Le Chauve.

Nous rîmes sous cape. Il s'empressa d'ajouter :

— Nez en long vu de profil.

— Néanmoins, moins long que le mien, susurra Le Matou. Nez comme le sien, dit-il en désignant Le Passeur qui, comme tu le sais, a un curieux nez, ma foi semblable à celui de quelqu'un que tu connais bien.

Quand il fut question de la couleur des yeux, toute la gamme des bruns – foncé, clair, plutôt sombre, plus noir que brun, tirant sur le vert – y passa. Certainement pas gris, encore moins bleu.

— Peut-être pers, pers-vert, fit Marceau.

— Oui ! C'est ça ! Pervers ! assura Le Chauve.

La description se fit ainsi de toute sa personne et de ses hardes, avec un tas de sous-entendus, mais pour atteindre le but désiré. Nous avions plaisir à voir le sieur Courtebotte s'exécuter en tirant quelque peu le bout de la langue tant il s'appliquait à faire le plus précis possible. Il y parvint à merveille à nos yeux et s'en fut, fier de son travail, non point avant que Le Matou n'ait conclu :

— C'est curieux de le dire, mais si Faye avait été ici, nous aurions été sans faille. Mais que voulez-vous, il n'y était point.

Ce portrait fut suspendu en effigie dans la salle d'audience, lors du procès par contumace. Quand il fut dévoilé, il y eut dans l'assistance des « oh ! » et des « ah ! » que fit aussitôt taire le lieutenant civil, se méprenant sur la vraie raison de ces exclamations. En y regardant de plus près, ce supposé portrait de La Musique se rapprochait presque en tout point de celui du marchand Renaud, de triste mémoire.

C'est pourtant sous ce faux visage que le lieutenant civil expédia le procès. Messire Ruelland répondait aux questions au nom de l'accusé absent. Ses réponses furent on ne peut plus concises.

— Étiez-vous à Charlesbourg sur les terres du marchand Renaud ?

— Oui !

— Y étiez-vous seul ?

— Oui !

— N'aviez-vous point de complice ?

— Non !

— Vous êtes-vous armé d'un bâton pour en asséner un coup mortel à votre ennemi le marchand Renaud ?

— Oui !

— Plaidez-vous coupable ?

— Oui !

Le lieutenant civil marqua une pause théâtrale avant de proférer :

— Vous serez pendu haut et court, demain matin à dix heures, sur la place Royale, au vu et au su de toute la population. Que Dieu vous vienne en aide !

Le lendemain, à l'heure dite, sur l'échafaud monté à cette fin sur la place, le bourreau passa le nœud coulant autour de l'effigie et la pendit.

Tous, tant que nous étions, à nos yeux ce n'était point notre ami La Musique qu'il pendait, mais bien le marchand Renaud dont nous avions fait dresser le portrait. Nous tenions, Marcellin, à ce que tu le saches. Nous t'avons vengé de belle façon.

Nous te souhaitons la meilleure des santés, ainsi qu'à Radegonde, ta si bonne épouse, et à la petite Fanchonette. Dès votre retour sur nos rives, il faudra promettre de venir nous voir. Nous t'écrirons de nouveau à l'occasion.

Tes amis de l'auberge !

Avec quel plaisir n'ai-je pas lu et relu cette lettre ! Mais nous n'eûmes pas autant à nous réjouir au cours de ces cinq années à chaque lettre reçue de Nouvelle-France, tant la vie est prodigue de plus de maux que de biens.

Nous vint, par une autre lettre, une nouvelle malheureuse qui nous attrista pendant des jours, celle de la mort de la vieille Rosalie. Dès lors, même si nous l'avions voulu et si la chose avait été possible, nous sûmes que nous ne retournerions jamais au Passage. On ne refait pas le passé ! On ne sait que l'embellir ou l'enlaidir selon nos humeurs.

Chapitre 49

La vie au Havre

L'homme est ainsi fait que là où
il est, il finit comme les chats
par retomber sur ses pattes.

Nous savions que nous ne serions que cinq années au Havre, mais encore fallait-il nous accommoder le mieux possible. Mon travail me permettait de tuer le temps sans trop de difficulté, mais il fallait voir au quotidien et Radegonde s'y mit rapidement. Notre Fanchon grandissait à vue d'œil. Bientôt il faudrait songer à l'envoyer à l'école, mais pour lors, elle ne quittait pas les jupes de sa mère et bagoulait tout au long du jour. Radegonde l'amenait avec elle au marché, mais ce qui lui plaisait le plus, c'était de se rendre au port voir les pêcheurs rapporter le poisson du jour.

— Les poissons, papa, ils ont des yeux grands comme la lune.

— Vraiment ? Et les crabes ?

— Ils sont méchants avec des pinces pour attraper le nez.

— Et les rougets ?

Elle écarquillait les yeux de plaisir et répondait :

— Ils ont pris un coup de soleil.

— Tiens, tu sais ce qu'est un coup de soleil ?

— Oui ! Ça brûle et il faut mettre une pommade.

— Et un coup de lune ?

— Toi, papa ! Tu sais bien que la lune ne brûle pas !

— Qu'est-ce qu'ils font encore, les animaux ?

— Les mouettes mangent du poisson ; les lapins, de la laitue ; les chiens, de la viande ; et les chats, du lait.

— On ne mange pas du lait, on le boit.

— Les chats boivent avec la langue, lape, lape, lape. Ils miaulent et les chiens, ils aboient, wouf ! wouf ! wouf !

Elle pouvait nous entretenir ainsi tout au long du jour, comme le font si bien les enfants. Elle se fit rapidement une amie, Noémie. Bientôt, elles devinrent inséparables. Elles s'amusaient ensemble derrière la maison. Nous les entendions jacasser comme des pies. Et si elles se taisaient deux minutes, aussitôt Radegonde courait voir ce qui se passait. Elles adoraient donner à manger aux poules et elles accompagnaient Radegonde au poulailler pour la cueillette des œufs.

Quant à moi, mon travail n'était guère différent de celui que j'accomplissais à Charlesbourg. Seuls les contrats que je rédigeais différaient. Il n'y avait plus de baux de vaches ni de concessions de terres, mais il y avait tout autant d'obligations, et les quittances ne venaient pas plus vite, tant les hommes sont toujours en manque d'argent. Ce mot, je l'exécrais parce qu'il me ramenait toujours au marchand Renaud, à l'origine de tous nos malheurs.

Notre vie durant ces années au Havre se déroula bien dans l'ensemble. Notre exil ne nous empêcha point d'augmenter notre famille, puisque Radegonde donna naissance en l'année 1677 à notre fils Renaud.

Nous n'avions pas beaucoup d'amis puisque nous n'étions au Havre que depuis peu et que, comme des oiseaux, nous avions toujours en tête le moment tant attendu où nous pourrions nous envoler. Ce fut mon ami Hilaire Laramée, notaire à Honfleur, et son épouse Isabelle Mercier qui nous firent l'honneur d'être les parrain et marraine de notre fils.

De tous nos bonheurs durant ce séjour au Havre, celui-là fut certainement le plus grand. Fanchonette se montra fort heureuse d'avoir un petit frère. Elle en prenait grand soin, se souciant de tout ce qu'il mangeait et buvait.

De voir nos enfants grandir nous comblait de joie. Nous nous promettions d'en avoir encore beaucoup d'autres, mais nous nous sentions en ce lieu comme assis entre deux chaises et nous n'entreprenions rien de longue durée. Déjà, nous avions la tête et le cœur dans ce pays qui nous avait apporté tant de bonheur, malgré le grand malheur qui nous en avait chassés.

Chapitre 50

Le trésor de l'oncle Laterreur

L'argent ne pousse pas dans les arbres,
mais il tombe parfois du ciel.

Il y avait maintenant plus de quatre ans que nous habitions la maison de l'oncle Laterreur. Déjà, nous nous préparions à repasser en Nouvelle-France et nous parlions de vendre. Un homme était venu nous rendre visite avec idée d'acheter la maison, mais après avoir fureté un peu dans tous les coins, il était reparti en disant qu'elle était trop petite pour ce qu'il voulait en faire.

Radegonde se montrait fort bonne vendeuse. Elle avisait tous ceux et celles qu'elle rencontrait de notre désir de vendre, mais personne ne se montrait intéressé. Il était bien évident qu'on tentait de la sorte de nous faire baisser le prix que nous en désirions obtenir. Les mois filaient comme ils savent si bien le faire pour nous rappeler que la vie n'est qu'un passage, tout comme celui que nous comptions faire au Havre de Grâce.

Au début de notre séjour, ils avaient été nombreux à nous parler de la fortune de l'oncle Laterreur. Puis, en même temps qu'on avait cessé de nous importuner avec cette idée, nous avions, nous aussi, oublié l'existence possible de ce trésor.

Comme il arrive souvent, ce fut au moment où nous n'y pensions plus que je trouvai sans le chercher l'argent en question. Pour la rédaction d'un acte, j'avais besoin d'une information que je m'avisai de chercher dans la grande bibliothèque de l'oncle, restée telle que nous l'avions trouvée à notre arrivée dans la maison. J'avais besoin de consulter un certain livre de droit. Il y avait tant d'ouvrages sur les étagères qu'ils y étaient empilés en deux rangées, l'une devant, l'autre derrière. Le livre de droit que j'avais besoin se trouvait dissimulé à hauteur des yeux, derrière une première rangée. Quand, voulant le consulter, je le tirai à moi, je me rendis compte que son poids n'était pas celui d'un ouvrage ordinaire. En l'ouvrant, je découvris qu'il constituait un coffret rempli de pièces d'or. Le cœur des pages avait été coupé et le livre, vidé entre les deux couvertures comme un animal à la boucherie. Les pièces d'or y étaient rangées, bien serrées, et il y avait cinq livres comme celui-là, débordants de pièces d'or. Chacun d'eux était devenu un véritable coffre au trésor.

Nous étions tout à coup riches, mais tout cela nous causait beaucoup de soucis, tant une fortune devient bien vite encombrante et peut finir par envahir la vie de quelqu'un au point de la détruire, comme elle l'avait fait pour mon oncle Laterreur. Tout cet or n'avait servi qu'à gâcher sa vie, mais il ne gâterait pas la nôtre. J'avais déjà idée de la façon dont nous allions l'employer. Il pouvait dormir encore dans sa cachette, nous n'y toucherions pas avant le temps venu. Alors seulement nous saurions l'employer à bon escient. Je replaçai les livres exactement là où je les avais pris. Radegonde fut du même avis que moi. Nous avions pour le moment suffisamment de sols pour vivre décemment. Nous allions continuer à nous comporter de la même manière, sans attirer l'attention sur nous. Cet or nous servirait quand nous repartirions pour la Nouvelle-France.

Pour lors, il fallait préparer ce moment. Tous les jours, nous soupirions après cet instant où, après avoir vendu la maison, nous partirions pour La Rochelle, où nous monterions sur un navire en partance pour Québec.

Nous savions que nous ne pourrions pas nous réinstaller au Passage, mais il y aurait certainement un bourg quelque part, le long du Richelieu, prêt à accueillir un notaire, et mieux encore un seigneur, puisque, avec l'or de l'oncle Laterreur, je pourrais me faire octroyer une seigneurie. C'est là que nous referions notre vie, dans un manoir, sur notre seigneurie où, peut-être, nous entendrions un jour la musique d'un violon. Vous pourriez alors compter sur nous pour en reconnaître la voix, même si, entre elle et celle d'autrefois, jamais nous ne pourrions oublier la déchirure.

FIN DU TOME DEUXIÈME

Lexique

ABOMINER : détester.
ACCOMICHER (S'): s'acoquiner.
ACERTAINER : rendre certain, certifier, confirmer.
AFFRIBOURDIR : engourdir de froid.
AFFRONTER : séduire.
AGIOS : répétitions ennuyeuses.
AGONIR : accabler d'injures.
ALISÉE : bourbier, ornière fangeuse.
ALLURE : marche à quatre battues particulière du cheval.
ALOURDIR : ennuyer.
AMOMIE : folle.
AMORPHOSÉ : perdu ou figé dans ses pensées au point d'être immobile.
ANDAIN : intervalle entre deux pas.
APIÉ : ruche.
APPÉTISSER : ouvrir l'appétit.
APPOINTER : aiguiser la pointe d'un pieu, d'un piquet.
AQUIAULÉE : une suite d'événements désagréables.
ARBALAN : homme vaniteux.
ARCA : arrière d'ici.

ASSAVOIR : savoir.
ASTICOTER : tracasser, tourmenter.
ATIGNOLE : boulette de viande hachée.
ATTERRAGE : endroit et action de toucher terre.
AVEINDRE : retirer de.
AVÉRER : prouver la vérité d'un fait.
BADER : regarder avec insistance et intérêt.
BAGOU : parler abondamment.
BAGOULER : bavarder.
BALÈQUE : bavarde.
BARAILLER : faire du bruit.
BASSICOTER : marchander de manière mesquine.
BATTERIE : bagarre sans trop de conséquence.
BATTURE : endroit que la mer couvre mais qui n'a pas assez de profondeur pour laisser passer les navires.
BERLANDER : flâner.
BERLICOQUET : jeune coq.
BERNEUR : celui qui berne.
BERQUIGNOT : homme mal bâti.
BIGLER : regarder du coin de l'œil.
BILLEBAUDER : chasser mal.
BIQUER : embrasser.
BOULER : pousser comme une boule. Envoyer promener.
BOURGAUT : voleur, escroc.
BOURROCHE : pour bourrache. Plante aromatique dont les fleurs sont comestibles.
BOUTEUX : petit filet attaché à un bâton fourchu.

BRIGANDINE : planche mince dont on fait les cercueils.

BUGLOSE : plante à fleurs bleues de la famille des borraginacées.

CABASSER : tromper.

CABESTRON : fille pas jolie.

CACHOTTER : cacher. Faire un mystère de choses peu importantes.

CAFINIOTER (SE) : se cacher dans un coin.

CALAMISTRER : parer avec recherche.

CALEFESSIER : homme prêt à tous les plaisirs.

CANTER : pencher de côté.

CARAPON : bonnet d'homme, fait d'une peau de renard ou de chat sauvage.

CARIMALOT : charivari.

CARRIOLE : voiture munie de lames de bois pour se déplacer sur la neige.

CATOUNER : caresser.

CHAUFFE-PIED : pièce où il y a une cheminée.

CHICOTE : maigre comme un chicot.

CLIGNE-MUSETTE : cligner et muser des yeux.

CLISSE : mince latte de bois.

COAS : coassement de la corneille.

COCOMBRE : pour concombre.

COLLETAILLER : se battre, se prendre au col.

COMMERCE : bonne entente entre des particuliers.

CONSOMMÉ : être anéanti.

COQCIDROUILLE : faire l'important.

COUVERT : bien habillé.

CROQUE : meurtrissure.
DÉBAGAGER : débarrasser, vider, nettoyer.
DÉBAUT : désespoir.
DÉCOMMANDER : contremander.
DÉCOUVRIR (SE) : dévoiler des secrets.
DÉGACER : enlever l'irritation.
DÉGRADER : être immobilisé quelque part sans pouvoir en sortir ou en partir.
DÉMENÉ : excité.
DÉPATOUILLER : sortir quelqu'un de la boue ou d'une mauvaise position.
DERLINGUER : faire du bruit.
DÉSERTER : défricher.
DESMANDER (SE) : se dédire.
DONA : imbécile.
DONAISON : donation.
DOUTANCE : doute.
DROGUER : faire attendre ennuyeusement.
ÉCHERDANT : jaloux.
ÉCORNIFLEUX : curieux.
EFFRITÉ : défait, décomposé, blême.
EMBABIOLER : enjôler.
EMBERLIFICOTER : embarrasser.
EMMÊLÉ : mêlé, embrouillé.
ESTOQUEFICHE : bon à rien, idiot, niais.
ÉTRÉCIR : pour se rétrécir.
ÉTRIVER : taquiner, faire fâcher.
EXPÉDIENT : excuse.
FAFIGNER : hésiter, tergiverser.

FALE : jabot des oiseaux.
FALLIPOUX : homme de mauvaise apparence.
FAUTER : manquer, faire une faute.
FEIGNANT : fainéant.
FERLAMPIER : vaurien, fainéant.
FÉRU : fier.
FESTAMPER : battre, frapper.
FICHER (SE) : se moquer de, ne pas se préoccuper.
FIFOLLET : feu follet.
FINASSER : faire le rusé.
FLÉLER : battre.
FONDEMENT : derrière.
FONTANGE : nœud de ruban décoratif posé sur la coiffe.
FRICOTER : prendre un bon repas, faire bombance.
FRINOT : aide meunier.
GABASSER : rire, se moquer.
GARCE : fille.
GARI : jeune homme.
GAUBERGER (SE) : se carrer.
GERGAUDER : pour une fille, folâtrer avec les garçons.
GNIAGNIAN : lambin, arriéré.
GOBELIN : feu follet.
GOBELOTER : s'enivrer. Boire avec excès.
GODICHE : niais.
GOUBIOT : maladroit, gauche.
GOURRER : tromper.
GRÉSIR : grelotter.
GUERPELÉ : homme de mauvaise mine.

HAHI-HAHA : personne dont le sexe n'est pas clairement déterminé.
HAIN : hameçon.
HALAISER : respirer péniblement.
HARDELLE : jeune fille.
HARILLEUR : celui dont la conduite est suspecte.
HERBE SAINT-JEAN : armoise.
INCONTINENT : immédiatement, sur-le-champ.
JASETTE : causette.
JARNIDIEU : juron signifiant je renie Dieu.
JASSETOISER : jaser sans mesure.
JUSTAUCORPS : ancien vêtement à manches qui descendait aux genoux et serrait le corps.
LIEUE : mesure de longueur d'environ quatre kilomètres.
LOUSSER : mentir.
MALEMENT : méchamment.
MALENDURANT : difficile à vivre, qui n'endure rien.
MARCACHA : petit homme mal bâti.
MARCOU : matou.
MASTAS : corpulent.
MAUVAISETÉ : méchanceté.
MÉCHANT(E) : mauvais, mauvaise.
MOUCHER : remettre quelqu'un à sa place.
MOUFLE : grosse mitaine très chaude.
MOUSSINER : s'agiter de désir ou de convoitise.
NOIRCHIBOT : petit homme moricaud.
NONOLE : sot, idiot.
NORRITUREAU : jeune cochon sevré qu'on nourrit bien pour l'engraisser.

OCCIR : tuer.

OUTARDE : bernache.

PANLAIRE : double voleur : du vieux français pan (vol) et léré (voleur).

PANNETÉE : plein panier.

PAR APRÈS : ensuite.

PATAFIOLER : ironiquement pour bénir.

PATARAPHE : ironiquement pour paraphe.

PAUPILLER : agiter les paupières.

PERLICOQUET : Objet placé haut et en vue par coquetterie et qui se balance.

PÉTUN : tabac.

PIGACER : écrire d'une écriture difficile à lire.

RACCOMODER : réparer.

RAISONNER : rendre à la raison. Apaiser.

RAMARRER : joindre par un nœud deux bouts de corde.

RAMIAULER : amadouer.

RENIPPER : fournir de linge, de hardes.

REPRÉSENTER : faire voir, présenter.

RÉSOLUER : décider.

RETOURNER : revenir.

RIOCHINER : rire en se moquant.

RIOTTE : risée.

ROUSSELINE : rousse

SOULEUR : saisissement, frayeur subite.

SOURDRE (FAIRE) : faire lever, faire fuir.

TAPABORD : genre de bonnet avec des bords qu'on pouvait rabattre.

TARIBONDIN : homme rond et petit.

TISONNER : allumer, enrager.
TOUPINER : tourner en rond.
TRUCHEMENT : interprète, traducteur, intermédiaire par lequel on passe.

Table des matières

Personnages principaux 7
Personnages historiques 11

Chapitre 1 La lettre du bon père Aveneau 17
Chapitre 2 La traversée 27
Chapitre 3 Le baptême de mer 35
Chapitre 4 Arrivée à Québec 39
Chapitre 5 Le monde du Passage 45
Chapitre 6 Une visite inattendue 53
Chapitre 7 Radegonde 59
Chapitre 8 Les secrets de Rosalie et de Belle 69
Chapitre 9 Les gens de l'auberge 77
Chapitre 10 Marcellin et ses deux élèves 89
Chapitre 11 L'épouvantable drame 101
Chapitre 12 L'injustice des hommes 111
Chapitre 13 Le marchand Renaud 123
Chapitre 14 Les comptes du notaire Bonnard 133
Chapitre 15 Le Chauve et Le Matou 141
Chapitre 16 Un personnage inquiétant 149
Chapitre 17 Sur le fleuve avec Marceau 157

Chapitre 18 Deux coqs dans la même basse-cour 167
Chapitre 19 Veillée funèbre et histoire de moulin 173
Chapitre 20 La mésaventure du père Jobidon 183
Chapitre 21 Dans les bois avec Bona 193
Chapitre 22 Le peu pacifique Renaud 201
Chapitre 23 Flore et faune du Nouveau Monde 207
Chapitre 24 L'affaire du Passage 217
Chapitre 25 Visite à l'Île-aux-Grues 223
Chapitre 26 Le retour de Le Noir 233
Chapitre 27 La tournée des moulins 239
Chapitre 28 Cocasseries de la vie en Nouvelle-France 249
Chapitre 29 L'arrivée de Fanchonette 261
Chapitre 30 Cochon raisonnable et vache immortelle 267
Chapitre 31 Une journée à la cour 273
Chapitre 32 Une missive pour Faye le meunier 285
Chapitre 33 Un curé plus catholique que Dieu 291
Chapitre 34 Un message de détresse 297
Chapitre 35 Un peu regretté défunt 301
Chapitre 36 Une lecture interrompue 307
Chapitre 37 Un assassinat qui fait jaser 315
Chapitre 38 Devant le lieutenant civil 321

Chapitre 39 Hanté par la voix 331
Chapitre 40 Aveux à Radegonde 337
Chapitre 41 Une visite du père Aveneau 341
Chapitre 42 Le procès du Portugais 345
Chapitre 43 Autour d'une roue 351
Chapitre 44 Le plus grand des pétrins 359
Chapitre 45 Interrogatoire serré 367
Chapitre 46 Le pire cauchemar 375
Chapitre 47 Nouvelle vie dans l'Ancien Monde 383
Chapitre 48 Une missive de Nouvelle-France 393
Chapitre 49 La vie au Havre 401
Chapitre 50 Le trésor de l'oncle Laterreur 405

Lexique 409

Suivez-nous

Achevé d'imprimer en mars 2012
sur les presses de Transcontinental-Gagné
Louiseville, Québec